Zu diesem Buch

«Krimileser haben allen Grund zur Freude... Das Buch ist – wie alle vorherigen Jury-Romane – ein Vergnügen. Denn Martha Grimes schreibt unverkrampft, ihr Krimi-Personal wird liebevoll sorgfältig behandelt, der Plot ist psychologisch stimmig.» («Hamburger Abendblatt»)

«Der Autorin gelingt es, auch den detektivischen Spürsinn des Lesers mit wachzuhalten. Vorzügliche Charakter- und Landschaftsschilderungen. Und was die Dialoge in ihrer Mischung aus Witz und Hintergründigkeit angeht, so steht die Amerikanerin Martha Grimes ihren englischen Kolleginnen (und Kollegen natürlich) in nichts nach.» («Die Welt»)

Martha Grimes, geboren in Pittsburgh/USA, studierte Englisch an der University of Maryland und lehrt heute Creative Writing und Literatur am Montgomery College in Takoma Park, Maryland. Sie machte mehrere ausgedehnte Reisen nach England. Martha Grimes gilt als wahre Meisterin des klassischen Detektivromans. Kritiker schätzen sie sogar höher ein als Agatha Christie. In der Reihe der rororo-Taschenbücher liegen bereits vor: «Inspektor Jury schläft außer Haus» (Nr. 5947), «Inspektor Jury spielt Domino» (Nr. 5948), «Inspektor Jury sucht den Kennington-Smaragd» (Nr. 12161) und «Inspektor Jury küßt die Muse» (Nr. 12176). Im Wunderlich Verlag erschienen «Inspektor Jury besucht alte Damen» (1990) und «Inspektor Jury geht übers Moor» (1991).

MARTHA GRIMES

INSPEKTOR JURY BRICHT DAS EIS

ROMAN

Aus dem Amerikanischen von
Uta Goridis und Jürgen Riehle

ROWOHLT

Veröffentlicht im Rowohlt Taschenbuch Verlag GmbH,
Reinbek bei Hamburg, Mai 1992
Copyright © 1989 by Rowohlt Verlag GmbH,
Reinbek bei Hamburg
Die Originalausgabe erschien 1984 unter dem Titel «Jerusalem Inn»
bei Little, Brown & Company, Boston/Toronto
«Jerusalem Inn» Copyright © 1984 by Martha Grimes
Jürgen Riehle übersetzte Kapitel 1 bis 19,
Uta Goridis Kapitel 20 bis 27.
Umschlagtypographie Büro Hamburg/Peter Wippermann
Umschlagillustration Bruce Meek
Satz Garamond
Gesamtherstellung Clausen & Bosse, Leck
Printed in Germany
1090-ISBN 3 499 12257 x

FÜR PAMELA,
EINE VORBILDLICHE FREUNDIN

Die weisen Männer

Im fernen Osten seh ich in Gedanken
sie kommen jedes Jahr zum selben Ort.
Sie tragen in den Händen, was sie fanden,
und im Gesicht, was sie erwartet dort.

Sie gehen schweigend, ruhig und sicher
wie Porzellanfigürchen durch den Wald,
die Farben der Gewänder leuchtend,
die feinen Züge kultiviert und alt.

Sie scheuen Wandel, deuten weder Krieg noch Frieden,
beenden nie die Reise, die sie so geprägt,
und warten sehnlich auf ein Zeichen, das
die Zukunft treu in ihre eignen Hände legt.

Edgar Bowers

Schwester! Oh, meine Schwester! Das ist der Grund:
Ob wir fallen durch Ehrgeiz, Blut, Lust oder Raub,
wie Diamanten schneidet uns der eigne Staub.

Die Herzogin von Malfi

ERSTER TEIL

OLD HALL

I

EINE BEGEGNUNG AUF DEM FRIEDHOF. Das war es, was ihm rückblickend immer wieder durch den Kopf ging, wenn er sich ohne jede Ironie sagte, daß ein solcher Ort nicht gerade auf jene dauerhafte Liebe schließen ließ, nach der er sich sehnte. Schneeverwehungen auf der Sonnenuhr. Zankende Spatzen in den Hecken. Die schwarze Katze, die in dem trockenen Vogelbecken thront. Erinnerungsfetzen. Ein zerbrochener Spiegel. *Pech, Jury.*

Es begann an einem windigen Dezembertag, dem fünftletzten vor Weihnachten, als Jury durch die Tore von Washington Old Hall zwei streitsüchtige Spatzen in einer nahen Hecke beobachtete. Sie flatterten unter wütendem Gezänke zwischen Hecke und Baum hin und her und pickten sich gegenseitig die Brust blutig. Jury war grausame Szenen gewohnt; dennoch schokkierte ihn der Anblick. Aber passierte das gleiche nicht überall? Sie unterbrachen die wilde Jagd schließlich auf dem Boden vor seinen Füßen. Er machte eine Bewegung, um den Kampf abzubrechen, aber schon waren sie wieder auf und davon.

Das Haus war verschlossen, und so stapfte er durch die alten Straßen Washingtons, während der Schnee allmählich in Regen überging. Es war nach drei Uhr, die Pubs hatten also zu – wieder Pech. Am Ende einer Dorfgasse fand er sich vor der katholischen Kirche wieder. *Tust du dir jetzt leid, Jury? Keine Freunde, keine Verwandten, keine Frau, kein...* Aber Weihnachten steht doch vor der Tür, widersprach etwas in ihm.

Jury hatte diesen Konflikt, der seine Einstellung zum Fest der Liebe belastete, noch nicht gelöst, als er die schwere Kirchentür aufstemmte und leise die Vorhalle betrat. Zu allem Überfluß mußte er nun auch noch feststellen, daß er mitten in eine Taufe geplatzt war. Der Pfarrer unterbrach zwar die Zeremonie nicht, aber die Gesichter der Eltern fuhren zu dem Eindringling herum, und das Baby schrie.

Jury meinte, seine innere Stimme boshaft kichern zu hören. *Du Tölpel.* Er fixierte das Anschlagbrett der Kirche und setzte eine Miene tiefster Versunkenheit auf, die den Leuten dort klarmachen sollte, wie dringend notwendig die Gemeindenachrichten für sein Seelenheil seien. Mit einem kurzen Nicken *(als würde das jemanden kümmern, du Trottel!)* drehte er sich um und ging hinaus, ungeläutert und ungetröstet.

Auch auf dem Kirchhof konnte er diese zänkische Stimme nicht zum Schweigen bringen. Sie hackte gnadenlos auf ihm herum: Es hatte ihn ja keiner *gezwungen* anzunehmen, als ihn seine Cousine mit Wimmerstimme eingeladen hatte, sie doch an Weihnachten zu besuchen. *(«Wir kriegen dich doch sonst nie zu Gesicht, Richard...»)* Newcastle-upon-Tyne. Ein scheußlicher Ort, gerade im Winter. *Ein netter Spaziergang über den Friedhof, das paßt zu dir, Jury... und dazu noch der Schnee... es schneit schon wieder...* Und so fort.

Und da sah er sie; über einen Grabstein gebeugt, das braune Haar, das der Wind in Strähnen unter der Kapuze ihres Capes hervorgeweht hatte, naß von Schnee und Regen. Alte Weiden senkten Vorhänge aus feuchten Blättern in seinen Weg. Moos kroch an den Grabsteinen hoch. Ansonsten lag der Ort verlassen da.

Sie stand vollkommen reglos. Wie sie sich so in einiger Entfernung vor ihm über den Stein beugte, erinnerte sie Jury an eines jener lebensgroßen Grabmale, die man gelegentlich selbst auf den kleinsten und schlichtesten Friedhöfen sieht, erstarrte Zeugen der Trauer, die Gesichter kapuzenverhüllt und düster, die Hände gefaltet.

Ihre Hände waren nicht gefaltet. Sie schien etwas in ein kleines Buch einzutragen. Entweder war sie so in das Studium der

Inschriften vertieft, daß sie sein Herannahen nicht bemerkte, oder sie nahm einfach an, er wolle ungestört bleiben.

Er schätzte sie auf Ende Dreißig. Sie gehörte zu der Sorte Frauen, die sich gut hielt: Wahrscheinlich sah sie jetzt sogar besser aus als mit zwanzig. Sie hatte eines jener Gesichter, die Jury schon immer als schön empfunden hatte, ein Gesicht, in das der Ausdruck von Trauer und Schmerz so fest eingemeißelt schien wie in eine Grabskulptur. Ihr Haar hatte fast die gleiche Farbe wie seines, nur lag auf ihrem ein roter Schimmer, der selbst hier, in der grauen Düsternis eines verschneiten Dezembernachmittags, noch sichtbar war. Ihre Augen lagen im Schatten der Kapuze verborgen. Sie beugte sich über einen kleinen Stein mit herausgemeißelten Engeln, deren Flügel schon völlig verwittert waren.

Jury tat so, als betrachte er ebenfalls die Grabsteine, wobei er die gleiche Miene aufsetzte wie vor dem Anschlagbrett in der Kirche. Während er noch fieberhaft nach einem grabesdüsteren Einleitungssatz suchte, preßte sie die Hand auf ihre Stirn und ließ sie dann auf den Grabstein sinken, als suche sie Halt.

«Ist Ihnen nicht gut?» Seine Hand lag flugs auf ihrem Arm.

Sie schüttelte den Kopf, als wolle sie Klarheit hineinbringen, und schenkte ihm ein dünnes, verlegenes Lächeln. «Nur ein kleiner Schwächeanfall. Wahrscheinlich kommt das vom vielen Bükken und zu schnellen Aufrichten. Danke.» Hastig steckte sie das Büchlein und den Stift in eine der großen aufgesetzten Taschen ihres Capes. Der Einband des Notizbuchs war aus Metall – golden, und bestimmt nicht billig. Der Stift war ebenfalls aus Gold, das Cape aus Kaschmirwolle. Nichts an ihr wirkte billig.

«Sie schreiben doch nicht etwa ein Buch über Grabinschriften?» Wie banal, dachte er, irritiert von seiner eigenen Unbeholfenheit. Wäre sie die Hauptverdächtige in einem Mordfall gewesen, hätte er wohl eine bessere Figur gemacht.

Aber seine Vermutung schien sie nicht zu verärgern. «Nein.» Sie lachte auf. «Ich forsche ein bißchen herum.»

«Wonach? Ich weiß, es geht mich nichts an, aber – fühlen Sie sich auch wirklich ganz in Ordnung?»

Sie schwankte ein wenig und griff sich wieder an die Stirn. «Ehrlich gesagt, ich weiß nicht recht. Mir ist wieder schwindlig.»

«Sie sollten sich hinsetzen. Vielleicht auch einen Brandy oder so was trinken.» Er runzelte die Stirn. «Die Pubs haben allerdings geschlossen...»

«Mein Cottage ist ganz in der Nähe, auf der anderen Seite des Dorfangers. Ich weiß nicht, woher diese Schwindelanfälle kommen. Vielleicht von dem Medikament... Na, als nächstes zeig ich Ihnen noch meine Blinddarmnarbe...»

«Ich hätte nichts dagegen.» Er lächelte wieder. «Aber gestatten Sie mir wenigstens, daß ich Sie nach Hause begleite.»

«Danke. Das wäre sehr freundlich von Ihnen.» Zusammen liefen sie durch das alte Washington, das Jury jetzt mit ganz anderen Augen sah: es erschien ihm nun als Prachtstück von einem Dorf, mit seinen zwei Pubs und der winzigen Bibliothek jenseits des Angers.

«Ich habe noch etwas Whisky. Wenn Sie mir auf ein Glas Gesellschaft leisten wollen?»

Wieder sagte Jury – und beglückwünschte sich dabei zu seiner atemberaubenden Originalität: «Ich hätte nichts dagegen.»

Sie kamen an dem größeren der beiden Pubs vorbei, einem cremefarben gestrichenen Gebäude mit schwarzen Fensterläden und dem Namen «Washington Arms». Ihr Haus lag am Ende eines schmalen, heckengesäumten Wegs. Der kleine Eingangsvorbau lief ebenso wie das ziegelgedeckte Dach spitz zu; die zitronengelbe Haustür wirkte darin wie ein Flecken winterlichen Sonnenscheins.

Drinnen war es jedoch gar nicht sonnig; die Fensterkreuze waren zu schmal und lagen zu hoch, um selbst an hochsommerlichen Tagen genügend Licht hereinzulassen. Sie schaltete eine Lampe an. Der bunte Glasschirm warf einen verschwommenen Regenbogen auf den Mahagonitisch.

«Wir haben uns noch nicht einmal vorgestellt», sagte sie lachend.

Das stimmte allerdings; auf dem Weg hierher hatten sie sich unterhalten wie zwei alte Freunde und dabei vergessen, etwas so Beiläufiges wie ihre Namen zu erwähnen.

«Ich heiße Helen Minton», sagte sie.

«Richard Jury. Sie sind nicht von hier, nicht wahr? Ihr Akzent klingt eher nach London.»

Sie lachte. «Sie müssen ein gutes Ohr haben. Ich kann höchstens den Unterschied zwischen Cornwall und Surrey und den Geordies hier oben raushören. Aber ich glaube kaum, daß ich einen Londoner Akzent zweifelsfrei erkennen würde.»

«Ich bin aus London.»

«Dann – aber bitte setzen Sie sich doch – dann stelle ich Ihnen dieselbe Frage, die ich hier ständig zu hören kriege: Was hat Sie ausgerechnet hierher verschlagen? London erscheint einem hier so fern wie Timbuktu, und trotzdem kann man mit dem Schnellzug in drei Stunden dort sein.»

«Ich bin unterwegs nach Newcastle.»

Während sie ihm die Jacke abnahm – deren schweres Wildleder keineswegs einen ausreichenden Schutz gegen die hiesigen Stürme bot –, sah sie ihn nachdenklich an. «Sie scheinen nicht allzu glücklich darüber zu sein.»

Jury lachte. «O Gott, merkt man mir das an?»

«Hmm. Es ist zu schade, daß die Leute, wenn sie Newcastle hören, nur an Kohle denken. Die meisten Zechen sind längst stillgelegt. Die Stadt selbst ist eigentlich recht schön.» Sie legte sich die Jacke über den Arm, machte aber keine Anstalten, sie aufzuhängen, sondern stand einfach da und betrachtete ihn. Ihre Augen waren grau, nur eine Spur dunkler als seine eigenen, wie Zinn oder die Nordsee.

«Wir sind hier nicht weit vom Meer, oder?»

«Nein. Die Küste von Sunderland ist nur ein paar Meilen entfernt.» Sie legte den Kopf schräg und sah ihn weiter prüfend an. «Wissen Sie, daß wir fast die gleiche Haar- und Augenfarbe haben?»

«Ach, wirklich?» sagte er beiläufig. «Ja, jetzt, wo Sie es sagen, fällt es mir auch auf.» Er lächelte. «Sie könnten meine Schwester sein.»

Sein Lächeln hatte eine gänzlich andere Wirkung als gewöhnlich. Sie sah plötzlich unendlich traurig aus und wandte sich ab, um seine Jacke aufzuhängen. «Und warum fahren Sie nun nach Newcastle?» fragte sie, während sie die Jacke sorgfältig über einen Kleiderbügel drapierte.

«Um meine Cousine zu besuchen. Ich soll mit ihr Weihnachten feiern. Ich habe sie seit Jahren nicht mehr gesehen; früher hat sie in den Potteries gelebt. Die Familie ist in der Hoffnung auf bessere Arbeit hierhergezogen. Ein böser Irrtum.»

Helen Minton hängte ihren Mantel an einen Haken und fragte: «Ist sie Ihre einzige Verwandte?»

Jury nickte und setzte sich. Er hatte nicht das Gefühl, erst eine Aufforderung abwarten zu müssen. Er bot ihr eine Zigarette an. Während sie sich über die Flamme beugte, hielt sie mit einer Hand den Vorhang ihres rötlich-braunen Haars zurück. «Das ist ja seltsam. Ich habe einen Cousin. Der ist auch mein einziger Verwandter. Er ist Künstler, ein sehr guter.» Sie wies auf ein kleines Gemälde an der Wand gegenüber – eine abstrakte Komposition in leuchtenden Farben mit scharfen Konturen.

Jury lächelte. «Anscheinend verfügen wir so ziemlich über die gleiche Erbmasse. Das Haar. Die Augen. Die Cousins. Ihr Haus gefällt mir», sagte er, machte es sich in dem tiefen Sessel richtig bequem und zog zufrieden an seiner Zigarette.

«Wie wär's jetzt mit einem Whisky?»

«Großartig!»

Während sie mit der Ernsthaftigkeit eines Kindes, das nichts falsch machen will, die Drinks einschenkte, sagte sie: «Eigentlich ist es gar nicht mein Haus. Ich habe es nur gemietet.» Sie reichte ihm sein Glas.

«Dann stelle ich Ihnen jetzt auch die Frage, die Sie sicher ständig zu hören kriegen: Was hat Sie bloß hierher verschlagen?»

Das Glas in beiden Händen haltend, antwortete sie: «Nichts Bestimmtes. Ich bin zu etwas Geld gekommen, genug, um damit bequem leben zu können. Ich fand, daß dies ein schönes kleines Dorf ist, und beschloß, eine Weile hierzubleiben. Ich stelle ein paar Nachforschungen über die Familie Washington an.»

«Sind Sie Schriftstellerin?»

«Ich? Gott, nein! Es ist nur ein Zeitvertreib. Die Washingtons sind eine recht interessante Familie; sie haben sich nach dem Dorf und dem Gut benannt, das sie mehrere hundert Jahre lang bewohnten, bevor Lawrence Washington dann Sulgrave Manor gebaut hat. Haben Sie Old Hall, das Herrenhaus, besichtigt? Ach nein, heute ging das ja gar nicht: Es ist kein Besuchertag. Sie müssen unbedingt wiederkommen. Donnerstags helfe ich dort aus; der Fremdenführer, der sonst die Besichtigungen macht, nimmt sich dann frei – und ich könnte Sie herumführen...» Ihre Stimme erstarb. «Aber wahrscheinlich werden Sie viel zu beschäftigt sein, mit Ihrer Cousine und mit Weihnachten...»

Er schüttelte den Kopf. «So beschäftigt nun auch wieder nicht.»

«Ich könnte Sie herumführen», wiederholte sie. «Das Haus gehört der Gesellschaft für Denkmalschutz. Mein Lieblingsraum ist das Schlafzimmer im Obergeschoß...» Sie hob den Blick zur Zimmerdecke und errötete heftig. Hastig fuhr sie fort: «Es gibt eine Küche, und manchmal mache ich den Leuten Tee, obwohl ich das wahrscheinlich gar nicht dürfte. Aber es gibt ein, zwei Leute, die schon öfter da waren...»

Mit argloser Miene (während er sich insgeheim diebisch darüber amüsierte, wie sie sich aus der Sache mit dem Schlafzimmer herauszureden versuchte) fragte er: «Und wenn Sie mir Old Hall gezeigt haben, darf ich Sie dann zum Dinner einladen?»

«Zum Dinner?» Sie hätte über die Einladung nicht überraschter sein können – als hörte sie das Wort «Dinner» zum erstenmal. Aber dann strahlte sie vor Freude, und ihre Befangenheit war verflogen. «Ja – gern. Das wäre nett.» Mit frisch erwachtem Eifer warf sie einen Blick ins Nebenzimmer. «Wir könnten hier zu Abend essen», sagte sie und breitete die Arme aus, als entdeckte sie in Jurys Vorschlag ungeheure Möglichkeiten.

Er lachte. «Ich hatte gewiß nicht vor, Sie in der Küche schuften zu lassen. Gibt es hier keine Restaurants?»

«Das Essen ist nicht so gut wie bei mir», erklärte sie schlicht und einfach. «Von dem ganzen Gerede übers Essen hab ich übrigens einen Bärenhunger bekommen. Bevor ich aus dem Haus ging, hab ich ein paar Sandwiches gemacht. Möchten Sie eins?»

Jury hatte seit Tagen keinen Appetit mehr verspürt. Jetzt fühlte er sich plötzlich ausgehungert. Er fragte sich, ob ihnen wirklich bloß etwas zu essen fehlte, und lächelte. «Danke, gern. Soll ich nachschenken, während Sie die Sandwiches holen?»

«O bitte, tun Sie das. Die Flaschen stehen dort drüben. Ich bin gleich wieder da.»

Jury nahm die Gläser und sah sich im Zimmer um, in dem sich schon die Schatten der Dämmerung ausbreiteten, obwohl es erst vier Uhr nachmittags war. Es war ein hübsches Zimmer. Die Polstermöbel waren mit alten Rosendrucken bezogen, und im Kamin prasselte ein Feuer. Er bemerkte, daß es qualmte. Über dem Kaminsims hing ein gerahmter Druck von Old Hall. Die Tapete war in einem neun oder zehn Zentimeter breiten Streifen um das Bild herum eine Spur heller.

Helen kam mit einem silbernen Tablett zurück, auf dem ein Teller mit Sandwiches und eine Unzahl von Beilagen standen: Gewürzgurken, Meerrettich, Senf, Pfeffersauce und dergleichen mehr.

Er lachte. «Großer Gott! Sie scheinen Ihre Sandwiches ja üppig zu belegen.»

«Ich weiß. Gräßlich, nicht? Ich habe eine furchtbare Schwäche für scharfes Essen. Da fällt mir ein, daß es im neuen Teil des Dorfes ein indisches Restaurant gibt, in das wir gehen könnten.» Sie strich Senf und Meerrettich auf ihr Roastbeef und garnierte es zum Abschluß mit einem Stück Gewürzgurke. Sie biß herzhaft hinein und sagte dann: «Ach, ich könnte Feuer speien. Möchten Sie mal probieren? Es ist frischer Meerrettich. Eine Bekannte von mir hat ihn zubereitet.» Sie hielt ein kleines Steinguttöpfchen hoch.

«Nein, vielen Dank. Ich bin mit einem ganz gewöhnlichen Sandwich vollauf zufrieden.»

Ein paar Minuten lang aßen und tranken sie in einvernehmlichem Schweigen, dann lehnte sie sich zurück in die Polster der Couch und zog ein Bein unter ihren Rock.

«Wo arbeiten Sie?»

«In der Victoria Street.» Er wünschte, die Frage nach seinem Beruf wäre nicht in diesem frühen Stadium gefallen; die Antwort stieß manche Leute vor den Kopf.

«Was tun Sie dort?»

«Polizeiarbeit. Ich bin ein Bulle.»

Sie starrte ihn an und lachte. «Niemals!»

«Doch», sagte er.

Sie schüttelte immer noch ungläubig den Kopf: «Aber Sie sehen...»

«...nicht wie einer aus? Oh, warten Sie erst mal ab, bis Sie mich in meinem abgetragenen blauen Anzug und meinem Regenmantel sehen.» Immer noch lächelnd legte sie den Kopf schräg, so daß ihr Gesicht und ihr Haar in den Schein der bunten Glaslampe eintauchten. «Ich beweise es Ihnen, indem ich Ihnen ein paar schlaue Fragen stelle. Sind Sie bereit?»

Sie ging vergnügt auf das Spiel ein. «Schießen Sie los.»

«Okay. Warum sind Sie wirklich hier? Warum sind Sie so unglücklich? Und warum haben Sie das Bild über dem Kaminsims abgenommen?»

Bei der ersten Frage hatte sie abrupt den Blick abgewandt. Bei der dritten Frage schnellte er zu ihm zurück. «Wie...?»

«Der Kamin qualmt. Man merkt es an der Tapete: sie ist um den Rahmen herum heller. Sie machen keine sonderlich gute Figur bei meinem Kreuzverhör. Sie wirken so schuldbewußt wie...» Jurys Lächeln verschwand. Er hatte gewiß nicht vorgehabt, sie aus der Fassung zu bringen. Im bunten Widerschein des Lampenlichts war ihr Gesicht jetzt tiefrot.

«Ihnen entgeht wohl nichts.» Das war alles, was sie sagte.

«Das ist mein Job. Und es ist meine Schwäche. Namen, Daten, Orte, Gesichter... von denen ich einige am liebsten vergessen würde...» *Aber nicht Ihres,* hätte er gerne hinzugefügt. «Es tut mir wirklich leid. Ich wollte nicht in Ihren Angelegenheiten herumschnüffeln.»

«Nein, nein. Schon gut. Was das Unglücklichsein betrifft –» Ihr Lachen klang gezwungen. «Es liegt wohl daran, daß bald Weihnachten ist. Weihnachten deprimiert mich. Schrecklich, nicht? Aber ich glaube, es geht vielen Leuten so. Man fühlt sich tatsächlich schuldig, keine Familie zu haben, so als hätte man sie aus Nachlässigkeit verloren.» Sie wandte sich mehr an ihr Glas als an Jury. «Vermutlich stehen wir unter einem solchen Zwang, glücklich zu sein, daß wir uns schuldig fühlen, wenn wir's nicht können...» Sie tat die Sache mit einem Schulterzucken ab.

«Ich stelle meistens einen Antrag auf Weihnachtsdienst und bringe das Fest so hinter mich. Die Dinge, die ich dabei oft zu sehen bekomme, machen einem klar, daß man nicht der einzige ist, der Weihnachten nur mit Hängen und Würgen übersteht.» *Wie die alte Frau, klein und zerbrechlich wie ein Vogel, die sich in der Besenkammer erhängt hatte.* Die Erinnerung blieb unausgesprochen. «Das ist ganz heilsam.» *Wenn man solche Roßkuren mag.* «Falls Sie zu Weihnachten noch nichts vorhaben, essen Sie doch mit uns zu Abend. Meine Cousine würde sich sehr freuen. Sie brauchte sich dann zur Abwechslung mal nicht nur den Kopf darüber zu zerbrechen, wo ihr versoffener Mann steckt, und ob ihre Kinder als Punks enden und sich die Haare lila färben werden.»

«Das ist furchtbar nett von Ihnen. Aber schließlich bin ich eine Fremde. Ich will mich Ihrer Familie nicht aufdrängen...»

«Aber, aber, Sie wollen doch wohl nicht sentimental werden. Paßt das zu dem, was Sie mir eben erzählt haben?»

Beide lachten.

«Apropos Weihnachten – ich muß noch ein paar Geschenke einpacken. Für die Bonaventura-Schule. Sie nennt sich zwar Schule, ist aber in Wirklichkeit eher ein Waisenhaus.»

«Sie tun also auch etwas für die Armen.»

Helen wiegelte ab: «Oh, rechnen Sie mir das nicht allzu hoch an. Es ist nur ein Zeitvertreib.» Ihr Blick glitt über Jurys Schulter zum Fenster, wo Schneeflocken gegen die Scheiben wirbelten.

Aber warum, grübelte Jury, hat sie es bloß so nötig, die Zeit totzuschlagen? Seine Frage, warum sie so unglücklich sei, war unbeantwortet geblieben. Widerstrebend stellte er sein Glas auf den Tisch und stand auf. «Meine Cousine wundert sich bestimmt schon, wo ich bleibe. Ich mach mich wohl besser auf den Weg.»

Sie begleitete ihn zur Tür. Als sie sie öffnete, sah er hinaus in ein stürmisches Schneetreiben. Die Hecken raschelten im Wind, die jungen Bäume bogen sich unter ihrer feuchten Last. Der Schnee war wieder mit Regen vermischt.

Helen zog die Ärmel ihrer Strickjacke über die Hände und schlang die Arme um ihre Taille.

«Sie gehen besser wieder rein», sagte Jury und schlug den Kragen hoch. Der schneidende Wind fuhr ihm eisig durch Jacke und Pullover.

Doch ungeachtet der Kälte, die ihr durch alle Glieder drang, blieb sie stehen und sagte: «Sie sind für dieses Wetter nicht richtig angezogen. Haben Sie denn keinen Mantel?»

«Der liegt im Auto.»

Sie begleitete ihn zum Gartentor und suchte mit den Blicken die Straße nach seinem Wagen ab. «Wo steht er denn?»

Die Frage klang, als argwöhnte sie, daß er, leicht bekleidet wie er war, den ganzen Weg nach Newcastle auf Schusters Rappen zurücklegen wollte. Er betrachtete lächelnd ihre Gestalt in der Dunkelheit: Die Beine dicht aneinandergepreßt stand sie da. Mit ihren dunklen Knöpfstiefeln und ihren Baumwollstrümpfen wirkte sie wie eine Frau auf einem Jugendstilplakat.

«Der Wagen steht vor dem Pub. Und Sie werden naß.» Der Moment auf dem Friedhof fiel ihm wieder ein: «Woher kommen Ihre Schwindelanfälle?»

Der Wind fuhr ihr durchs Haar. «Das ist wahrscheinlich nur eine Nebenwirkung des Medikaments, das ich nehmen muß.

Eine kleine Herzgeschichte. Nichts Ernstes. Aber Sie sollten jetzt besser gehen.» Dann machte sie plötzlich ein bekümmertes Gesicht, strich sich eine Haarsträhne aus dem Mundwinkel und fragte: «Werden Sie wiederkommen?»

Eine Böe hatte den Kragen ihrer Strickjacke aufgeschlagen, und er streckte die Hände aus, um ihn wieder zu schließen; dabei zog er sie gleichzeitig ein wenig näher zu sich heran. «Warum fragen Sie? Sie wissen doch, daß ich wiederkomme.»

Einen Moment lang schauten sie sich in die Augen, dann lächelte sie und sagte: «Ja, ich denke, ich weiß es.» Durch die Dunkelheit rannte sie den Weg hinauf zum Haus und winkte ihm von der Tür aus zu, ehe sie sie hinter sich schloß.

Jury blieb noch ein oder zwei Minuten auf dem Gehsteig stehen, die Schultern hochgezogen, die Hände in den Jackentaschen vergraben. Dieser verfluchte eisige Wind! Ein Licht wurde im Haus eingeschaltet; er sah sie am Fenster stehen. Das Fensterkreuz zerteilte ihr Gesicht in vier Segmente, die hinter den regennassen Scheiben verschwammen wie eine Traumerscheinung.

Mit einem letzten Winken marschierte er in Richtung seines Wagens und merkte plötzlich, daß seine Niedergeschlagenheit verschwunden und die zänkische Stimme in seinem Inneren endlich verstummt war. Der Schnee lag knöcheltief, aber er bemerkte es kaum. Die Autofahrt würde eine üble Rutschpartie werden, doch das kümmerte ihn wenig. Jury begann zu pfeifen.

Dennoch war ihm unbehaglich. Je weiter er sich von ihrem Haus entfernte, desto stärker wurde das Gefühl.

Und da kam ihm zum erstenmal der Gedanke, daß eine Begegnung auf dem Friedhof nicht der beste Beginn für eine Liebesgeschichte war. Seine innere Stimme wollte schon wieder loskrächzen, aber er ließ es nicht dazu kommen. Wenn er Helen das nächste Mal sähe, würde er bestimmt herausfinden, warum sie so unglücklich war.

Als er sie das nächste Mal sah, war sie tot.

2

Jury hätte auch ohne das Gejammer seiner Cousine gewußt, daß Newcastle, wie überhaupt der ganze Tyne and Wear-Distrikt die Heimstatt von Frustration, Armut, Arbeitslosigkeit und Suff war, trostlos und bedrückend. Aber er mußte es sich trotzdem an seinem ersten Abend in ihrer bescheidenen Mietwohnung anhören, während sie aus einer Wolle, die ebenso mausgrau war wie ihr Haar und ihre Augen, irgend etwas strickte und höchstens einmal die Nadeln sinken ließ, um hinaus in das Schneetreiben zu blicken, durch das Brendan wohl nie nach Hause stolpern und rutschen können würde, nachdem er wieder einmal seine Sozialhilfe versoffen hatte. Brendan war ihr arbeitsloser Mann, ein Ire mit trotzigem Blick, und im übrigen der einzige Ire ohne einen Funken Humor, den Jury kannte.

Hier konnte einem das Lachen allerdings auch vergehen: *Die Nietenbude nennen wir's,* hatte seine Cousine gesagt und damit das Arbeitsamt mit seinen vielen kleinen Zettelchen gemeint, auf denen Jobs angeboten wurden, die wundersamerweise genau in dem Moment schon vergeben waren, in dem der Arbeitssuchende sich nach ihnen erkundigte. *Letzte Woche haben sie eine einzige Stelle in den Minen angeboten, und über tausend Bewerber sind gekommen. Die ganzen Fabriken haben sich nur hier angesiedelt, weil die Regierung versprochen hat, sie ein paar Jahre lang zu subventionieren. Jetzt ist Schluß mit den Subventionen, und sie ziehen einem den Teppich unter den Füßen weg.* Brendan sei eben einer von denen, die dabei aufs Kreuz gefallen waren. Ihm könne man das bestimmt nicht vorwerfen.

Jury glaubte ihr aufs Wort. Aber es ging ihm nicht allzu nahe, denn er hatte seine Cousine nie besonders gemocht. Seine seltenen Besuche, seine Anrufe, seine kleinen Geldgeschenke, wenn der große Seelenjammer sie überkam – das alles geschah nur aus dankbarer und liebevoller Erinnerung an ihren Vater, seinen Onkel, der ihn aufgenommen hatte, nachdem seine Mutter gestorben war. Er mochte seine Cousine nicht, weil sie immer jenseits der Realität gelebt hatte, in jenem schönen Traumland der Kindheit, wo die zertanzten Schuhe über Nacht von Elfen repariert wurden, wenn einem nicht gerade eine Fee goldene Pantoffeln schenkte.

«Außerdem könnten die Kinder weiß Gott neue Schuhe brauchen», klagte sie mit einem Seitenblick auf Cousin Richard, der daraufhin gehorsam Schuhe auf seiner geistigen Geschenkliste vermerkte.

Die Kinder fanden Schuhe zwar langweilig, aber es entging ihnen nicht, wenn jemand ein weiches Herz hatte; sie witterten die Verheißung von Geschenken so deutlich wie eine frische Nordseebrise. Und so fanden sie sich beim Einkaufsbummel am nächsten Vormittag mit den Schuhen ab, um an die wahren Geschenke heranzukommen: eine Puppe, die *Star Wars*-Krieger aus Plastik, Malbücher und Süßigkeiten und ein gewaltiges Mittagessen. Die Kinder, die sich außerhalb der Reichweite ihrer Mutter sehr viel wohler fühlten, trugen alle so phantastische Namen wie Jasmine und Christobel – Namen, die man seinen Kindern gibt, wenn man ihnen nicht zutraut, daß sie sich als gewöhnliche Johns und Marys im Leben behaupten werden. Im Gewühl der Kaufhäuser hielten sie sich jedenfalls alle recht wakker, wenn auch der erwachende Forscherdrang des Jüngsten nervtötend war und die Älteste eine bedenkliche Entschlossenheit zeigte, ihrem Namen Chastity, die Keusche, Schande zu machen: keck ließ sie ihren Blick über die Männer gleiten und machte ihnen schöne Augen wie eine rollige Katze.

Er fühlte keinerlei Bedauern, als er am Nachmittag Newcastle verließ und im Rückspiegel sah, wie die Stadt mit ihren großen grauen Steinmassen, ihren Rokokodächern, protzigen Schloten und verlassenen Werften am jenseitigen Ufer des Tyne kleiner und kleiner wurde, während er in Richtung Washington fuhr.

Als Jury in Sichtweite des Dorfangers kam, mußte er feststellen, daß ihm zwei Polizeiautos vom Northumbria-Revier zuvorgekommen waren: sie standen im Vorhof von Old Hall, der normalerweise für offizielle Besucher des Herrenhauses reserviert war. Offenbar traf das für die Polizei jetzt zu. Jury war alarmiert. Die Polizeiautos sehen, anhalten und aus dem Wagen springen war eins.

Vor dem Tor von Old Hall hatte sich eine Gruppe Schaulustiger aus dem Dorf versammelt, von denen einige angesichts der dramatischen Ereignisse keine Zeit mehr gefunden hatten, sich noch einen Mantel überzuziehen. So standen sie frierend und mit verschränkten Armen im Schnee, warteten und rätselten.

Jury kämpfte sich zum Tor durch und hielt einem Polizisten, der ihn aufhalten wollte, seinen Ausweis unter die Nase. Die Entschuldigung des Polizisten ging ebenso wie der Name des diensthabenden Sergeanten im Pfeifen des Windes unter.

Es war Detective Sergeant Roy Cullen, der die Ermittlungen leitete, und der Klumpen Kaugummi, den er beim Reden mit der Zunge hin und her schob, trug nicht gerade dazu bei, seinen Sunderland-Akzent verständlicher zu machen. Er stellte Jury Detective Constable Trimm vor, dessen breiter Akzent auch ohne Kaugummi unverständlich genug war.

Bei Jurys Eintreten war Cullen gerade eine Treppe heruntergekommen, und Trimm hatte mit einer schwarzhaarigen Frau gesprochen, die ein Taschentuch an die Lippen preßte. Abgesehen von Kopfschütteln bekam er nicht viel aus ihr heraus.

«Name des Opfers –» Cullen konsultierte sein Notizbuch. «– Helen Minton.» Er blickte auf. «Sie liegt oben. Was ist denn los, Mann, Sie seh'n ja aus... die Spurensicherung war noch nicht da. Also Finger weg von...»

Jury wartete die Erklärung, wie er aussehe und wovon er die Finger lassen solle, nicht ab. Es war eine kurze Treppe mit nur einer Biegung; sie erschien ihm endlos.

Sie lag in dem Schlafzimmer, das sie so geliebt hatte, auf dem brokatbezogenen Bett. Ihr braunes Haar, das im Flackerlicht zweier elektrischer Kerzen rötlich schimmerte, war ihr übers Gesicht gefallen. Ihre Beine lagen halb auf dem Bett, ein Arm war zum Kopfende hin ausgestreckt, der andere ruhte auf ihrem Bauch, die Hand baumelte seitlich herab. Auf dem Boden direkt unter der Hand lag ein Pillenfläschchen, aus dem ein paar Tabletten herausgefallen waren. Die Samtkordel, die normalerweise durch den Raum gespannt war, um die Besucher auf sicherer Distanz zu halten, hing schlaff herab. Jury trat näher an das Bett heran. Es war ein recht interessantes Möbelstück: das Kopfbrett war getäfelt und hatte ein Geheimfach für eine Pistole, falls der Schläfer einen nächtlichen Überfall befürchtete. Das aufklappbare Fußende war gleichzeitig ein Gewehrständer.

Er betrachtete die Pillen auf dem Boden: vielleicht war dies das Medikament, von dem sie geglaubt hatte, es habe unangenehme Nebenwirkungen.

Die alten Fenster klapperten, und Jury spürte einen kalten Luftzug; wären die Kerzen nicht bloß elektrisch flimmernde Imitationen gewesen, hätte man annehmen können, sie flackerten im Wind, und auch Helens Haar, das halb ihr Gesicht verbarg, sah aus, als hätte der Wind es zerzaust. Mit einem Finger strich er es sanft zurück. Wie lange war sie schon tot? Nicht sehr lange; die Haut war kühl, aber nicht kalt. Der Tod hatte ihre Blässe vertieft, so daß ihr Gesicht sich fast weiß von dem dunklen Bettüberwurf und dem rotbraunen Haar abhob.

Wach auf! Gegen jede Vernunft versuchte er sich einzureden, daß in solchen Fällen immer wieder Irrtümer passieren. Vielleicht auch diesmal. Schnee wirbelte gegen die Scheiben und türmte sich auf den Fensterbrettern. Während er sie so liegen sah, inmitten dieses geschichtsträchtigen Raums, dieser mysteriösen und dramatischen Szenerie, drängte sich ihm der Gedanke auf, daß ihr Tod nur eine Art Theaterinszenierung sei. Gleich würde sie die Augen öffnen und lächelnd und quicklebendig aus dem Bett springen. *Steh auf,* befahl ihr seine innere Stimme, die es nicht wahrhaben wollte.

Aber die Toten stehen nicht wieder auf, auch nicht zu Weihnachten.

Zu der Frau im unteren Stockwerk – der Schwarzhaarigen mit dem zerknüllten Taschentuch – hatte sich inzwischen ein grobschlächtiger Mann in einem Schaffellmantel gesellt, der durch gewichtiges Herumstampfen einen furchtlosen Eindruck machen wollte. Sie seien Amerikaner aus Texas, gab er gerade zu Protokoll.

«Hör'n Sie, wir wissen zunächst mal gar nichts, außer daß wir uns das Haus anschau'n wollten. Es war kein Kartenverkäufer zur Stelle, aber na ja, wir dachten uns nichts dabei und sind eben hier rummarschiert, und dann ist Sue-Ann» – seine klobige Hand packte ihre Schulter; ob er damit sie oder aber sich selbst stützen wollte, war schwer auszumachen –, «jedenfalls ist Sue-Ann raufgegangen. Dann ging das Geschrei los. Sue-Ann sagt…»

Jury wußte, daß dies nicht sein Fall war und daß er dem Sergeanten besser nicht ins Handwerk pfuschte. Trotzdem fragte er Cullen, einen hochgewachsenen, wortkargen Mann, ob er dem Paar einige Fragen stellen könne. Cullen nickte mit einer Miene, der absolut nichts zu entnehmen war. «Vielleicht könnte Ihre Frau uns die Geschichte selber erzählen, Mr. …?»

«Magruder. J. C. Magruder aus Texas.» Texaner, so schien seine Körperhaltung anzudeuten, waren alle groß und breitschultrig. Er blähte sich noch ein wenig mehr auf. «Wir sind jetzt schon seit fast einer Stunde hier, Sue-Ann und ich…»

«Verzeihung – Mrs. Magruder?»

Sue-Ann Magruder ließ nur widerwillig die Hand mit dem Taschentuch sinken, als beraube sie sich damit ihrer einzigen Sauerstoffquelle. Wundersamerweise hatte ihr sorgfältig aufgetragenes Make-up keinerlei Schaden davongetragen; nur ein paar winzige Mascaraflecken waren auf dem weißen Leinen zu sehen. Jury hatte genug hysterische Frauen erlebt, um zu wissen, daß

daß sie auf das nächste Signal hin sofort mit einem neuen Anfall aufwarten würde. «Ich könnte mir vorstellen, daß Ihnen, als Sie in das Zimmer kamen, alles, tja – fast unwirklich erschien.»

Sue-Ann meinte, Jury hätte ihr aus der Seele gesprochen, und fuhr dann fort: «Sie lag so still, so *still*, daß ich erst dachte, es wäre eine Puppe oder so was… Oh! Und *kein Mensch* war in der Nähe!» Angesichts eines neuerlich drohenden Heulkrampfs warf Constable Trimm Jury einen eisigen Blick zu und sagte: «Wir ha'm heut noch was Besseres zu tun als das. Wenn Sie 'ne Aussage woll'n, gehn Sie mit runter zum Revier und –»

Magruder fiel ihm ins Wort. «Revier!? Wir werden auf kein Polizeirevier gehn, Mister! Hören Sie, wir sind nur Touristen. Wir haben mit der Sache nichts zu tun. Wir waren in Edinburgh und dachten, es wär interessant, mal zu seh'n, wo die Eltern des alten George Washington geboren wurden…»

«Sie liegen da ein bißchen falsch», sagte Cullen, der wohl hoffte, die Einwände des Mannes mit einer Geschichtslektion zerstreuen zu können. «Es war sein Ur-Urgroßvater, der hier geboren wurde. Wir werden Sie nicht lange aufhalten, Sir, das verspreche ich. Es ist eine reine Formsache. Constable!» Cullen wies mit einem energischen Kopfnicken auf das Paar, woraufhin Trimm sich in Bewegung setzte, um Sue-Anns Mantel und Handtasche – und Sue-Ann selbst – einzusammeln. Ein herannahender Krankenwagen raste ohne jede Rücksicht auf Sue-Anns angegriffenes Gemüt mit gellender Sirene durch die Straßen. Jury hörte, wie matschiges Eis unter seinen Reifen knirschte, als er vor dem Tor stoppte. Magruder zog widerstrebend mit Trimm ab, nicht ohne ein wenig vor sich hin zu schimpfen und etwas vom amerikanischen Konsulat zu murmeln.

Cullen wandte seine Aufmerksamkeit nun Jury zu. «Ist Scotland Yard an dieser Frau interessiert?»

«Scotland Yard nicht. Nur ich. Es tut mir leid, wenn es so aussieht, als wollte ich in Ihr Jagdrevier eindringen. Sie können mich jederzeit wieder rausschmeißen.» Jury lächelte. «Sie sehen aus, als wären Sie kurz davor.»

In Wirklichkeit sah Cullen ganz und gar nicht so aus. Sein spezieller Trick bestand gerade darin, sich nicht anmerken zu lassen, was er dachte; er stand einfach da, kaute Kaugummi und bot das Bild eines völlig unbedarften Bullen, an dessen Gerissenheit Jury allerdings keinen Augenblick zweifelte. Doch jetzt steckte Cullen in der Klemme: Einerseits war dies in der Tat sein Jagdrevier, und keiner hatte diesen Jury eingeladen, darin zu wildern; andererseits – Cullen stellte die Frage in einem übertrieben gleichgültigen Ton: «Und warum sind Sie an dem Fall interessiert? Ist es was Persönliches?»

«Ich kannte sie.»

Cullen verzog keine Miene, er kaute nur etwas schneller. Jury wußte, daß der Sergeant den Kuhhandel schon kommen sah. «Da brat mir gleich einer 'nen Storch», sagte Cullen ausdruckslos. «Wie gut? Wann haben Sie sie zum letztenmal gesehn?»

Jury betrachtete mit nachdenklichem Stirnrunzeln die Wände, als müsse er sich schwer konzentrieren, um seinem Gedächtnis dieses entscheidende Faktum zu entlocken. Er sagte nichts. Die Fahrer des Krankenwagens und der medizinische Sachverständige kamen zur Tür herein und wurden von Cullen nach oben gewiesen.

Cullen steckte das Notizbuch in seine Tasche, winkte Jury zu sich heran und sagte: «Kommen Sie mit aufs Revier, wenn wir hier fertig sind. Ich lad Sie dann zu 'ner Tasse Kaffee ein; Sie sehen aus, als könnten Sie eine brauchen, Mann.»

DAS POLIZEIREVIER VON NORTHUMBRIA war ein großer, funkelnagelneuer Glas- und Betonkasten in der Nachbarschaft eines ebenso neuen Einkaufszentrums mit einem klingenden Namen und einem riesigem Parkplatz. Jury verstand nicht, woher die Käuferscharen kommen sollten, die nötig waren, um diese gewaltige Ansammlung kleiner und großer Geschäfte am Leben zu erhalten. Der ganze Komplex, umädert von Schnellstraßen und Zubringern und kaum eine Meile von Washingtons Dorfanger entfernt, erinnerte ihn an einen Dinosaurier, der von einem Blatt satt werden muß.

Als sie auf dem Revier eintrafen, war Constable Trimm noch mit den Magruders beschäftigt. Sue-Ann zerknüllte ihr Taschentuch mit unverminderter Inbrunst; ihr Gatte schien inzwischen etwas geschrumpft zu sein.

Ein Polizist kam herein und stellte das Pillenfläschchen auf Cullens Schreibtisch. Cullen hielt es ans Licht, schüttelte es und warf dann einen Blick in den Bericht. «Kardiothymie. Herzrhythmusstörungen. Dieses Zeug reguliert den Herzrhythmus.» Er sah Jury an. «Was war los mit ihrem Herz?»

Jury zuckte die Achseln. «Sie sagte, das Medikament habe unangenehme Nebenwirkungen.»

«Die hatte es allerdings», sagte der Polizist.

Falls dies ein kleiner Scherz sein sollte, so fand Cullen ihn jedenfalls nicht witzig genug, um darüber das Gesicht zu einem Lächeln zu verziehen.

«Das Mittel sollte den Herzschlag *regulieren*, nicht anhalten», fügte Jury hinzu.

Cullen überflog das Blatt, das vor ihm lag, schob es beiseite und sagte: «Vielleicht eine Überdosis.»

«Nein.»

Cullen merkte auf. Er schob sich einen neuen Streifen Kaugummi in den Mund. «Und woher wissen Sie das so genau?»

«Schauen Sie sich das Datum und die Anwendungshinweise auf der Flasche an. Sie sollte die Tabletten nur im Bedarfsfall nehmen, und es fehlt kaum eine.»

«Also kein Selbstmord, wollen Sie das damit sagen?»

«Das wußte ich ohnehin.»

Cullens Augenbrauen wanderten in gespielter Verblüffung aufwärts. «Seid ihr Burschen in London hellsichtig?»

«Nein. Wir hören Stimmen.» Er war drauf und dran, die Beherrschung zu verlieren. Aber es wäre dumm gewesen, sich mit Cullen anzulegen. Er lächelte. «Ich weiß es, weil ich mit ihr verabredet war. Wir wollten uns in Old Hall treffen und später gemeinsam zu Abend essen. Ganz abgesehen davon – selbst wenn es Selbstmord war, warum zum Teufel an so einem öffentlichen Ort?»

Genüßlich an seinem frischen Kaugummi mümmelnd lehnte Cullen sich zurück und legte die Füße auf den Schreibtisch. «Tja, nach der Autopsie werden wir mehr wissen. Sie war noch nicht lange tot. Höchstens zwei, drei Stunden. Wie lange kannten Sie sie schon?»

Jury wußte: Wenn er Cullen erzählte, daß er sie erst gestern kennengelernt hatte, würden alle Informationen, mit denen er aufwarten konnte, bestenfalls als nebensächlich betrachtet werden. «Schon sehr lange», sagte er.

Er hatte das Gefühl, die Wahrheit zu sagen.

Und er war durchaus in der Lage, seinen Bericht so klingen zu lassen, als hätten sie sich seit Jahren gekannt. Schließlich hatte Helen Minton ihm einiges über sich erzählt – daß ihr einziger lebender Verwandter ein Cousin war, der Bilder malte; daß sie Nachforschungen über die Washingtons anstellte; und daß sie Wohltätigkeitsarbeit für die Bonaventura-Schule leistete.

«Aha, das Waisenhaus», sagte Cullen.

Im Verlauf ihrer Unterhaltung hatte der Sergeant aus den nach und nach einlaufenden Berichten ein sauberes kleines Dossier über Helen Minton zusammengestellt. Jury hätte gerne einen Blick hineingeworfen, bat aber nicht darum. Alles was er wolle, so sagte er, sei, mit Cullen zusammen diesen Fall zu bearbeiten.

Cullen grunzte. Es war vermutlich ein Laut des Einverständnisses. Das Telefon schrillte, und er nahm gleich beim ersten Klingeln ab. Wortlos hörte er zu, sagte dann: «In Ordnung», und legte auf. «Viel haben wir bisher nicht; selbst ihre Nachbarin – die Dorfbibliothekarin, heißt Nellie Pond – weiß nicht viel mehr über sie, als daß sie vor ein paar Monaten das Haus gemietet hat. Die Pond hat ausgesagt» – er hielt einen der Berichte hoch –, «daß sie vor etwa einer Woche einen Streit im Hause Minton gehört habe.»

«Hmm. Nun, wenn Sie nichts dagegen haben, würde ich gerne einigen Leuten ein paar Fragen stellen. Okay?»

Cullens Kaubewegungen gingen in einen anderen, langsameren Rhythmus über, während er Jury mit argwöhnischer Miene beäugte, als habe er den Verdacht, daß dieser ihm etwas verheimlichte. «Was für Leute? Was für Fragen?»

Jury lächelte. «Sobald ich die Leute finde, denk ich mir die Fragen aus.»

Die mahlenden Kiefer des Sergeanten nahmen wieder ihren früheren Rhythmus auf, als Trimm hereinkam und meldete: «Die wußten nicht mal soviel, daß man einen Fingerhut damit füllen könnte, diese Magruders. Er ist der größte Doofkopp, den ich je…» Als er Jurys gewahr wurde, hielt er inne und bemühte sich, seine Überraschung – oder Verärgerung – darüber zu verbergen, daß Scotland Yard seinen großen Fuß immer noch in der Tür des Northumbria-Reviers hatte. Er war ein rundgesichtiger Mann mit dunklen stechenden Augen, die flink hin- und herschossen wie Elritzen in einem Fischteich. Trimm, dachte Jury, war wohl nicht gerade besonders helle. Cullen dagegen schon.

«Werden Sie mir das Ergebnis der Autopsie mitteilen?» fragte Jury.

Cullen musterte ihn mit einem bohrenden Blick, der durch den Schädel ins Hirn zu dringen schien. Er nickte. Trimm war offensichtlich erbost.

«Solange auch Sie mich in Ihre kleinen Geheimnisse einweihen. Natürlich wäre da noch der Chief Constable. Aber ich denke, er wird mitspielen.» Cullen verschränkte die Arme und schob die Hände unter die Achselhöhlen. «Das letzte Mal, daß wir hier wichtigen Besuch hatten, war, als Jimmy Carter einen Baum auf dem Dorfanger gepflanzt hat, mit einem goldenen Spaten. Dann haben ihn irgendwelche Kerle geklaut. Den Baum, nicht den Spaten. Tja, hinterher wurde dann eben ein neuer

Baum in das Loch gesteckt.» Cullens Mund verzog sich zu etwas, das entfernte Ähnlichkeit mit einem Lächeln hatte. «Sonst gibt's hier nur Fußball und die Besäufnisse in den Dorfkneipen. Mögen Sie Fußball? Sunderland ist in der ersten Liga. Das Team von Newcastle in der zweiten.»

Das Funkeln in seinen Augen schien anzudeuten, daß Mord hier ebenso zweitrangig war wie die Fußballelf von Newcastle.

3

DER PRIESTER HIELT SEIN MESSBUCH fest in beiden Händen, als er auf dem verschneiten Weg zwischen Pfarrhaus und Kirche stehenblieb. Seine Lippen bewegten sich lautlos, vielleicht in einem stillen Gebet, vielleicht auch in stummer Unterhaltung mit einer räudigen Katze, die, den Bauch dicht am Boden, in sicherer Entfernung an ihm vorbeischlich, mißtrauisch gegenüber jedermann, ob Christ oder Heide.

«Pater? Mein Name ist Jury.»

Durch stahlgeränderte Brillengläser sah der kleine Priester erst zu ihm auf, dann herab auf die Katze. Ihr Fell hatte fast die gleiche schmutzigweiße Farbe wie die spärlichen Haarbüschel auf seinem Kopf, die wie der Kamm eines Kakadus aufragten. Die Katze beobachtete den Priester, der ein Stück Käse unter seiner Soutane hervorzauberte – ganz offensichtlich aus einer sehr staubigen Tasche – und es ihr zuwarf. Die Katze schnappte es und wand sich im Davonschleichen geschmeidig an einem Grabstein vorbei.

«Ich weiß nicht, woher sie kommen, noch wohin sie gehen», sagte der Priester, den Blick suchend gen Himmel gewandt, als hoffte er, dort die Lösung des Rätsels zu finden. «Diese streicht schon seit Monaten hier herum. Aber sie ist noch genauso mißtrauisch wie zu Anfang. Sie sagten, Ihr Name sei

Jury?» Er streckte Jury die Hand entgegen. «Ich bin Pater Rourke.»

«Superintendent Jury, um genau zu sein.» Er reichte dem Priester seine Karte.

«Oha, Scotland Yard?» Pater Rourkes Augenbrauen flatterten nach oben wie kleine Engelsflügel. Im Vergleich zu Trimm sprach er mit einem entschieden irischen Akzent. Ja, er stamme aus Kerry, antwortete er auf Jurys diesbezügliche Frage, und Jury fragte sich, ob unter der trüben Flut zahlloser Beichten das Blau des Himmels von Kerry in den Augen des Priesters verblaßt war.

«Helen Minton», sagte Pater Rourke traurig, als Jury ihm erzählte, warum er gekommen war. «Ja, ich habe davon gehört. Auf dem Land verbreiten sich Neuigkeiten rasch. Aber bitte, kommen Sie doch herein.» Es waren nur noch wenige Schritte bis zu seiner Haustür.

Das Pfarrhaus war recht gemütlich, für Jurys Geschmack vielleicht etwas zu vollgestopft. Während der Priester sich auf die Suche nach seiner Haushälterin machte, die ihnen Tee kochen sollte, setzte Jury sich in einen wuchtigen Sessel; die Cretonnerosen auf dessen Bezug hoben sich kaum noch vom Dunkel des Hintergrunds ab. Auf dem Tisch neben ihm lag ein Stapel Zeitschriften. Er nahm eine davon zur Hand: *Semiotique et Bible*. Er warf einen Blick hinein und legte sie eingeschüchtert wieder auf ihren Platz.

In diesem Moment kam Pater Rourke zurück. «Ah, Sie interessieren sich für den Strukturalismus, Superintendent?» fragte er.

Jury lächelte. «Ich weiß nicht einmal, was das ist.»

«Verstehe. Nun, es ist einfach eine andere Art, das Evangelium auszulegen. Die Strukturalisten sind stärker interessiert an der Art und Weise, wie der Verstand sich an die Botschaft des Evangeliums herantastet, als an der Wahrheit selbst. Wenn Sie verstehen, was ich meine.»

Jury zuckte die Achseln. «Tu ich nicht. Könnten Sie's genauer erklären?»

Der Priester verzog die Lippen zu einem Lächeln. «Genauer

gesagt heißt das vielleicht nur, daß nichts wirklich eine besondere Bedeutung hat.» Er deutete auf die Zeitschrift, in der Jury geblättert hatte. «Semiotik ist so etwas wie die Lehre von den Zeichen.» Er stöberte durch einige Broschüren, wobei er eine kleine Papierlawine auslöste, fand einen Füller und zeichnete etwas auf die Rückseite einer Zeitschrift. Er hielt seine Zeichnung hoch, die aus nichts als einem Quadrat mit zwei Diagonalen bestand, die sich im Mittelpunkt kreuzten. «Das Viereck als Grundmodell unseres Daseins. Wir leben in Gegensätzen, nicht wahr? Leben, Tod. Denken, Instinkt. Wir denken in Gegensätzen.» An jeder der vier Ecken notierte er einen Buchstaben, immer denselben: ein *R*.

«Eigentlich müßten gerade Sie an diesem Gedanken Gefallen finden.» Wieder dieses kleine Lächeln, dieser scharfe Blick durch die Brillengläser. «Vielleicht wird man eines Tages ein paradigmatisches Muster entwickelt haben, das umfassend genug ist, um allen Möglichkeiten Rechnung zu tragen.» Pater Rourke riß die hintere Umschlagseite der Zeitschrift ab und gab sie Jury. «Eine Struktur, die das Denken vereinfachen könnte.»

Jury lachte, faltete das dicke Papier zweimal und steckte es in die Hosentasche. «Pater Rourke, mich jedenfalls haben Sie eher heillos verwirrt. Wofür steht übrigens das *R*?»

Der Priester sah ihn belustigt an. «Nun kommen Sie, Superintendent! Für *Rätsel* natürlich. Finden Sie die Lösung. Es ist alles nur eine Auslegung von Zeichen.» Er zuckte die Achseln. So einfach war das.

«Und diese Methode bevorzugen Sie auch bei der Auslegung des Evangeliums?»

Der Priester faltete die Hände über seinem Bauch, ließ den Blick durch den Raum schweifen und schien zu überlegen, wie er sich Jury am besten verständlich machen könnte. «Nein. Ich ziehe die psychologische Methode vor. Träume, Phantasien – sind sie nicht wie Wunder und Gleichnisse? Da ist soviel, was an Freud gemahnt. Man muß nur die Römerbriefe des Paulus lesen. Oder die Geschichte vom Verlorenen Sohn – liest sie sich nicht wie eine Variante des Ödipus-Mythos? Wenn man die Heilige Schrift studiert und dabei auf Auslassungen, auf Schnitzer, auf Lücken stößt» – seine alten Augen funkelten wie Kristallglas, als er Jury zulächelte –, «sollte das auch für einen Polizisten interessant sein. Sie erleben das doch ständig – die kleinen Unstimmigkeiten in den Aussagen von Verdächtigen und so weiter. O ja, hätte ich nicht den Talar gewählt, wäre ich jetzt bestimmt ein Bulle; und wahrscheinlich kein guter. Aber was tue ich – ich halte Ihnen hier lang und breit Vorträge über Bibelauslegung, während Sie doch wegen einer ganz anderen Sache gekommen sind. Sie wollen etwas über Helen Minton erfahren.»

«Ja.»

Inzwischen hatte eine mürrische Haushälterin den Tee hereingebracht, die nun stirnrunzelnd und die Hände über ihrer großen weißen Schürze gefaltet dastand, wohl um zu sehen, ob die Rosinenbrötchen – kleine Dinger, so platt wie Pfannkuchen – dem Pater zusagten. Jury vermutete, daß dieser die Allgegenwart ihrer wachsamen Argusaugen gewohnt war, denn er dankte ihr nur und bedeutete ihr zu gehen, woraufhin sie davonschlich wie vorher die räudige Katze.

«Helen Minton», sagte der Priester, während er Marmelade auf ein Rosinenbrötchen strich. Er warf Jury einen pfiffigen Blick aus seinen blaßblauen Augen zu. «Es war ihr Herz, hab ich gehört. Aber Sie sind anderer Meinung?»

«Ja, ich bin anderer Meinung.» Er betrachtete das verblaßte Veilchenmuster am Boden seiner Teetasse. Wie die Augen des Priesters und das Veilchenmuster schien hier alles im Dahinschwinden begriffen – die Cretonnerosen des Sessels, das braune Farnmuster der Vorhänge, das schlecht zu den Polsterbezügen paßte –, das Zimmer wirkte wie ein ungepflegter Garten, in dem die Pflanzen allmählich verwelkten. Und draußen kroch das Moos ungehindert an den Außenmauern des Hauses empor, um dann unter dem üppig wachsenden Efeu zu verschwinden. Etwas schien hier katzengleich zu schleichen, zu verharren, abzuwarten. Unwillkürlich mußte er an die Grabsteine denken, die Helen so eingehend untersucht hatte, als er sie zum erstenmal sah.

Er erzählte Pater Rourke, wie er sie kennengelernt hatte. Dabei vermied er jedoch zu erwähnen, daß das erst gestern geschehen war, um seine Bedeutung als «Freund» nicht zu mindern.

«Was hat sie auf dem Friedhof gesucht, Pater? Sie hat gesagt, sie interessiere sich für die Geschichte der Familie Washington.»

«Tja, wissen Sie, das bezweifle ich.» Der Priester bestrich ein zweites Brötchen mit Butter und kaute nachdenklich daran herum. «Mir hat sie das auch erzählt. Aber ich habe ihr nicht geglaubt.»

«Warum?»

Er lehnte sich zurück und schien seinen Blick diesmal nach innen zu richten. Er gab keine direkte Antwort. «Sie kam nie zum Gottesdienst, obwohl sie oft in der Kirche war. Die alte Katze dort draußen... Nun, mit mir will sie anscheinend nichts zu tun haben, so wie sie sich immer schlangengleich davonschleicht. Aber Helen ist sie überallhin gefolgt. Das sagt viel über einen Menschen aus. Aber was kann ich Ihnen schon über menschliche Eigenheiten erzählen? Sie wissen mehr darüber, als ich jemals wissen werde.»

Jury lächelte. «Das glaube ich kaum. Wonach hat sie denn Ihrer Meinung nach gesucht?»

«Sehen Sie, Grabsteine sind eigentlich nichts anderes als Dokumente. Und sie fragte, ob sie sich das Kirchenregister anschauen dürfe. Sie suchte nach jemandem, aber mit den Vorfahren von George Washington hatte das wohl nichts zu tun.» Pater Rourke schob sich den letzten Rest des Brötchens in den Mund. «Möchten Sie sich auf dem Friedhof umsehen? Vielleicht finden Sie dort etwas.»

«Ja, das könnte nicht schaden.»

Er war sicher, daß nichts dabei herauskommen würde wie so oft bei Pflichtübungen dieser Art. Doch weil der Polizist in Jury sich der Routine nicht entziehen konnte, ging er mit dem Pater zu dem kleinen Grabstein mit den verwitterten Engeln. «Diese Inschrift hat sie notiert, Pater. Sie trug ein kleines Notizbuch bei sich.»

In seinen klobigen Stiefeln – der Schnee lag hier sehr tief – kniete der Priester nieder und putzte seine Brillengläser. «‹Lyte, Robert›. Das Geburts- und Sterbedatum ist nicht mehr zu erkennen.» Er stand auf. «Soweit ich mich erinnere, taucht im Stammbaum der Washingtons der Name Lyte ein paarmal auf.» Er zuckte die Achseln. «Vielleicht hat sie doch die Wahrheit gesagt.»

«War sie Katholikin?»

«Nein. Sie sagte, sie sei nicht gläubig.» Er seufzte und blickte hinauf in den düsteren Abendhimmel. «Nicht mehr lange, dann ist es stockdunkel. Es heißt, wir kriegen noch mehr Schnee. Die Gegend um Durham ist schon fast eingeschneit, und das ist nur ein paar Meilen von hier.»

«Hat sie nie einen Cousin erwähnt?»

Der Priester schüttelte den Kopf. «Nein, niemanden. Aber ich kannte sie eigentlich kaum. Ich glaube, keiner hier kannte sie richtig. Sie war ja auch nur kurz in der Gegend. Nun gut, ich hoffe, Sie werden finden, wonach Sie suchen, Superintendent.» Er schwieg einen Moment und streckte dann die Hand aus. «Könnte ich für einen Augenblick meine Zeichnung wiederhaben?»

«Natürlich.» Jury griff in seine Tasche und reichte dem Priester das Blatt.

Pater Rourke zog einen Bleistiftstummel hervor, radierte etwas aus und kritzelte dafür etwas anderes hin. Dann gab er Jury das Blatt zurück. «Ein H, Mr. Jury. An einer Ecke. Jetzt müssen Sie nur noch die drei anderen herausfinden. Reduzieren Sie das Rätsel auf seine Grundelemente.»

Jury blickte zur Kirchturmspitze von St. Timothy empor. Sein Bedarf an Rätseln war gedeckt. «Ich glaube, Sie wären eine gute Verstärkung für uns, Pater.»

Die blassen Augen des Priesters verdüsterten sich, während er ebenfalls zur Kirchturmspitze hinaufsah. «Ich wünschte, Er da oben fände das auch. Leben Sie wohl, Mr. Jury.»

Pater Rourke stapfte davon.

Als Jury dem Friedhofstor zustrebte, drang ein letzter Sonnenstrahl durch die Wolken, und Jurys hohe Gestalt warf einen langen Schatten über den Schnee. Daneben erschien ein zweiter Schatten. Jury wandte sich um und sah, daß die weiße Katze ihm folgte.

Er war froh, daß Pater Rourke sich nicht noch einmal umgewandt hatte.

Er ist Künstler, ein sehr guter. Das hatte Helen Minton über ihren Cousin gesagt. Ein Polizist, der vor ihrem Haus postiert war, informierte Jury, daß die Leute von der Spurensicherung bereits dagewesen seien.

Ohne erst seinen Mantel auszuziehen, begann Jury, die Schreibtischfächer zu durchstöbern in der Hoffnung, etwas zu finden – das kleine goldene Notizbuch, Briefe, irgend etwas. Aber außer ein paar Rechnungen, einem Scheckbuch, einigen Fotografien und etwas Schreibpapier entdeckte er nichts. Eines der Fotos schien erst vor kurzem aufgenommen worden zu sein – zumindest konnte man Helen gut darauf erkennen –, und er steckte es ein.

Auf diese Art arbeitete er sich durch das ganze Haus und stellte dabei fest, daß sie Sinn für Ordnung gehabt hatte, ohne jedoch pedantisch gewesen zu sein. Eine Strickjacke war nachlässig über einen Stuhl geworfen, ein wenig schmutziges Geschirr stand herum...

Jury ging zurück ins Wohnzimmer. Unter der Treppe gab es einen Abstellraum mit einer kleinen Tür. Er öffnete sie. Im schwachen Licht der Zimmerlampe entdeckte er zwischen Gummistiefeln, Gartengeräten und alten Farbeimern ein Porträt. Er nahm es heraus, setzte sich und betrachtete es.

Es zeigte eine viel jüngere Helen Minton. Sie saß auf einer Kiste unter der schrägen Wand einer Mansarde und blickte zu einer Dachluke hinaus, durch die Sonnenlicht hereinströmte, das ihre Gestalt überflutete und den Rest des Raums im Schatten ließ. Es war ein hinreißendes Gemälde. Jury trug es hinüber zum Kamin und hielt es vor den Druck von Washington Old Hall. Die Ränder des Porträts schlossen genau mit den helleren Streifen um den Druck herum ab.

Zunächst dachte er, das Bild trage keine Signatur, aber dann entdeckte er sie in einer Ecke, verborgen im Schatten des Mansardenbodens und von der Zeit verwischt wie die Inschrift in alten Grabsteinen. Der Name war nachlässig hingeworfen und kaum mehr als ein gerader Strich. Der erste Buchstabe mochte ein *P* sein.

Er betrachtete das abstrakte Bild an der anderen Wand und entdeckte dort die gleiche unleserliche Signatur.

Jury zog den Zettel hervor, auf dem er sich die Angaben auf dem Pillenfläschchen notiert hatte. Die Apotheke lag am Sloane Square. Er wünschte, der Name des Arztes stünde ebenfalls auf den Medikamentenpackungen; es hätte die Dinge vereinfacht. Aber Cullen würde den Namen ihres Arztes und ihre Londoner Adresse früh genug herausfinden; er mußte lediglich den Apotheker und den Immobilienmakler befragen, der ihr das Haus vermietet hatte.

Jury betrachtete von neuem das Porträt und das *P* in der einen Ecke.

Es erinnerte ihn an Pater Rourkes Viereck.

DIE WINZIGE DORFBÜCHEREI lag zwischen den beiden Pubs, dem «Cross Keys» an der Ecke und dem «Washington Arms». Der Wind hatte sich endlich gelegt, und es schneite nicht mehr.

Überwältigt von einer plötzlichen Lethargie hatte Jury sich auf die Bank an der einzigen Bushaltestelle des Ortes gesetzt und starrte jetzt über den Dorfanger hinweg ins Leere. Er zündete sich eine neue Zigarette an der Glut der alten an. Im Sommer müßte er einmal so richtig Ferien machen; sein letzter längerer Urlaub lag schon Jahre zurück. Vielleicht würde er seinen Freund Melrose Plant auf Ardry End besuchen. Er überlegte, ob Plant wohl angelte. Sie könnten nach Schottland zum Angeln fahren. *Sie verstehn doch nicht die Bohne vom Angeln, Sie Doofkopp*, würde Trimm ihm wahrscheinlich erklären. Und woher auch, wenn sein ganzes Training darin bestand, daß er durch London pirschte und seine Freizeitvergnügungen sich auf gelegentliche Kneipenbesuche in Begleitung einer gelegentlichen Frauenbekanntschaft beschränkten? In den Pubs war er häufiger zu sehen, mit Frauen dagegen seltener. Die beiläufigen Affären, die jedermann hatte und die keinem das Herz brachen, schienen nicht seine Sache zu sein. Er sammelte immer nur die Bruchstücke des Lebens auf. Besser, er dachte nicht weiter darüber nach, sonst würde er noch den ganzen Tag hier sitzen bleiben.

Er warf seine Zigarette in den Schnee und stapfte über den Anger zur Bücherei.

Es war eine Bücherei, in der man am liebsten den Rest seines Lebens verbringen würde, um zu lesen – und zwar im Stehen, weil der Raum zu klein war, als daß noch Stühle oder Tische darin Platz gefunden hätten. Zwischen brechend vollen Bücherregalen, schwer beladenen Bücherwagen und schwankenden Büchertürmen auf dem Boden blieb nur wenig Raum für die Besucher. Und Lesehungrige gab es hier genug – alte Leute und Schulkinder, und alle (so kam es einem vor) kannten einander. Als Jury an das Halbrund der Ausgabetheke gleich neben der Tür trat, legten gerade zwei kleine Kinder, die kaum mit dem

Kinn bis zur Tischplatte reichten, ihre Bücher dort ab. Sie kreuzten die Arme über ihrer Beute, als fürchteten sie, jemand könnte sie ihnen sonst wegschnappen. Das kleine Mädchen warf Jury einen abschätzenden Blick zu. Er zwinkerte. Sie verbarg ihr Lächeln, indem sie mit dem Kopf unter die Tischkante abtauchte.

Als eine der Büchereiangestellten sich ihm zuwandte, sagte er: «Könnte ich vielleicht Miss Pond sprechen?» Er zeigte ihr seinen Ausweis, worauf sie so erschrak, daß sie einen kleinen Stapel Leihkarten umstieß, bevor sie antwortete.

«Sie ordnet gerade Bücher ein. Ich hol sie.» Sie ergriff hastig die Flucht, wobei sie die hochgeklappte Thekenschranke hinter sich herunterknallen ließ.

Die Frau, mit der sie zurückkam, war sehr hübsch. Sie hatte glutrotes Haar, das wie ein leuchtender Fächer über ihre Schultern fiel. Ihre Haut war blaß und so glatt, daß er fast erwartete, sein Spiegelbild darin zu sehen.

Jury stellte sich vor. «Falls Sie einen Moment Zeit haben, würde ich gern mit Ihnen sprechen. Und wenn Sie mehr als einen Moment erübrigen könnten, würde ich Sie gerne zu einem Drink einladen. Die Pubs machen gerade auf.»

Sie war hinter die Theke getreten, und Jury bemerkte, daß sie ein oder zwei verstohlene Blicke in einen zerbrochenen Spiegel warf. Jury hatte diese Wirkung auf Frauen – sie griffen rasch nach Kamm und Lippenstift. Nellie Ponds Make-up bestand nur aus einem Hauch Lippenstift, dessen Rosa schlecht zu dem flammendroten Haar paßte, das sie mit einer Hand immer wieder unwillkürlich glattstrich. «Na ja... doch, eigentlich hätte ich nichts dagegen. Ich wollte sowieso gerade gehn.» Von einem Haken nahm sie einen alten braunen Mantel, und er half ihr hinein.

«Es geht um Helen Minton. Die Ortspolizei hat Sie sicher schon befragt.» Er stellte ein kleines Lagerbier mit Limonensirup für Nell und ein großes McGowan's Ale für sich selbst auf den

Tisch. Die Sandwiches sahen am Rand schon etwas vertrocknet aus, aber sie machte sich heißhungrig darüber her.

«Ach, die arme Helen. Sie war ein nettes Mädel.»

Sie saßen an einem kleinen Kamin, in dem ein Feuer prasselte, das Nellie Ponds ohnehin schon flammendes Haar noch röter erscheinen ließ. Der Feuerschein fing sich darin und schlug Funken aus ihren bernsteinfarbenen Augen, und das Spiel der Flammen ließ Licht und Schatten auf ihren hohen Wangenknochen hin- und herflackern.

«Hat sie irgendwann einmal über jemanden gesprochen, den sie hier kannte? Oder überhaupt von jemandem erzählt? Sie scheint so eine Art Einzelgängerin gewesen zu sein.»

Nellie dachte lange über diese Frage nach, während sie genußvoll ihr Roastbeef-Sandwich verzehrte. Sie trank so, wie sie aß: mit fast beängstigender Hingabe. Ihr Bier und ihr Sandwich waren schon alle, als Jury gerade erst anfing. Er stand auf und bestellte Nachschub.

«Sie hat über niemand Bestimmten geredet, nur über die Dorfbewohner im allgemeinen.» Die Antwort erfolgte beiläufig, denn ihre Aufmerksamkeit galt in erster Linie ihrem zweiten Sandwich.

«Fanden Sie die Umstände ihres Todes nicht seltsam?»

«O doch, daß sie dort im Schlafzimmer von Old Hall lag, war schon ziemlich seltsam.»

«Waren Sie näher mit ihr befreundet, Nell?»

Daß es ihr gefiel, ihren Namen aus seinem Munde zu hören, war offensichtlich. Sie hielt im Essen inne und schaute ihm in die Augen. «Eigentlich nicht. Ich glaube, Helen war mit keinem näher befreundet. Sie hat nicht viel von sich gesprochen.»

«Sie haben der Polizei von einer Auseinandersetzung erzählt – Sie meinten, Sie hätten einen ‹Streit› gehört, der sich vor etwa einer Woche in ihrem Haus abgespielt hat.»

«Und ob. Der Mann hat ganz schön rumgebrüllt.»

«Es war die Stimme eines Mannes?»

«O ja. Ihre konnte ich nicht richtig hören. Sie hatte ja auch eine ziemlich leise, irgendwie sanfte Stimme. Na ja, ich ging zum Fenster, um rauszuschauen; es war dunkel...»

Jury zückte sein Notizbuch, was sie anscheinend etwas nervös machte. Er lächelte. «Keine Angst. Das ist reine Routine.»

Sie schien ihm zu glauben. «Es war nach elf, das weiß ich noch. Vergangenen Dienstag.»

«Also erst vor einer Woche.»

Sie nickte. «Jedenfalls kam er den Weg von ihrem Haus herauf und ist dann in Richtung Dorfanger abgebogen.»

«Wie sah er aus?»

Sie zuckte die Achseln. «Es war zu dunkel, um viel zu erkennen. Ziemlich groß, glaub ich.» Sie musterte Jury wie zum Vergleich, aber ihr Blick blieb etwas zu lange an ihm haften, denn sie errötete plötzlich. «Es war ziemlich stürmisch, genau wie heute, und der Mann ging vornübergebeugt. Er trug einen dunklen Mantel und eine Mütze. Er mußte sie festhalten, sonst wär sie davongeflogen.» Nell warf einen Blick auf ihre Armbanduhr. Das schwarze Band war ausgefranst.

«Reicht Ihre Zeit noch für ein Glas?» Er nutzte ihr Zögern aus, um noch zwei Glas Bier und eine neue Runde Sandwiches zu holen. Sie schien einverstanden. «Ich weiß nicht, wie Sie's bei Ihrem Appetit schaffen, so schlank zu bleiben.»

Nellie Pond errötete ein bißchen, war aber keineswegs beleidigt. «Liegt wohl am Stoffwechsel. Bei Mama ist es genauso.»

«Kam Ihnen an dem Mann irgendwas bekannt vor?»

Sie schüttelte den Kopf. «Ich habe Helen nie zusammen mit einem Mann gesehn. Und ich hab auch nie gehört, daß sie anders als freundlich über einen Mann sprach.»

«Fanden Sie das nicht seltsam? Sie war doch eine schöne Frau.»

Nellie hatte gerade ihr drittes Sandwich in Angriff nehmen wollen und starrte nun mit großen Augen darüber hinweg auf Jury. «Ich hab nie bemerkt, daß sie besonders...» Sie zuckte die Achseln. Jeder nach seinem Geschmack. Dann fragte sie: «Sie haben sie also gesehn?»

«Ja.» Funken sprühten aus einem kleinen Holzscheit. Es zerbarst und rollte vom Rost herunter. Jury schob es mit dem Fuß zurück.

Nellie Pond senkte die Stimme. «Es heißt hier, daß sie Tabletten genommen hat. Eine Überdosis.»

Jury bestätigte das weder, noch leugnete er es. «Morgen findet eine Autopsie statt. Die genaue Todesursache steht noch nicht fest. Wissen Sie vielleicht, ob sie jemals verheiratet war?»

Die Frage überraschte sie. «Helen? O nein, das glaub ich nicht. Aber wie gesagt, sie hat nicht viel von sich gesprochen.» Sie kaute an ihrem dritten Sandwich und dachte nach. «Es gibt jemanden, der vielleicht was weiß: eine Frau, mit der sich Helen in Shields getroffen hat. In einem Hotel, dem Margate. Keine Ahnung, was sie ausgerechnet dorthin gezogen hat.»

Jury zückte wieder sein Notizbuch. «Wie hieß sie – diese Frau? Hat Helen Ihnen den Namen gesagt?»

Nellie nickte, während sie den Rest ihres Sandwiches verputzte. «Dunstun, glaub ich. Nein, warten Sie, das stimmt nicht. Dunsany, ja, das war der Name.»

«Hat sie jemals ihre Familie erwähnt?»

«Sie hatte keine. Das heißt, doch, diesen Cousin. Sie hat, glaub ich, gesagt, daß er in London wohnt. Helen war aus London. Sie hatte dort ein Haus. Mit diesen neuen Schnellzügen ist man ja in Null Komma nichts da. In Durham wohnen Geschäftsleute, die ständig hin- und herzischen. Ich war noch nie in London», fügte sie wehmütig hinzu und betrachtete die Krümel auf ihrem Teller, als wäre Brosamen auflesen ihr Schicksal.

«Hat sie öfter Ausflüge gemacht, abgesehen von dem in dieses Hotel Margate?»

«Ich weiß nicht. Natürlich, sie fuhr nach Durham, wie alle, es ist hübsch dort.» Sie runzelte die Stirn. «Und nach Spinneyton. Das war freilich ein bißchen seltsam.»

«Wo liegt das?»

«Nicht weit von Durham. Ein runtergekommenes Kaff mitten in der Einöde. Aber sie hat gesagt, sie wolle dort in einen Pub.

Und das war komisch, weil Helen fast nie in Pubs ging. Ich meine, warum hat sie sich ausgerechnet so eine Spelunke ausgesucht? Eine typische Arbeiterkneipe. Ziemlich schmuddelig. Nichts als Prügeleien und Besoffene. ‹Jerusalem Inn› heißt der Laden.»

4

FAHL WIE DURCH BESCHLAGENE oder schmutzverschmierte Scheiben schimmerten die Lichter der Bonaventura-Schule: Einige Räume im Erdgeschoß waren erleuchtet. Eine öde Atmosphäre der Stille und Verlassenheit lastete auf dem Haus und dem Grundstück. Durch die Gitterstäbe eines hohen Eisentors sah Jury auf die dunkle Auffahrt, an deren Ende sich das massiv wirkende Gebäude aus Steinquadern erhob.

Die Schulleiterin, mit der er vom Pub aus telefoniert hatte, nachdem Nellie Pond gegangen war, war nicht gerade erpicht darauf gewesen, sich ihren Zeitplan – der jetzt vermutlich ein Nachtmahl vorschrieb – durcheinanderbringen zu lassen.

An dem steinernen Torpfosten waren eine Klingel und ein Messingschildchen mit der Aufschrift «Bitte läuten» angebracht.

«Willst du mal 'nen Trick sehn?»

Jury sah sich um. Die Stimme klang schneidend in der kalten Luft, aber diejenige, der sie gehörte, war nirgends zu entdecken. Die Frage wurde wiederholt, und Jury schaute nach oben. Dort, in dem Baum direkt hinter dem verschlossenen Tor, bewegte sich etwas: eine Gestalt, in der Dunkelheit kaum auszumachen im dichten Gewirr der kahlen Äste. Geschickt wie ein kleines Äffchen begann sie herabzuklettern.

Er schätzte sie auf sieben oder acht, als sie, die Finger um die Eisenstäbe geklammert, vor ihm stand und fragte: «Na, willst du nun?»

Jury dachte einen Moment lang nach. «Klar. Wenn er gut ist.»

Die Unbestimmtheit in seiner Einwilligung schien ihr zu gefallen. Wahrscheinlich hatte sie ein Nein erwartet. Ein Ja wäre in Ordnung gewesen, wenn auch ziemlich phantasielos. Daß ihr Trick sich mit anderen, unbekannten und vielleicht sogar besseren Tricks messen mußte, machte die Sache so wunderbar riskant.

«Er ist gut.» Sie schloß die Augen und rief mit leise singender Stimme einen Waldkobold an. In dem trüben Lichtkegel einer einsamen Lampe sah er, daß ihre Wimpern lang und so hell waren wie ihr Haar; sie flatterten wie Mottenflügel. Sie hatte das schmutzigste Gesicht, das ihm je untergekommen war. «Jetzt mach die Augen zu.»

«Ich? Aber wenn ich die Augen zumache, seh ich ja gar nicht, was der Trick an der Sache ist.»

Sie ging mit sich zu Rate. Dieser zynische Fremde glaubte nicht an Waldkobolde. «Dann dreh dich einen Moment um.»

«In Ordnung.» Jury drehte ihr den Rücken zu und hörte Geklapper hinter sich. «Darf ich mich jetzt wieder umdrehen?» fragte er nach einem langen, jeder Magie baren Moment.

«Nein.» Sie schien ein wenig ungehalten. «Es ist ein langer Trick.» Schließlich erlaubte sie ihm, sich umzudrehen. Sie stand jetzt draußen vor dem Tor. Der lose Gitterstab war wieder an seinem Platz.

Er zeigte sich baß erstaunt, und sie lächelte. Ihre Zähne waren weiß und regelmäßig, wenn man die eine oder andere Lücke übersah.

«Ich kann immer raus, wenn ich Lust dazu hab. Das mach ich auch. Wirst du's verraten?»

«Bestimmt nicht», versprach Jury. Sie nickte. Er war also für die Kobolde noch nicht ganz verloren. «Drück die Klingel, dann lassen sie dich rein.»

Jury tat wie geheißen; als Antwort ertönte ein Summen. Es machte ihr Spaß, das Tor allein aufzustemmen, denn sie lehnte seine Mithilfe kategorisch ab. Kaum waren sie innerhalb der Festungsmauern, schloß sie das Tor wieder. Sie zog eine schmutzige kleine Papiertüte aus der Tasche und sah hinein. Es kam ihm vor, als zähle sie. Dann hielt sie ihm die Tüte hin. «Willst du eins?» Die Frage erfolgte mit der Gönnermiene eines Menschen, der unwillentlich großzügig ist. «Aber nicht die grünen. Die mag ich am liebsten.»

«Such du mir eins aus.»

Vorsichtig kramte sie ein Gummibonbon aus der zerknitterten Tüte und legte es ihm auf die Hand. «Ein schwarzes. Die mag ich nicht.»

Er dankte ihr, und sie marschierten auf das Schulgebäude zu. «Wie heißt du?»

«Addie», sagte sie und rannte dann plötzlich ein paar Meter voraus, als schäme sie sich, ein Geheimnis ausgeplappert zu haben.

Aber sie blieb stehen und wartete auf ihn, als er ihr hinterher-rief: «Ich wette um doppelt so viele Bonbons, wie in deiner Tüte sind, daß ich weiß, wofür Addie steht.»

Sie hörte auf zu kauen und starrte ihn an. «Das kannst du nicht. Das hat noch keiner geschafft!»

«Na schön. Wenn's so schwierig ist, laß mich viermal raten.» Er wußte, daß sie niemals darauf eingehen würde.

«Viermal? Das ist zuviel.» *Du spinnst wohl,* gab ihm ihr Blick zu verstehen. «Dreimal.» *Oder laß es bleiben,* sagte ihr Blick. Um ihren eigenen Einsatz bei der Wette machte sie sich offenbar keinerlei Gedanken.

«Okay. Aber es ist 'ne ziemlich harte Nuß.»

«Ich weiß. Fang an.»

«Adelle.»

«Nein!» Sie tanzte rückwärts den Weg hinauf und ließ ihn nicht aus den Augen.

«Adelaide.»

«Nein!» Vor Aufregung drehte sie ihrer Tüte den Hals um.

«Annabelle.»

Sie schielte zu ihm hoch. War der verrückt? «‹Annabelle›? Da ist doch kein ‹d› drin!»

Er zuckte die Achseln. «Wie dumm von mir. Schätze, du hast gewonnen.»

Doch Addie war sich nicht sicher. Ihre Stirn legte sich in Falten, während sie sich heroisch zu einem großmütigen Opfer durchrang. Mußte man nicht so einem Obertrottel noch eine letzte Chance geben? Der Sieg war greifbar nahe... andererseits... «Du darfst noch einmal», flötete sie.

«Ich hab noch eine Chance? Das ist aber anständig von dir.»

Sie bestätigte das mit einem angespannten kleinen Nicken und zerdrückte nervös die Papiertüte in ihren Händen. Selbst seinem schlimmsten Feind würde man nicht wünschen, den Platz mit dieser Tüte zu tauschen, falls Addies eigener Großmut ihr nun eine Niederlage eingebracht hätte.

«Adeline.»

Ihr Nein schallte triumphierend durch die frostklare Luft. «Ich heiße Ariadne!»

«Was für ein schöner Name.» Eine Gedichtzeile fiel ihm ein: *Der Wind fing sich in Ariadnes Haar.*

Das Kompliment wurde ignoriert. «Wann krieg ich meine Bonbons?»

«Sobald ich welche kaufen kann. Morgen vielleicht.»

Sie hatten inzwischen die Eingangstür erreicht, die in diesem Augenblick von einem mageren Teenager mit aschblondem Haar geöffnet wurde. Das Mädchen wollte gerade etwas zu Jury sagen, als es Addie erblickte. «Wo hast du gesteckt? Ab ins Haus mit dir, na los, tu, was man dir sagt!» befahl sie in einem breiten Geordie-Akzent.

Doch Addie preschte davon und verschwand um die Hausecke. Ihre flinken Füße wirbelten die Schneeflocken hoch auf.

Das Mädchen, das seine Aufgabe äußerst ernst zu nehmen schien, sagte zu Jury: «Die Gnädige wartet.»

Miss Hargreaves-Brown wartete in der Tat. Die grobknochigen Hände auf dem wohlgeordneten Schreibtisch gefaltet, vermittelte sie den Eindruck, hier den Großteil ihres Lebens ausgeharrt zu haben, ein armes Opfer der Unpünktlichkeit und allgemeinen Schlamperei der anderen. Als ihr später Besucher in das Büro geführt wurde, blickte sie betont lange auf die Uhr.

Hätte Addie ihn nicht aufgehalten, wäre er Punkt halb sieben zur Stelle gewesen, wie verabredet. Aber als er an Addie dachte und dabei Miss Hargreaves-Brown ansah, tat ihm die fünfminütige Verspätung nicht leid. «Entschuldigen Sie, Miss Brown. Ich...»

Ein herablassendes kleines Lächeln. «Miss *Hargreaves-Brown*», korrigierte sie ihn sanft.

Natürlich kannte er ihren Namen und hatte ihn absichtlich verstümmelt, um ihre Reaktion zu testen. Nach ihrem Erstarren zu urteilen, hatte er sich des versuchten Raubes an ihrem wertvollsten Besitz schuldig gemacht: nicht ihre Unberührtheit, nein schlimmer, ihr Name, der, wie sie wohl hoffte, als Gütesiegel einer vornehmen und reichen Abstammung beeindruckte. Jury entschuldigte sich, zeigte ihr seinen Ausweis, bot ihr eine Zigarette an, die sie ablehnte, und nutzte die Zeit, um sie gründlich zu mustern. Miss Hargreaves-Brown hatte jene Grauzone des Lebens erreicht, in der das Alter nicht mehr bestimmbar ist. Sie hätte eine guterhaltene Siebzigerin oder eine ältliche Fünfzigerin sein können. Er wäre jede Wette eingegangen, daß das Kleid, das sie trug – ein dunkles Wollkleid mit Seidenkragen und -manschetten –, ihr bestes war. Eine Dame, so schätzte er, mit spärlichem Einkommen. Ihr Gehalt als Leiterin der Bonaventura-Schule konnte nicht allzu hoch sein. Sie sprach keinen nördlichen, sondern einen südlichen Akzent, und er fragte sich, was sie hierher in den Tyne and Wear-Distrikt verschlagen hatte.

Alles an ihr war gebändigt, geordnet und zugeknöpft, von der Chignonfrisur bis zu dem Taschentuch in ihrem Ärmel. Jury konnte fast hören, wie sie ihre kleinen Schützlinge ermahnte, in der Zeit zu sparen, um in der Not zu haben, oder wie sie ihnen einbleute, daß Reinlichkeit gleich nach der Gottesfurcht komme. Was das eine mit dem anderen zu tun haben sollte, war ihm allerdings, nebenbei bemerkt, ein Rätsel.

Jury hatte ihr am Telefon erklärt, warum er sie sprechen

wollte. Ihre nächsten Worte bezogen sich daher auf Helen Minton. «Diese unglückselige Frau», sagte sie, und es klang mehr nach einem Urteil als nach einer Mitleidsbekundung.

«Soviel ich weiß, kam sie manchmal mit Geschenken für die Kinder.» Als Miss Hargreaves-Brown nickte, fuhr er fort: «Haben Sie sie dadurch näher kennengelernt?»

«Nein. Ich glaube, Helen Minton war keine Frau, die andere allzu nahe an sich heranließ.»

«Warum sagen Sie das?»

«Sie war – verschlossen, fand ich. *Sie* war diejenige, die Fragen gestellt hat.» Und das gehört sich nicht, drückte ihr Tonfall aus.

«Was für Fragen, Miss Hargreaves-Brown?»

«Über die Schule und die Kinder.»

«Aber bei einem Waisenhaus ist das doch nicht weiter verwunderlich, oder?»

Miss Hargreaves-Brown sank in ihren Stuhl zurück, als hätte Jury ihr einen Schlag in den Magen versetzt. «Bonaventura ist *kein* ‹Waisenhaus›» – sie spie das Wort wie einen ekligen Klumpen aus –, «sondern eine *Schule*. Es stimmt freilich, daß viele, ja sogar die meisten unserer Kinder aus sozial schwachen Verhältnissen und aus zerrütteten Familien kommen oder eben Waisen sind. Wir werden sowohl aus privater Hand wie von der Regierung finanziert. Wir haben ganz normale Lehrer. Zugegeben, unser Lehrkörper ist etwas unterbesetzt» – was nach Jurys Einschätzung bedeutete, daß halb soviel Lehrer da waren wie gebraucht wurden –, «und nicht alle Kollegen sind Cambridge-Absolventen» – war das bei der Polizei vielleicht anders? Warum erzählte sie das ausgerechnet ihm? –, «und als Schulleiterin muß man hier ziemlich auf Zack sein, wenn ich so sagen darf.» An dieser Stelle zog sie das Taschentuch aus ihrer Seidenmanschette und betupfte sich damit die Oberlippe. Jury kam sich vor, als wäre er nicht von der Polizei, sondern vom Sozialamt.

«Ich bin sicher, daß man dazu sehr viel Erfahrung und Klugheit braucht, Miss Hargreaves-Brown. Tut mir leid, wenn ich falsch informiert war.»

Sie schob den Stuhl zurück und stand auf. «Vielleicht haben Sie ja Lust, sich die Schule anzuschauen.»

Jury nahm diese Einladung nur widerwillig an.

Die Bonaventura-Schule war so ziemlich der letzte Ort, den Jury besichtigen wollte. Bereits ihre steinerne Vorderfront hatte unbehagliche Erinnerungen in ihm geweckt, und der kalte Korridor vor dem Zimmer der Schulleiterin tat ein übriges, ihm einen Vorgeschmack von all den anderen kalten Korridoren und Sälen zu geben, in denen Schlafpritschen in militärischer Ordnung aneinandergereiht waren.

Während sie ihm mit einigem Stolz von den kleinen Sparmaßnahmen berichtete, durch die sie die Kosten niedrig halten konnte, schweiften seine Gedanken zurück zu einer anderen und doch ganz ähnlichen Schule. Er hatte dort mehrere Jahre seiner Kindheit verbracht, nachdem er seine Mutter bei einem der letzten Bombenangriffe auf England verloren hatte und auch der Onkel, der den verwaisten Jungen so freundlich bei sich aufgenommen hatte, gestorben war.

Sie durchquerten einen behördenbeige gestrichenen Flur, von dem links und rechts lange, freudlose Schlafräume abgingen, deren ordentlich gemachte Betten mit den glattgespannten grauen Decken an ein Lazarett oder eine Kaserne erinnerten. Beige, grau und das Braun von Miss Hargreaves-Browns Oberlehrerinnenkleid – die farblose Welt einer alten Daguerreotypie.

Sie jagte ihn kreuz und quer durch das Gebäude. «Sie sind gerade mit dem Abendessen fertig. Frühstück ist um sieben…»

Und die Welt ist in Ordnung, dachte er grimmig.

In einem der Räume saß ein Junge auf seiner Pritsche und las in einem Buch. Miss Hargreaves-Brown scheuchte ihn zur Abendandacht. Jurys Bett hatte damals, vor langer Zeit, in einer Ecke gestanden – er war dankbar dafür gewesen, denn so konnte er auf sein eigenes Stück Wand blicken und im Geiste Bilder darauf malen: Phantastisches, Abenteuerliches, wilde Nashörner und Elefanten und Dschungelmärsche. Er hatte Großwildjäger werden wollen und war als Polizist geendet. Die Stellen für Großwildjäger waren dünn gesät.

Sie schritten durch die fahle Welt der Bonaventura-Schule, einen weiteren Korridor hinunter, der sich vom letzten nur dadurch unterschied, daß er einen neuen Anstrich noch dringender nötig hatte, während Miss Hargreaves-Brown über sich selbst redete: «… als Schulleiterin hat man hier mit gewaltigen Problemen zu kämpfen. Allein die Heizkosten…» Sie hielt die Hände immer noch gefaltet, als bete sie um mehr Geld. «… habe in einer sehr guten Privatschule unterrichtet. Die Stelle hier war frei, und obwohl ich sehr jung für den Posten war, konnte ich die Verantwortlichen davon überzeugen, daß mein Herz für das Gemeinwohl schlug – und schlägt…» Jury machte eine passende Bemerkung und sehnte sich nach einer Zigarette oder, besser noch, einem Drink.

«Sie mochten Helen Minton also nicht?» fragte Jury, als sie wieder im Büro waren und auf bequemeren, wenn auch leicht abgenutzten Stühlen vor einem kalten Kamin Platz genommen hatten.

Sie zog ihre sandfarbenen Brauen hoch. «Ob ich sie mochte? Darüber habe ich mir keinerlei Gedanken gemacht. Milch?» Sie hatte ihm eine Tasse Kaffee angeboten.

«Nein danke. Ich trinke ihn schwarz.»

Das Mädchen, das ihnen den Kaffee gebracht hatte – es war dasselbe Mädchen, das Jury ins Büro geführt hatte –, wurde gnädig entlassen: «Du kannst jetzt gehen, Lorraine.»

«Jawohl», murmelte Lorraine und nickte. Sie schien jedoch nicht gewillt, dem Befehl sofort nachzukommen, sondern spielte mit einer langen Haarsträhne und heftete den Blick hoffnungsvoll auf Jury. Er wußte nicht recht, worauf sie noch wartete, und bedachte sie daher mit einem Lächeln, wie schon einmal, als sie das Tablett auf den Tisch gestellt hatte. Damit schien er ins Schwarze getroffen zu haben, denn sie ging hinaus.

«Wie alt ist sie?»

«Sechzehn. Zugegeben, einige unserer Kinder sind wirklich Waisen. Lorraine ist schon ihr Leben lang bei uns. Sie ist ein wenig zurückgeblieben; wir haben große Mühe, ihr etwas beizubringen. Aber sie ist nicht die erste; wir hatten schon andere, traurigere Fälle hier.»

«Ich kann mir nicht vorstellen, daß Sie viele hatten, die man als ‹glücklich› bezeichnen würde.»

Sie zog es vor, den Einwand zu ignorieren. «Wir haben auch ganz gewöhnliche Schulkinder, die am Nachmittag nach Hause gehen.»

«Sie wissen nicht zufällig, ob Helen Minton Feinde hatte?»

«Nein, wieso? Ich meine, ich kann es mir nicht vorstellen. Wie kommen Sie bloß darauf?» Sie legte den Kopf schräg, und ihre Augen wurden schmal. «Sie wollen doch nicht etwa andeuten, daß an ihrem Tod etwas ungewöhnlich war?»

«Wenn jemand im Schlafzimmer von Old Hall tot aufgefunden wird, halte ich das zweifellos für ‹ungewöhnlich›, Sie nicht?»

«Sie war krank. Ich nehme an, ihr Herz hat in diesem Moment...» Miss Hargreaves-Brown zuckte die Achseln.

«Wie lange war sie hier in der Gegend?»

«Länger als zwei Monate, glaube ich. Halten Sie mich bitte nicht für undankbar, aber...»

Als sie sich anschickte, den Wert der kleinen wohltätigen Dienste, die Helen Minton geleistet hatte, herunterzuspielen, fiel Jury ihr ins Wort: «Hat sie sonst etwas über ihre Krankheit oder über ihre Lebensumstände gesagt, das... tja... Licht auf die Umstände ihres Todes werfen könnte? Sie dürften sie mindestens ebenso gut gekannt haben wie jeder andere hier. Helen Minton scheint ein mehr oder weniger einsamer Mensch gewesen zu sein.»

«Ach, Sie haben sie also gekannt, Superintendent?»

«Flüchtig.»

«Dann haben Sie ja ein ganz persönliches Interesse an der Sache.» Diese Feststellung wurde in mißbilligendem Tonfall vorgetragen, so als habe ein Polizist kein Recht auf persönliche Motive.

Jury konnte ihr nicht recht widersprechen. «Ja.»

Sie steckte eine lose Haarsträhne in den Chignonknoten und sagte: «Es gibt nichts, was ich Ihnen sonst noch über Helen Minton erzählen könnte. Sie war aus London, mehr weiß ich nicht.» Und als sei es ihr gerade noch eingefallen, fügte sie hinzu: «Sie war recht attraktiv. Das heißt, ich könnte mir vorstellen, daß sie auf den einen oder anderen so gewirkt hat.» Sie vermied es, dabei Jury anzusehen, und nahm einen Schluck aus ihrer Tasse.

Vielleicht wußte sie wirklich nicht mehr, doch Jury hatte das Gefühl, daß sie etwas verschwieg. Es war ihm jedoch klar, daß er nicht ein einziges weiteres Wort aus ihr herausbringen würde.

«Vielen Dank, Miss Hargreaves-Brown. Es war sehr freundlich von Ihnen, daß Sie mir soviel Zeit geopfert haben. Da ich weiß, wie wertvoll Ihre Zeit ist, will ich Sie jetzt nicht länger belästigen.»

Lorraine führte ihn hinaus und sah ihm von dem dunklen Eingang aus nach.

Er marschierte die lange Auffahrt hinunter, und als er an die Pforte kam, ertönte wieder das Summen. Er zog das Eisentor auf, schritt hindurch und ließ es hinter sich ins Schloß fallen.

«Leb wohl!»

Er drehte sich um. Die Stimme kam – natürlich, woher auch sonst? – aus dem Baum. Dort oben, fast ganz verborgen im dichten Gewirr der Äste, lauerte die kleine dunkle Gestalt wie ein Gespenst aus der Kindheit.

Jury winkte.

«Leb wohl und Gott segne dich», sagte der Baum.

«Leb wohl.»

«... und Gott *segne* dich!» rief der Baum.

«Gott segne dich», sagte Jury, bevor er sich abwandte.

5

IN DER DUNKELHEIT konnte er die Straßenschilder kaum erkennen. Jury war von der A 1 auf eine Ausfallstraße abgebogen und, wie ihm schien, schon meilenweit gefahren; trotzdem wollte die öde Moorlandschaft zu seiner Linken kein Ende nehmen. Vielleicht hatte er etwas falsch verstanden, als man ihm an der Tankstelle den Weg beschrieben hatte. Der Tankwart hatte es sich außerdem nicht nehmen lassen, dem Fremden eine Neuauflage alter Schauergeschichten von den Unglücklichen aufzutischen, die sich ins Moor gewagt hatten und seither, wie er glaubhaft zu berichten wußte, nie wieder gesehen worden waren. Jury war es gelungen, sich in aller Höflichkeit loszueisen, aber allmählich kamen ihm die Geschichten gar nicht mehr so unwahrscheinlich vor.

Die Straße war schmal, stellenweise vereist und erst vor kurzem geräumt worden: kleine Schneehügel säumten sie zu beiden Seiten. Ein Stück voraus bewegte sich etwas: ein Mann, der ohne Hut und Mantel durch die Kälte stapfte. Ein abgehärtetes Volk hier oben, dachte Jury, während er anhielt und das Fenster herunterkurbelte. «Kennen Sie eine Kneipe namens ‹Jerusalem Inn›? Sie soll hier irgendwo sein.»

Das Gesicht des kleinen Mannes verzog sich zu einem Lächeln. «Ja, schon... wenn man zur Kirche fährt, liegt's auf halbem Weg.»

«Gehen Sie auch in die Richtung?»

«Ja, schon...»

Es wird wohl einfacher sein, ihn gleich mitzunehmen, als lange mit ihm zu reden, dachte Jury und öffnete die Beifahrertür. «Steigen Sie ein.»

Das Männlein sprang fix ins Auto und lächelte Jury zahnlos an. Er hatte sich nicht die Mühe gemacht, sein Gebiß einzusetzen, und seine wasserblauen Augen waren trübe, als hätte der Frost sie mit Rauhreif bedeckt. Viel wahrscheinlicher allerdings war, daß er zu Hause schon ein paar Gläschen getrunken hatte, um sich für den Weg zum Pub zu stärken. Seine Hände umklammerten etwas, das wie eine mutierte Riesenzwiebel aus einem billigen Science-fiction-Streifen aussah. Er hielt sie auf seine Knie gestützt wie einen Koffer, während sie nordwärts fuhren.

«Was ist das?» fragte Jury.

Der Kleine blinzelte ihm zu. «Ein Lauch, mein Freund. Dies Jahr hab ich ihn mächtig groß gekriegt, und den Preis hab ich auch gewonnen. Letztes Jahr hätt ich schon gewonnen, wenn ich nich wieder so 'n Pech gehabt hätt. Ich war nich ganz da und hab's nich geschafft. Sind Sie aus dem Süden?»

Jury lächelte. Das war eine rein rhetorische Frage. Und sie war nicht als Kompliment gemeint.

Das «Jerusalem Inn» war ein schmuckloses, grau verputztes Gebäude mit einem ebenso schmucklosen Schild, das wie zufällig an der Seitenfront hing und dessen breite schwarze Lettern fahl von einer schwachen Lampe beleuchtet wurden.

Jury war es ein Rätsel, woher bei diesem Wetter die Kundschaft kam, doch hatte sich etwa ein Dutzend Gäste eingefunden. Und alle sahen so aus, als gehörten sie zum Inventar des Pubs wie das Schild draußen an der Mauer.

Dickie, Jurys neuer Bekannter, legte seinen Lauch und sein Geld auf die Bar und fragte Jury, was er trinken wolle. Jury bestellte ein Bier, als der Kneipenwirt sich ihnen zuwandte. Er hatte das rosige Gesicht einer Putte oder eines Trinkers.

Es waren noch vier Tage bis Weihnachten, und das «Jerusalem Inn» war bestens für das Fest gerüstet: es strotzte von Dekorationen – altersschwache Lichterketten, Lamettakaskaden, staubige Stechpalmenkränze und eine lebensgroße Krippe in der Nische neben dem Kamin. Inmitten all dieser Pracht fand gerade eine ganz unweihnachtliche Partie Pool statt, und zwar zwischen einem stämmigen untersetzten Kerl, an dem flächendeckende Tätowierungen und eine schwere Lederweste ins Auge fielen, und einem drahtigen, schwarzhaarigen Mann mit einem Goldring im Ohr. Der Ring schien allerdings mehr Ausdruck modischen Geschmacks als Hinweis auf bestimmte sexuelle Vorlieben zu sein. Rechts neben dem Billardtisch stand eine quadratische Box mit einem Videospiel, dem sich ein junger Mann hingebungsvoll widmete. Unter einem dürren Mistelzweig war eine junge Frau mit Haifischgesicht gerade dabei, einen großen, unangenehm aussehenden Kerl ausgiebig zu küssen. Aber ihre Showeinlage kam nicht gegen den Lauch an, der – wie Jury Dickies langatmigem Geschwätz schließlich entnommen hatte – den ersten Preis im jährlichen Lauchzüchterwettbewerb gewonnen hatte.

Mehrere Leute kamen herüber, um Dickie auf die Schulter zu klopfen.

«Letztes Jahr hättst du schon gewonnen, Dickie, wenn du ihn vorher nur 'n bißchen abgewischt hättst.» Drinks wurden ausgegeben, die offenbar alle auf Dickies Rechnung gingen. Nach Jurys Gefühl hätte es eher andersherum sein müssen. Er bezweifelte, daß Dickies Geldbörse oft Futter bekam, und doch war dieser die Großzügigkeit selbst. Aber knapp bei Kasse waren wohl alle hier.

Das «Jerusalem Inn» war trotz des ganzen Weihnachtsbrimboriums eine Arbeiterkneipe. In gewisser Weise war das ganz erfrischend nach dem Museumsmuff der Pubs im Londoner West End mit ihrem roten Plüsch, den elektrifizierten Gaslampen, den vergoldeten Spiegeln und dem sonstigen wurmstichigen Bombast der viktorianischen Ära. Auch die Ramschkollektion ländlicher Gastlichkeit fehlte – weder gab es Zinnkrüge und Messingteller, noch hingen die unvermeidlichen Jagdszenen über bestickten Polstern. Hier standen lange Bänke an den Wänden. Drei alte Männer hatten sich auf einer dieser Bänke niedergelassen und sahen so aus, als gehörten sie zu dem Krippenensemble neben dem Kamin.

Die Gesichter an der hufeisenförmigen Bar in der Mitte des Raumes spiegelten alle ziemlich deutlich ein und dasselbe Schicksal wider – die hoffnungslose Existenz zwischen Arbeitslosigkeit und Geldmangel. Jury war sicher, daß manche dagegen aufbegehrten. Andere hatten sich zähneknirschend in ihr Los gefügt, und einige – die jüngeren – betrachteten die Arbeitslosigkeit als eine Art zu leben, die ihnen in die Wiege gelegt worden war. Arbeit und Wetter waren die vorherrschenden Gesprächsthemen.

Jury wußte, daß er von jedem hier eingehend gemustert worden war, und doch hatte er kein direkt auf sich gerichtetes Auge bemerkt. Nachdem sich ihr Interesse an dem Riesenlauch und dem knutschenden Liebespaar erschöpft hatte, nahmen die Leute ihre Gespräche wieder auf. Gedämpftes Gemurmel wie in einer Kirche kurz vor dem Gottesdienst erfüllte bald den ganzen Raum. Ein verkommener Geselle saß schweigsam über einem Wörterbuch und ließ gelegentlich ein lautes Räuspern vernehmen oder pochte mit seinem Stock auf die blanken Dielen, wenn er eine Seite umblätterte. Ein anderer Mann saß im Anorak da und las in einem dicken Buch; neben ihm hockte zitternd ein nervöser Windhund. Die Pool-Spieler entschlossen sich zu einem neuen Spiel und griffen wieder zu ihren Queues.

Der Wirt stand unentschlossen herum, in der Hand den Drink, den Dickie ihm spendiert hatte. Offenbar hatte Jury seine Neugier geweckt.

«Sind Sie von hier?» fragte er schließlich.

«Nein. Aus London.»

Der Wirt tat überrascht. «Zwei Straßen hinter Harrod's ist's für euch doch schon wie hinterm Mond, hab ich recht?» Er lächelte, um dem groben Scherz die Spitze zu nehmen.

«Haben Sie viele Gäste hier draußen?»

«Und ob. Sie würden sich wundern. Unten an der Straße liegt Spinneyton, da kommen die meisten her. Geld ist nicht viel da, nur eben das bißchen Arbeitslosenunterstützung. Die meisten Zechen sind geschlossen, und die Werften in Newcastle sind fast alle stillgelegt.» Er schüttelte weise den Kopf. «Ich selber komm aus Todcaster. Diesen Laden hab ich erst seit sechs Monaten. Es ist schwer, von dem Haufen hier akzeptiert zu werden. Ziemliche Sippenwirtschaft, wissen Sie?» Das letzte flüsterte er, als müßten London und Todcaster hier zusammenhalten; dann entfernte er sich, um die benutzten Gläser einzusammeln.

Während er darauf wartete, daß der Wirt wieder eine freie Minute hatte, schlenderte Jury hinüber zum Kamin, um die Weihnachtskrippe zu begutachten. Die Blicke der drei alten Männer folgten ihm argwöhnisch. Ob man mir den Polizisten ansieht? fragte sich Jury. Er stieß einen Seufzer aus, als er die Krippe näher in Augenschein nahm. Ihr Zustand war schlichtweg bejammernswert. Doch wie um den dürftigen Eindruck wieder etwas wettzumachen, schlief zwischen zwei Tierfiguren – einer dreibeinigen Ziege und einem schwanzlosen Lamm – ein echter Terrier mit einem schwarz umringten Auge.

Nur zwei der Heiligen Drei Könige waren anwesend, und denen hätte ein frischer Farbanstrich nicht geschadet. Maria war da, Joseph auch. Aber im Stroh, über das sie sich beugten, lag nichts.

Etwas zupfte ihn am Ärmel, und eine helle Stimme sagte: «Ich mußte sie baden.»

Jury drehte sich um und sah ein kleines Mädchen von sechs oder sieben Jahren, das zu ihm hochstarrte. Ihre Augen waren von dem gleichen klaren, fast glasigen Braun wie die der Puppe, die sie umklammerte. Die Puppe war sehr groß, hatte rot gefärbtes, verblichenes Haar und war von unbestimmbarem Geschlecht. Im Moment trug sie ein Kleid, das vermutlich einst dem Mädchen gehört hatte. Die Taille saß auf den Hüften, und der Saum hing ihr bis über die Zehen.

Als die Kleine sah, daß Jury ihre Bemerkung nicht verstand, deutete sie mit dem Kopf auf die Krippe. «Sie war schmutzig.»

«Oh», sagte Jury. Er blickte auf das Kleid. «Ist es denn ein Mädchen?»

Sie betrachtete stirnrunzelnd das verwaiste Stroh, als überdenke sie ihren Irrtum. «Jetzt gerade ist sie eins.» Sie glättete das alte Kleid, sichtlich daran gewöhnt, daß die Puppe ein Mädchen war, und unzufrieden darüber, daß sie zur Weihnachtszeit eine Doppelrolle spielen mußte.

Durch eine Hintertür erschien eine hübsche junge Frau mit

einem Tablett voll Gläser. Als sie das Kind sah, schüttelte sie den Kopf, kam zur Krippe und flüsterte: «Chrissie! Leg das Jesuskind wieder zurück, Kleines! Wie oft muß ich dir das noch sagen?»

Ihr Haar hatte die gleiche Farbe wie das des Kindes, doch ohne dessen Glanz; ihr Gesicht ließ ahnen, wie das kleine Mädchen später einmal aussehen würde.

«Ich mußte sie doch baden!» sagte Chrissie mit quengelnder Stimme.

«Tu sie wieder ins Stroh!» Die Frau warf Jury einen Blick zu, als gebe es zwischen Erwachsenen ein natürliches Bündnis, schüttelte den Kopf und seufzte: «Diese Gören!» Dann ging sie hinter die Bar und begann Gläser ins Regal zu stellen.

Traurig knöpfte Chrissie das Puppenkleid auf, wobei sie Jury den Rücken zuwandte, um das Schamgefühl der Puppe nicht zu verletzen. Dann stieg sie über das Seil, das zum Schutz der Figurengruppe gespannt worden war, legte das nackte Puppenkind ins Stroh und kam wieder zurück. Das nun komplette Arrangement fand jedoch nur ihre stirnrunzelnde Mißbilligung. «Es sieht blöd aus.» Sie kreuzte ihre rundlichen Ärmchen auf Altfrauenart vor der Brust.

«Na ja…» meinte Jury.

Da er ihr nicht auf der Stelle recht gab, fügte sie in noch entschiedenerem Ton hinzu: «Sie sieht häßlich aus ohne Kleider.»

Jury trank einen Schluck Bier. «Sie sieht nicht aus wie das Jesuskind, das find ich auch. Was ist denn mit dem richtigen passiert?»

«Es ist bei 'ner Prügelei kaputtgegangen. Hier gibt's ständig Prügeleien. Futsch!» Sie gab ein schmatzendes Geräusch von sich, dessen Klang ihr offenbar Spaß machte. «Deshalb haben sie gesagt, ich soll Alice hinlegen. Sie ist ein Mädchen.» Sie schielte zu Jury hoch, um zu sehen, ob er ihr widersprechen würde.

«Das ist wirklich Pech. Aber nach Weihnachten kriegst du sie ja wieder, oder?» Sie nickte. «Weißt du, Jesus würde nämlich kein Kleid tragen.»

Sie kratzte sich am Ellbogen. «Er hat Tücher getragen. Ich hab Bilder gesehn.»

«Aber erst, als er älter war. Was du brauchst, sind Windeln.»

«*Was?*» Das war der größte Quatsch, den sie je gehört hatte.

«Windeln. Ein paar alte Lumpen würden's auch tun. Wenn deine Mama dir ein Stück Stoff gäbe, das sie nicht mehr braucht, könntest du's zerreißen und Alice damit wickeln.» Er wies mit seinem Glas auf die armseligen und ramponierten Darsteller in dem Stück hinter dem Absperrseil. «Sie waren arm. Sie hatten nichts Besseres zum Anziehen für ihn.»

Chrissie schaute hinab auf ihr eigenes Kleid, ein verschossenes, geflicktes Stück, wie das Puppenkleid. Es stammte offensichtlich aus zweiter Hand und war ihr viel zu groß. «Dann sind sie hier ja richtig.» Sie drehte sich um und rannte zur Tür hinaus, wahrscheinlich, um nach Windeln zu suchen.

Jury spendierte dem Wirt – Hornsby hieß er – erst mal einen Drink, bevor er ihm seinen Ausweis und das Foto von Helen Minton zeigte.

Nachdem der Drink Hornsby die Zunge gelockert hatte, stellte sich heraus, daß der Wirt nicht viel zu sagen wußte. Er kratzte sich im Nacken und schüttelte den Kopf. «Die hab ich hier noch nie gesehn, Mann – äh, Superintendent.» Hornsby zeigte seiner Frau das Bild. Mrs. Hornsby strich ihr langes Haar hinters Ohr, als könnte sie so besser sehen, und beäugte das Gesicht auf dem Schnappschuß, das halb im Schatten eines Baumes verborgen war. Mrs. Hornsby war offensichtlich keine Frau, die zu übereilten Antworten neigte, was entweder bedeuten mochte, daß sie ihre Gedanken nur unter langwierigen Mühen faßte, oder aber, daß sie eine sehr gewissenhafte Denkerin war.

Sie ließ ihren Blick durch das Lokal über jeden einzelnen ihrer Gäste schweifen, als könnte sie auf ihren Gesichtern den Schlüssel zu diesem Rätsel entdecken. Und tatsächlich schien sich in ihrem Gedächtnis etwas zu regen, als ihr Blick zwischen den drei alten Stammgästen, dem Billardtisch, der Krippe und Helens

Bild hin und her sprang. Sie biß sich auf die Lippen, und Jury fürchtete schon, sie würde die Aussage ihres Mannes bestätigen. Aber sie überraschte ihn: «Sie war letzten Dienstag hier, das muß so ungefähr um neun oder zehn gewesen sein. Sie hat ein Newcastle Brown Ale bestellt, und ich hab irgendwie gelacht und auch gefragt, ob sie denn weiß, wie stark das ist, und dann hat *sie* gelacht und gesagt, ja, sie hätt es schon mal getrunken. Ich wußte, daß sie nicht von hier war, wegen ihrem Akzent – sie hat genauso geredet wie Sie –, und ich dachte, sie kommt wahrscheinlich aus London. Mir hat's gefallen, wie sie an der Bar stand und sich gar nichts draus zu machen schien, daß das ‹Jerusalem› nicht das Ritz ist. Dann hat sie 'ne Weile beim Pool zugeschaut, und Clive» – hier wies sie mit dem Kopf auf eine Tür, die wohl in ein Hinterzimmer führte – «hat ihr noch 'n Bier spendiert. Sie hat sich ein bißchen mit der Göre unterhalten, mit Chrissie» – über ihr Gesicht huschte ein Lächeln, das mindestens so strahlend war wie die Weihnachtsbeleuchtung im Raum –, «und dann hat sie Clive auch einen Drink spendiert. Das dritte Bier wollte sie wohl schon nicht mehr; sie hat kaum was davon getrunken, aber sie wußte, was sich gehört. Ich meine, als Frau hätte sie das natürlich nicht tun brauchen, aber sie hat's trotzdem getan, und das fand ich gut. Sie hat auch mit Robbie geredet…» Sie sah den großen jungen Mann an, der immer noch mit dem Videospiel beschäftigt war. «Robbie ist 'n bißchen – einfältig.» Das Wort kam Mrs. Hornsby nur schwer über die Lippen. «Aber er ist der hilfsbereiteste Junge, den man sich vorstellen kann. Er hat hier sein Zimmer und kriegt ein bißchen Geld dafür, daß er saubermacht.» Sie runzelte die Stirn. «Tut mir leid, aber sonst fällt mir nichts ein.»

Jury starrte sie mit großen Augen an, und ihr Mann klopfte ihr auf die Schulter. «Schlaues Mädel, meine Nell. Der macht keiner was vor.»

«Wenn jeder Zeuge so wäre wie Sie, Mrs. Hornsby, hätten wir in London bald alle Verbrecher hinter Gittern.»

Mrs. Hornsby errötete heftig und versuchte, ihre Augen von

Jury loszureißen, stellte dann aber offenbar fest, daß er – verglichen mit dem Rest der Welt – einen durchaus angenehmen Anblick bot. Sie lächelte wieder ihr strahlendes Lächeln. Jury gab auch ihr einen Drink aus.

«Vielleicht weiß Clive was.» Sie deutete auf die Tür, durch die ihre Tochter eben hinausgerannt war. «Im Hinterzimmer ist gerade ein Spiel im Gange. Clive ist auch dabei. Und vielleicht hat Marie mit ihr gesprochen. Marie quatscht jeden Neuen an, um Zigaretten zu schnorren und zu erzählen, wie schwer sie's hat.»

Marie entpuppte sich als die Frau mit dem Haifischgesicht; sie sah gar nicht so übel aus, aber in ihrer Gegenwart beschlich einen das dumpfe Gefühl, man müsse seine Brieftasche festhalten. Als Jury sich ihr vorstellte, rückten die anderen neugierig näher. Man konnte ihnen das wohl kaum übelnehmen: in der Eintönigkeit ihrer Tage, die sie mit Pool, Darts und Nichtstun verbrachten, war jede Abwechslung willkommen. Sogar ein herumschnüffelnder Bulle war besser als die Nietenbude, solange er seine Nase nicht in ihre privaten Angelegenheiten steckte. Jury hätte wetten können, daß die meisten von ihnen Alkoholiker waren, die unaufhaltsam dem Ruin entgegenstürzten. Der Suff war alles, was sie hatten, und die wöchentliche Stütze nur ein anderes Wort für Freibier.

«Sie hat gesagt, daß sie in Washington wohnt.» Marie nahm bereitwillig eine Zigarette entgegen und lehnte sich halb an die Bar, halb an Jurys Schulter. Für einen Drink, so hoffte Jury, würde ihr bestimmt etwas einfallen, das immerhin einen gewissen, wenn auch fragwürdigen Informationswert hätte. Er spendierte ihr ein Carlsberg, aber es half ihrem Gedächtnis leider nicht auf die Sprünge.

Jury durchbrach den Halbkreis der Neugierigen, ging hinüber zum Videospiel und setzte sich zu Robbie, dessen schlaffes Gesicht einen Hauch von Schönheit vermuten ließ, unausgeprägt und vage wie ein Spiegelbild auf der Wasseroberfläche. «Heißt du Robbie?» Der Junge lächelte. Er war um die zwanzig und sah dumpf drein, machte aber einen sehr freundlichen Eindruck.

Jury zeigte ihm das Foto. Robbie fuhr aufgeregt mit den Fingern durch sein glanzloses braunes Haar, als sei dies ein Test, den er unbedingt bestehen müsse. «Erinnerst du dich an diese Frau?»

Die Antwort war ein gestottertes «J-j-jaa-a.» Und er nickte mehrere Male heftig, sichtlich erfreut darüber, daß er sich an sie erinnern konnte.

«Worüber hat sie mit dir gesprochen?»

Robbie ließ seinen Blick durch den Raum wandern, nicht zielstrebig wie Nell Hornsby, sondern verlegen und ratlos wie jemand, der einer Aufgabe nicht gewachsen ist. Nach einer Weile versuchte Jury so sanft wie möglich seiner Erinnerung nachzuhelfen. «Ich möchte nur wissen, ob sie ihren Namen genannt hat. Oder ob sie gesagt hat, was sie hier wollte. Anscheinend kann keiner sich mehr an etwas erinnern.»

Das erleichterte Robbie sichtlich. Er schaute hinunter auf den Videoschirm und sah zu, wie die bunten Monster vor Pac-Man davonflitzten.

«Lust auf ein Spiel?» fragte Jury und fischte ein paar Münzen aus seiner Tasche.

Robbie nickte. «I-ich b-bin nich be-besonders g-g-gut», sagte er verzagt.

«Ich auch nicht.»

Robbie jagte Jury kreuz und quer über das Spielfeld, fraß alle seine Monster auf und war gerade dabei, ihm endgültig den Garaus zu machen, als Hornsby von der Bar herüberrief, der Superintendent werde am Telefon verlangt.

Kaum hörte er die Stimme des Deputy Assistant Commissioner Newsome am anderen Ende der Leitung, bereute Jury auch schon, daß er beim Northumbria-Revier hinterlassen hatte, wo er zu erreichen sei.

Nicht, daß er Newsome, einen entwaffnend wortkargen Mann, nicht gemocht hätte; es war dessen Mitteilung, die ihn ärgerte. «Schauen Sie, ich will Sie ja nicht kritisieren. Aber Racer schlägt Krach, weil Sie da oben eigentlich Ferien machen sollten, und jetzt ruft der Chief Constable des Distrikts bei uns an und fragt, warum Scotland Yard... Sie wissen schon, was ich meine.»

«Ich habe das mit Cullen abgeklärt.»

Er konnte sich plastisch vorstellen, wie Newsome bei der Antwort mit den Achseln zuckte. «Warum machen Sie dem Chief Superintendent nicht eine Freude und kommen zurück?»

«Mein Anblick hat ihm noch nie große Freude bereitet. Okay. Ich wollte morgen sowieso nach London kommen. Ich werde einen Frühzug nehmen.» Hornsby, dem offenbar kein Wort entgangen war, während er ein und dasselbe Glas ein ums andere Mal polierte, verkündete, daß es um 8 Uhr 30 einen Schnellzug ab Newcastle gebe.

Jury informierte Newsome, daß er den Zug um 8 Uhr 30 nehmen werde, und legte auf.

Nell Hornsby spülte Gläser und beobachtete Robbie, der jetzt am Billardtisch eine einsame Partie Pool spielte. «Schrecklich traurige Sache mit dem Jungen. Mutter tot, Vater verduftet. Er war in der Bonaventura-Schule.»

«Bonaventura?» Jury wandte sich nach Robbie um.

«Ja, diese sogenannte Schule in Washington. ‹Waisenhaus› wäre treffender. Als er sechzehn wurde, schickten sie ihn fort. Das ist da so üblich. Die glauben anscheinend, daß Kinder ab sechzehn ihren Unterhalt selber verdienen können. Ein Witz, wenn man bedenkt, daß in dieser Gegend nicht mal erwachsene Männer das schaffen.»

«Wie heißt er? Robbie – und weiter?»

«Robin Lyte.»

Robbie schaute von dem zerschlissenen Grün des Billardtisches auf, als Jury mit zwei Gläsern Bier und einer Handvoll Zehnpence-Stücke zu ihm trat. «Ich spiel nicht besonders gut Pool.» Er wies mit dem Kinn auf das Videospiel. «Wie wär's mit Pac-Man?»

Der Junge versuchte mühsam, sich eine Antwort abzuringen.

Er schloß die Augen, als könne der verbale Kontakt mit der Welt nur hergestellt werden, wenn der Blickkontakt unterbrochen war. Er wand sich geradezu unter der Anstrengung, ein Ja hervorzuwürgen und ein Danke hinzuzufügen.

Sie spielten schweigend. Nur Robbies Kichern unterbrach dann und wann die Stille, wenn er gewann. Er gewann immer.

Jury versuchte es nicht noch einmal mit dem Foto von Helen Minton. Die Erinnerung ließ sich nun mal nicht zwingen. Falls irgendeine nützliche Information im Gedächtnis des Jungen eingeschlossen sein sollte, würde Jury einen anderen Schlüssel finden müssen.

«Du bist auf die Bonaventura-Schule gegangen, nicht wahr?» Robbies Gesicht war über den Videoschirm geneigt, wo die Monster darauf warteten, ein weiteres Zehnpence-Stück zu verschlingen. Er nickte. «Ich wette, da hat's dir nicht besonders gefallen.» Der Junge schaute von dem kleinen Lichterlabyrinth auf und schüttelte den Kopf. In seinen Augen lag ein tiefer Schmerz, als könne die Wunde, die ihn hervorgerufen hatte, niemals verheilen. Jury warf ein paar Münzen so heftig in den Schlitz, daß der Tisch erbebte. «Ich kann's dir nachfühlen. Ich war auch mal in so einem Heim. Eiserne Pritschen, schlechtes Essen, kalte Flure. Vier Jahre lang. Das war nach dem Tod meiner Mutter.»

Robbie achtete plötzlich nicht mehr auf das pulsierende Monster, das sie zum Spielen einlud, sondern zog seine alte Brieftasche hervor und zeigte Jury ein Foto. «M-Mutter.»

Das Bild zeigte drei junge Frauen, die untergehakt nebeneinander standen. Robbies Finger deutete auf die mittlere. Sie hatte blondes Haar mit einer frischen Dauerwelle darin und lächelte keck in die Kamera.

«Sie war hübsch.» Jury gab das Bild zurück, starrte gedankenverloren auf das kleine Monster und fügte hinzu: «Meine war auch hübsch.»

Nell Hornsby verkündete die Sperrstunde. Jury trug die Gläser zurück zur Bar.

«Es klingt vielleicht albern», sagte Nell, «aber manchmal denk ich, der Junge ist der glücklichste von allen.» Sie kippte den Rest ihres Brandy hinunter.

«Darauf würde ich keinen Eid schwören», sagte Jury, bevor er zur Tür hinausging.

ZWEITER TEIL

EINKEHR

6

Es schlug Mittag in der «Hammerschmiede», und der mechanische Schmied draußen hoch oben auf dem Balken begann seinen Hammer auf und ab zu bewegen. Der hölzerne Gesell sah ziemlich schmuck aus in seiner frisch gestrichenen Kluft – der blauen Hose und der Jacke, die ebenso blaugrün leuchtete wie der grelle Anstrich, den Dick Scroggs, der Wirt, kürzlich zwischen Gebälk und Flügelfenster geklatscht hatte. Auf der Hauptstraße von Long Piddleton, ohnehin schon ein farbenfrohes Sammelsurium von eng aneinandergedrängten Wohnhäusern und Geschäften, erstrahlte die «Hammerschmiede» als auffälligster Farbtupfer in der Wintersonne.

Die Gäste drinnen waren genauso kunterbunt zusammengewürfelt. Eine Frau und zwei Männer saßen an einem Tisch in der Nähe eines lustig prasselnden Kaminfeuers. Zwei von ihnen waren von Hause aus millionenschwer; der dritte verkaufte Antiquitäten an Touristen – mit demselben Ergebnis. Letzterer gab mit seinem lavendelfarbenen Halstuch und der jadegrünen Sobranie-Zigarette ein passendes Gegenstück zu dem Schmied draußen auf seinem Balken ab, wenn auch freilich kein ganz so hölzernes. Nicht weniger schillernd – jedoch mehr im übertragenen Sinn – war die alte Frau am Kamin, die zahnlos vor sich hin brabbelte und Gin in sich hineinkippte. Ab und zu putzte sie für Dick Scroggs. Wenn ihr nicht nach Putzen zumute war, unterhielt sie sich mit der steinernen Katze neben dem Kamin und versoff ihren Lohn.

«Glauben Sie, Scroggs' Verschönerungswut wird sich jemals wieder legen?» fragte Marshall Trueblood, dem der Antiquitätenladen nebenan gehörte. Er betrachtete kritisch den polierten Zinn- und Messingtinnef und die erst kürzlich aufgehängten

Jagdvogeldrucke, bevor er eine weitere Balkan Sobranie – diesmal eine zartviolette – in eine lange Zigarettenspitze steckte.

Melrose Plant fand es ziemlich unangebracht, diese Frage ausgerechnet aus Truebloods Mund zu hören, aber er war zu höflich, dies auch zu äußern. Für ihn war Trueblood eher ein Spektakel als eine Person. Er konzentrierte sich weiter auf sein *Times*-Kreuzworträtsel und nahm gelegentlich einen Schluck aus seinem Krug Old Peculier.

«Ach, ich weiß nicht. Mir gefällt's eigentlich ganz gut», sagte Vivian Rivington. «Früher war es so eine düstere alte Höhle. Und seit die ‹Büchse der Pandora› geschlossen ist, können wir doch froh sein –»

Marshall Trueblood schloß gequält die Augen. «Oh, hör bitte auf, so leutselig zu sein, Darling. Ich finde das ermüdend. Lieber Gott, schau dir doch nur den alten Scroggs an – neuerdings trägt er sogar einen Mittelscheitel und klatscht sich das Haar mit irgendeiner scheußlichen Pomade an den Schädel. Und jetzt kocht er auch noch!» Er nippte an seinem Campari Limone.

«Mir gefällt's trotzdem. Wenn man keine Lust hat, selbst zu kochen, kann man jetzt hier eine Kleinigkeit essen …»

Trueblood ließ Zigarettenasche in einen blechernen Aschenbecher fallen. «Wenn man richtig *essen* gehen will, Darling, dann fährt man nach London.»

«Was bist du nur für ein Snob», sagte Vivian trocken.

«Jemand muß ja diese Rolle übernehmen. Sieh dir Melrose an, der von Rechts wegen ein Snob sein sollte und statt dessen so ekelhaft gleichmacherisch denkt. Der Lebensstil eines Gentleman, Darling» – dieses «Darling» galt Melrose – «ist mit dem Empire untergegangen.»

Melrose vermutete, daß mit Empire der Möbelstil und nicht der Kolonialismus gemeint war.

«Sie gehören einer aussterbenden Rasse an, Melrose. Und ich finde es mit Verlaub gesagt langweilig von Ihnen – von euch beiden –, daß Sie so kurz vor Weihnachten verreisen wollen. Und ausgerechnet nach *Durham*! In die Nähe von Newcastle!

Wo jede Menge besoffenes, grölendes Pack die Straßen unsicher macht, randaliert und bei Fußballspielen mit Bierflaschen um sich schmeißt. Außerdem schneit es dort.»

«Hier schneit es doch auch. Erinnern Sie sich? Dieses weiße Zeug, das heute morgen vom Himmel rieselte», sagte Plant, während er in einem Zug zwei Waagrechte und drei Senkrechte ausfüllte.

«Ich rede von echtem Schnee, Darling. Tonnen von Schnee. Berge von Schnee. Solche Schneemassen kennt man hier gar nicht. – Was ist los, Vivvie? Du siehst ein bißchen blaß aus.»

Ihr Gesicht wirkte im Schein des Feuers tatsächlich kreidebleich. «Dieses ganze Gerede über Schnee erinnert mich an die starken Schneefälle, die wir vor ein paar Jahren hatten. Und an die Morde damals.» Sie wandte sich an Melrose. «Hast du eigentlich in letzter Zeit etwas von Superintendent Jury gehört, Melrose?»

Kennt ihn seit Jahren und bekommt seinen Vornamen immer noch nicht über die Lippen, dachte Plant. Wahrt immer hübsch die Form, die Dame. «Meistens nur telefonisch. Jury hat wohl nicht viel Zeit zum Briefeschreiben.»

Trueblood schlug mit der Hand auf den Tisch, daß die Gläser klirrten. «Na, das war doch mal ein absolut *hinreißender* Mann! Ich hab ein- oder zweimal bei ihm vorbeigeschaut, als ich in London war. Aber er ist einfach nie zu Hause. Bringen wir doch jemanden um und holen ihn wieder her...» Er drehte sich nach der alten Frau am Kamin um. «Withers, du altes Schlachtschiff», rief er, «würdest du dich gegen lebenslange Versorgung mit Gin und Wermut eventuell kaltmachen lassen?» Er wandte sich wieder seinen Tischgenossen zu. «Wie wär's mit 'ner Zigarette?» Er hielt den anderen seine schwarze Schachtel mit Sobranies hin.

«Danke ergebenst, aber ich rauche keine Buntstifte», sagte Melrose und zog eine dünne Zigarre hervor.

Der Klang des magischen Wortes «Gin» hatte Mrs. Withersby aus ihrer Aschenbrödel-Haltung auffahren lassen und ihre geselligen Instinkte geweckt. Sie raffte sich auf und kam in ihren Pantoffeln zum Tisch herübergeschlurft. Mrs. Withersbys Vorstellungen von Geselligkeit entsprachen jedoch nicht ganz den feineren Umgangsregeln. Sie hielt Trueblood fordernd ihr Glas vor die Nase und sagte: «Gin mit Bier, Süßer. Dein Tuntenpalast wird eines schönen Tages noch total ausgeräubert, wenn du immer hier rumhockst.» Sie wies mit dem Daumen in Richtung von Truebloods Antiquitätenladen. Dann wandte sie sich Melrose Plant zu, der ihr bereits drei Drinks spendiert hatte, und ihr verschrumpeltes Gesicht mit den dünnen bläulichen Lippen verzog sich zu einem Grinsen.

«Eins muß man dem da ja lassen» – ihr Blick folgte Trueblood, der aufgestanden war, um ihr einen Drink zu holen –, «wenigstens sitzt er nicht den ganzen Tag in einem Riesenkasten von Haus und tut nichts, während andere sich krumm und bucklig schuften.»

«Withers, altes Haus», sagte Trueblood und reichte ihr das frisch gefüllte Glas, «wir haben vor, eine Riesenfete in Harrogate steigen zu lassen. Mit Orchester und allem Drum und Dran. Abendkleidung erwünscht. Du könntest dein Chiffonkleid tragen, das zitronengelbe.»

«Verpiß dich, Süßer», sagte Mrs. Withersby dankbar, bevor sie schlurfenden Schrittes abzog.

Trueblood zuckte die Achseln, betrachtete seine tadellos manikürten Fingernägel und sagte: «Jetzt sagen Sie schon. Warum fahren Sie denn nun da rauf in diese gottverlassene Gegend? Sie verreisen zu Weihnachten doch sonst nie, sondern bleiben schön brav zu Hause und sitzen bei einem Glas Cockburn's Port vor einem prasselnden Kaminfeuer. Und was wird die liebe Tante Agatha ohne ihre Weihnachtsgans anfangen?»

«Wir könnten sie ja mitnehmen», sagte Vivian.

Melrose ignorierte diesen Vorschlag. Wenn Vivian unbedingt so hirnrissig sein wollte...

Wenn man vom Teufel spricht – plötzlich stand die in ein schwarzes Cape gehüllte Gestalt der lieben Tante in der Tür.

«Agatha, altes Haus», sagte Marshall Trueblood und schob ihr mit seiner blankpolierten Schuhspitze den vierten Stuhl entgegen. «Setzen Sie sich zu uns.»

Lady Agatha Ardry, die, abgesehen von sich selbst und dem neuen Vikar, fast niemanden in Long Piddleton leiden konnte, hegte einen ganz besonderen Widerwillen gegen Marshall Trueblood. Ihrem Neffen Melrose gegenüber hatte sie mehrfach die Meinung geäußert, Trueblood sollte geteert und gefedert und dann aus der Stadt gejagt werden.

Melrose hatte dem entgegengehalten, daß so etwas vielleicht in ihrer Heimat Amerika üblich sei, während hierzulande die Narrenfreiheit Tradition habe.

«Nein, danke vielmals – wie ich sehe, ist wieder diese Withersby hier.» Sie baute sich vor dem Tisch auf. «Was soll denn dieser Unsinn von einer Reise in nördliche Gefilde? Weihnachten steht doch vor der Tür.»

Und wenn es nicht Weihnachten wäre, wäre es Ostern oder Pfingsten, dachte Melrose. Ohne von seinem Kreuzworträtsel aufzusehen, sagte er: «Da muß ich dir ausnahmsweise zustimmen, Tante. Es ist blanker Unsinn.» Er ignorierte Vivians finsteren Blick.

«Hab ich mir's doch gedacht.» Die Nachricht schien sie zu erleichtern, denn sie ließ sich aufatmend auf den angebotenen Stuhl plumpsen.

Aber als Melrose fortfuhr: «Es ist blanker Unsinn, aber die Reise wird dennoch stattfinden», klappte ihr das Kinn herunter.

Die Worte hatten sie offenbar ebenso ratlos wie durstig gemacht. Sie bestellte einen doppelten Sherry bei Dick Scroggs. Der hob den sorgfältig gescheitelten und pomadisierten Kopf, sah, wer gerufen hatte, und las weiter in der Zeitung, die vor ihm auf dem Tresen lag.

«Ich verstehe das alles nicht. Du verreist doch sonst nie über die Feiertage. Ein eingefleischter Junggeselle wie du geht doch nicht so leicht von seinen Gewohnheiten ab ... Mr. *Scroggs*!» rief sie ein zweites Mal.

«Junggeselle vielleicht, aber kein eingefleischter. Landpartien gehören zwar nicht gerade zu meinen Gewohnheiten, aber da es Vivian ist, die mich gebeten hat ...» Er sah auf und schenkte seiner Tante ein allerliebstes Lächeln, das sie zur Weißglut trieb. Sie hatte schon immer gefürchtet, daß sich zwischen Melrose und Vivian etwas anbahnen könnte. Daß Vivian mit einem anderen verlobt war, trug wenig zu Agathas Beruhigung bei, denn dieser andere war in Italien. Und Italien war weit. «Ein Wochenende auf dem Land. So eine Art Stelldichein für Kunst- und Kulturschaffende. Vivian dachte wohl, geteiltes Leid ist halbes Leid, und hat mir eine Einladung verschafft.»

Unterdessen brachte Dick Scroggs den Sherry. Die «liebe» Tante Agatha machte jedoch keinerlei Anstalten, sich zu bedanken, geschweige denn, den Drink zu bezahlen. Das überließ sie stets anderen. Statt dessen nahm sie nun Vivian aufs Korn. «Warum? Plant ist doch gar nicht künstlerisch tätig. Wer hat dich denn eingeladen?»

Vivian zog einen Brief aus ihrer Handtasche. Das Papier war cremefarben, die Schrift prangte in erhabenen Lettern. «Charles Seaingham. Der Kritiker. Sie kennen ihn sicher, er schreibt Artikel über Kunst und Literatur, die in allen möglichen Zeitungen erscheinen.»

Allzuviel konnte er nicht geschrieben haben, denn Agatha hatte nie von dem Mann gehört.

«Ich habe ihn auf der kleinen Party kennengelernt, die mein Verleger damals gab, als das Buch mit meinen Gedichten herauskam ...»

Agatha, die es sich nie nehmen ließ, ein Haar in der Suppe zu finden, schnaubte verächtlich. «Ach, *diese* unverkäuflichen Dinger! Du solltest Liebesromane schreiben wie Barbara Cartland, Vivian.» Sie nahm ihr den Brief aus der Hand und las ihn durch die Lorgnette, die sie gelegentlich benutzte, um sich ein würdevolles und imposantes Aussehen zu geben.

Ob mit oder ohne Lorgnette, dachte Melrose, es dürfte ihr schwerfallen, nicht den Eindruck eines groben Klotzes zu machen. Und wie sie so schwer und massiv in ihrem dunkelbraunen Tweedkostüm dasaß, erinnerte sie ihn tatsächlich an einen dicken Baumstumpf. Ihr Haar hätte ein ausgezeichnetes Vogelnest abgegeben.

«MacQuade? Wer ist das?»

«Ein Schriftsteller. Ausgezeichnet mit dem …»

Agatha interessierte weder, was er geschrieben hatte, noch womit er ausgezeichnet worden war. «Parmenger. Noch nie gehört», sagte sie und ließ den Mann damit zur Nichtigkeit schrumpfen.

«Ein Maler.»

«Wahrscheinlich Nackedeis. Oder große farbige Vierecke. Solches Zeug hab ich nie verstanden.» Sie runzelte die Stirn. «Aber dieser Name. St. Leger. *Lady* St. Leger… die kenn ich doch …»

«Nein, das tust du nicht», sagte Melrose, ohne von seinem Kreuzworträtsel aufzuschauen.

«Woher willst denn *du* das wissen?»

«Wenn du sie kennen würdest, könntest du ihren Namen richtig aussprechen: ‹Sen-Le-sche›, nicht ‹Sanktleger›. Genauso wie ‹St. John› ‹Sen-Dschon› ausgesprochen wird.»

«Das werde ich bis zum Sen-Nimmerleinstag nicht verstehen. Warum schreibt ihr eure Namen nicht so, wie sie klingen.»

Sie gab Vivian den Brief zurück und versuchte es mit einer neuen Taktik: «Warum verbringst du die Feiertage eigentlich nicht mit deinem Verlobten, Vivian. Das kommt mir denn doch höchst eigenartig vor.»

«Weil ich offen gestanden keine große Lust habe, den langen Weg bis nach Venedig zu fahren, und weil ich mich offen gestanden nicht besonders gut mit seiner Familie verstehe, und …»

«Und offen gestanden», fiel ihr Melrose ins Wort, «mag Graf Dracula Weihnachten nicht. Überall diese Kreuze …»

Vivians Gesicht wurde feuerrot. «Würdest du bitte aufhören,

ihn ‹Graf Dracula› zu nennen!» Wütend knallte sie ihr Glas auf den Tisch, daß das Ale überschwappte. Melrose fand dies einen recht beachtlichen Zornausbruch für die sanfte Vivian; allerdings schien sie während der Monate in Italien ein wenig südländisches Temperament abbekommen zu haben.

«Dracula war doch kein Italiener, Melrose, er war Transsylvanier», sagte Trueblood.

«Aber er ist viel herumgekommen.»

«Ach, laßt mich in Ruhe!» Vivian drehte den beiden den Rücken zu.

Mit zuckersüßem Lächeln fragte Trueblood: «Aber ein Graf ist er doch, nicht wahr, Vivvie?»

«Hör auf, mich Vivvie zu nennen. Ja, er ist allerdings ein Graf.»

«Ein Ausländer», sagte Agatha voller Abscheu und vergaß dabei geflissentlich, daß sie selber aus Milwaukee, Wisconsin, stammte. «Hier hätte er nichts zu melden, ob Graf oder nicht. Er ist Ausländer.»

«Das haben Italiener nun mal so an sich, liebe Tante.»

Trueblood zündete sich eine Zigarette an, die zum Farbton seines Halstuchs paßte, wedelte das Streichholz aus, als schwenke er eine Fahne, und sagte: «*Ich* fand ihn ganz reizend.»

Das ist nicht gerade eine Empfehlung, dachte Melrose.

Agatha war offenbar zu dem Schluß gekommen, daß Vivian entschieden zu viel Glück hatte – erst schnappte sie sich einen italienischen Grafen von den Gestaden des Mittelmeers, und dann wurde sie auch noch zu Literatenparties eingeladen. «Vergiß nicht, was ich dir gesagt habe: Nimm dich in acht vor Mitgiftjägern, besonders vor ausländischen.»

Melrose wußte, daß sie nichts dergleichen gesagt hatte. Agatha war im Gegenteil überglücklich gewesen, ihren Neffen außer Gefahr zu wissen. Er konnte ihr Hirn förmlich tickern hören, während es den Wert von Haus und Mobiliar, von Grund und Boden von Ardry End überschlug und zusammenrechnete wie eine Rechenmaschine. Sie war seine einzige lebende Verwandte und hatte nicht die Absicht, ihre Rechte von so ärgerlichem Zuwachs wie Ehefrauen und Kindern schmälern zu lassen.

«Andererseits wirst du ja auch älter, und der Mann scheint ein durchaus ehrbarer Italiener zu sein –» fuhr sie fort.

Als hätte sie schon eine ganze Gondel voll ehrloser Italiener kennengelernt, dachte Melrose.

«– der vermutlich Verstand genug haben wird, seinen Titel zu behalten. Ganz im Gegensatz zu gewissen anderen Leuten.»

Melrose fühlte, wie sie ihn mißbilligend ansah, während er ungerührt fünf Wörter in schneller Folge eintrug. Gleich einem Schachspieler, der mehrere Züge vorausdenkt, erkannte er mit einem Blick, wie die restlichen Lösungswörter lauten mußten. Er legte seinen Stift weg und meinte: «Sag ihm, daß er sich an seinen Titel klammern soll, wenn ihm sein Leben lieb ist, Vivian. Denk daran, wie großartig sich dein Name ausnehmen wird: Contessa Giovanni ...»

Vivian sah so gequält drein, daß er innehielt und das Thema wechselte. Stirnrunzelnd wandte er sich an Agatha. «Woher weißt du übrigens von dieser Reise? Wir haben das Ganze selber noch kaum besprochen.»

«Ich war gerade im Haus –»

In *seinem* Haus, nicht in ihrem strohgedeckten Cottage in der Plague Alley.

«– und habe mit Martha über die Weihnachtsgans gesprochen.»

Plants Köchin hatte schon ein- oder zweimal angedeutet, sie werde kündigen, falls Lady Ardry noch einmal ihre Küche betreten sollte. Aber natürlich würde Martha nichts dergleichen tun. Sie und Ruthven standen schon so lange in den Diensten der Earls of Caverness, daß sie gar nicht mehr wegzudenken waren. «Martha mag es nicht, wenn du in ihre Küche kommst.» Er leerte sein Bierglas. «Außerdem weiß ich nicht, was es da zu besprechen gab. Dieses Jahr fällt der Gänsebraten aus.»

Als sei dies plötzlich der Stein des Anstoßes, ließ Agatha sich erstaunt zurücksinken. «Red keinen Unsinn. Wir haben immer Gänsebraten zu Weihnachten!»

«Die Zeiten sind hart. Diesmal müssen wir uns mit Rinderhaxe, kalten Kartoffeln und Armen Rittern begnügen.»

«Aus welchem Dickens-Roman haben Sie denn diese köstliche Mahlzeit?» fragte Trueblood. «Aus dem *Raritätenladen*?»

Melrose schaute in die Runde und dachte, daß er seinen Raritätenladen nicht erst bei Dickens zu suchen brauchte. «Du hast mir immer noch nicht erklärt, wie du von dieser Reise erfahren hast.»

«Von Ruthven. Der Mann konnte mich noch nie leiden. Als ich in die Küche gehen wollte, habe ich ganz zufällig gehört, wie er mit Martha darüber sprach.»

Agatha hätte sogar an der Tür eines Affenkäfigs gelauscht, wenn sie sich davon etwas versprochen hätte. «Ruthven kommt auch mit», sagte Melrose.

Würde sie jetzt einen Schlaganfall bekommen? Einen Schreikrampf? Oder würde es bei dem Sprühregen von Sherry bleiben, der aus ihrem Mund kam, als sie keuchte: «*Ruthven!* Plant, was zum Teufel …! Du mußt ihn hierlassen!»

Melroses Butler hätte ebensogut ein überzähliges Gepäckstück sein können. «Nein, das kann ich nicht. Weißt du, es ist recht kompliziert. Martha will die Feiertage bei ihren Verwandten in Southend-on-sea verbringen. Er ist mit ihrer Familie nie besonders gut ausgekommen» – hier sah Melrose Vivian an, die eingehend ihre Hände betrachtete –, «aber weil er ein Gentleman ist, will er sich natürlich nicht rundheraus weigern, nach Southend zu fahren. Also sage ich einfach, ich brauche ihn.»

«Aber du brauchst ihn nicht! Wofür brauchst du ihn denn?»

«Er kann mein Badewasser einlassen.»

«Dein Badewasser! Du entwickelst dich Tag für Tag mehr zu einem Snob, Plant.»

«Warum machst du nicht selber eine kleine Reise?» schlug Melrose vor. «Fahr nach Milwaukee oder Virginia und besuch diese Biggets, mit denen du letztes Jahr Stratford-upon-Avon unsicher gemacht hast.»

«Warum nicht, Agatha?» sagte Vivian, die aus ihren dumpfen Grübeleien über venezianische Kanäle und fette verwitwete Contessas aufgewacht war.

«Ihr habt gut reden! Weihnachten einfach so abzuhauen!» Sie kramte in ihrer großen Handtasche, förderte ein Taschentuch zutage und preßte es gegen ihre Augen. «Und ich bleibe hier, allein und verlassen.» Sie funkelte Melrose böse an. «Wer wird mir meine Gans braten?»

Der Letzte aus dem Geschlecht der Earls of Caverness richtete seinen Blick über ihren Kopf hinweg und lächelte, zu sehr Gentleman, um zu antworten.

.

Zu Melroses Leidwesen lachte mal wieder seine Tante zuletzt. Bereits am nächsten Morgen stand sie wieder auf der Matte – oder saß, genauer gesagt, auf seinem Queen Anne-Sofa, trank Kaffee und eröffnete ihm, daß ihr schließlich doch noch eingefallen sei, warum ihr der Name bekannt vorkam.

«Welcher Name? Wovon redest du?» fragte er mürrisch. Er war noch im Morgenmantel und in Pantoffeln und hatte sich auf eine geruhsame Frühstückslektüre der *Times* bei frischem Haferkuchen und Rosinenbrötchen gefreut, die jetzt nach und nach Agathas Heißhunger zum Opfer fielen.

«St. Leger, mein lieber Plant. Ja, erinnerst du dich denn nicht?» Sie ließ ihrer Frage einen jener Blicke und traurigen Seufzer folgen, mit denen sie ihm stets zu verstehen gab, daß er langsam senil wurde. «Elizabeth St. Leger. Ich kenne sie ja eigentlich nur flüchtig, aber Robert, dein Onkel ...»

«Ich weiß, daß er mein Onkel war. Was haben die beiden miteinander zu tun?»

«Robert war ein guter Freund von Lady St. Legers Mann –
Rudy hieß er, glaub ich. Sicherlich hast du von ihm gehört? Er
war ein ziemlich bekannter Künstler. Er ist tot. Jedenfalls hat
Robert – du weißt ja, was für ein künstlerisch begabter Mensch
er war – »

«Nein, das ist mir vollkommen neu. Onkel Bob hat die meiste
Zeit am Roulettetisch verbracht.» Und mit polyglottem Saufen
in London, auf dem Kontinent und in Amerika, wo er Agatha
kennengelernt hatte. Vielleicht war Agatha früher einmal hübsch
und lustig gewesen, aber Melrose konnte sich beim besten Willen nicht daran erinnern oder es sich auch nur vorstellen. «Worauf willst du eigentlich hinaus?»

«Einfach darauf, daß Elizabeth St. Leger und ich uns bei der
einen oder anderen Gelegenheit begegnet sind, und daß ich mir
dachte, es wäre nett, sie mal anzurufen.»

Alarmiert setzte Melrose sich auf; ihm schwante Übles. «Und
warum hast du das getan, Agatha?» Als ob er das nicht schon
wüßte.

«Nun ja, als wir gestern über sie sprachen, hab ich eben gedacht, es wäre schön, eine alte Freundschaft aufzufrischen. Du
solltest eines von diesen Rosinenbrötchen probieren, Plant. Sie
sind Martha diesmal viel besser gelungen als sonst. Wahrscheinlich hat sie meinen Rat befolgt, das Backpulver ...»

«Vergiß das Backpulver. Worüber habt ihr beide gesprochen?»

«Oh, über dies und das. Und weißt du was? Als ich diese Party
erwähnte, und daß mein Neffe dazu eingeladen sei, hat sie geradezu darauf bestanden, Charlie Seaingham anzurufen – »

Sie hatte bis gestern noch nie von dem Mann gehört, und jetzt
nannte sie ihn schon «Charlie».

«– und dann hat er darauf bestanden, daß ich mitkomme, und,
na ja ...» Sie hob die Hände in einer hilflosen Geste, die ausdrücken sollte, daß sie es eben einfach nicht übers Herz brachte,
eine freundschaftliche Bitte abzuschlagen.

Melrose betrachtete verdrossen diese Klette, die nun ein weiteres Rosinenbrötchen mit Marmelade bestrich und sich die

Hälfte davon auf einmal in den Mund stopfte. «Das heißt also, daß du auch bei den Seainghams sein wirst.»

«Nun, unter Künstlern und Schriftstellern bin *ich* gewiß nicht fehl am Platz.»

«Wie schön. Ich dagegen werde mich höchstwahrscheinlich ziemlich fehl am Platze fühlen.»

«Du schreibst ja auch nicht, mein lieber Plant.»

Er blickte sie über seine Goldrandbrille hinweg an. «Willst du mir etwa erzählen, daß du immer noch an diesem Krimi schreibst, Agatha? Ich meine deinen ‹semidokumentarischen Roman› über die seltsamen Vorgänge damals in Long Pidd. Das ist vier Jahre her, und ich habe noch keine einzige Zeile gesehen.» Er widmete sich wieder seiner *Times*.

«Ich habe beschlossen, einen Artikel für die *Long Pidd Press* zu schreiben. Das heißt, es soll eigentlich eine Kolumne werden. Der Gedanke kam mir, als ich mich einmal per Leserbrief darüber beschwert habe, daß diese Withersby wieder sturzbetrunken mitten auf der Hauptstraße rumlag.»

«Mrs. Withersby ist meistens sturzbetrunken, aber ich sehe nicht, was dich das angeht. Außerdem bringt die *Long Pidd Press* nicht gerade die heißesten Nachrichten. Ich kann mir jedenfalls Interessanteres vorstellen als die prächtige Rosenzucht des Vikars oder die Ermahnungen, keine Bierflaschen in den Pidd River zu werfen. Wie soll deine Kolumne denn heißen?»

«Ich dachte, ich nenne sie vielleicht ‹Augen und Ohren›.»

«Das spricht bestimmt viele an. Augen und Ohren hat schließlich jeder.»

«Sei nicht so miesepetrig. Es soll eine Art soziologische Studie über Long Pidd werden. Immerhin ist es ein sehr altes Dorf, eines der ältesten in Northants. Und wenn ich die Leute interviewe und – tja, Augen und Ohren offenhalte …» Sie lachte verschmitzt.

«Klatsch, mit anderen Worten», sagte Melrose.

«Das ganz gewiß nicht! Ich kann wohl Besseres mit meiner Zeit anfangen.»

«Ich auch», sagte Melrose und raschelte mit seiner *Times*.

DRITTER TEIL

SCHAUPLATZ LONDON

7

DER KATER CYRIL saß auf dem Fensterbrett hinter Fiona Clingmores Schreibtisch und beobachtete einen kleinen Käfer, der sich abmühte, vom Fensterrahmen in die lichteren Gefilde der Scheibe hinaufzukrabbeln, ohne zu ahnen, welch grausames Schicksal Cyril ihm zugedacht hatte. Chief Superintendent Racer hätte darin einen zutreffenden Analogiefall gesehen, dachte Jury – er, Racer, läge auf der Lauer, um Jury, den Käfer, in einem passenden Augenblick zu zerquetschen.

Fiona Clingmore, Racers Sekretärin, saß wie gewohnt auf ihrem Stuhl und widmete sich ihrer vormittäglichen Schönheitspflege. Es war eine erschöpfende Prozedur, die nicht einfach nur darin bestand, daß man etwas Rouge auftrug und sich das Haar toupierte, sondern vielmehr einer vollständigen Außenrenovierung gleichkam. Ihr schwarzes Wollkleid war über der Brust mit einem neuen Abnäher versehen worden, der offensichtlich dazu diente, die wogenden Massen darunter ein wenig zu bändigen. Jury bemerkte, daß ihre übliche schwarze Garderobe heute durch modische Strümpfe ergänzt wurde, die mit winzigen schwarzen Schmetterlingen verziert waren.

Fiona ließ ihre Puderdose mit einem kleinen Klicken zuschnappen und schenkte Jury ein strahlendes Lächeln. Dazu schlug sie herausfordernd ihre schick bestrumpften Beine übereinander, wodurch der Saum ihres Kleides ein paar Zentimeter nach oben rutschte. «Ich finde, es ist eine Schande, Sie so einfach aus Ihren Weihnachtsferien zurückzupfeifen. Wann haben Sie eigentlich das letzte Mal so richtig Urlaub gemacht?»

«Mit fünf. Da war ich in Brighton und habe Sandburgen gebaut. Aber keine Sorge. Ich mußte sowieso zurückkommen. Ist Wiggins im Lande?»

Sie nickte. «Ich hab ihn vor einer Weile im Gang rumschleichen sehn. Brauchen Sie ihn?»

«Ja, er könnte mir helfen.»

Sie seufzte. «Manchmal glaube ich, da sind Sie der einzige. Außer Ihnen scheint keiner mit ihm zusammenarbeiten zu wollen. Armer Al.»

Jury lächelte. «Vielleicht haben die anderen Angst, sich anzustecken.» Er warf einen Blick auf Racers Tür. «Vermutlich hat er mich schon vor zwei Stunden erwartet?»

Sie zog eine Grimasse. «Jetzt wird er Ihretwegen zu spät zum Lunch in seinem Club erscheinen. Sie wissen doch, wie er es haßt, wenn er nicht Punkt zwölf seinen Whisky-Soda bekommt.»

Kein Fall hatte Scotland Yard mehr Rätsel aufgegeben als Racers geheimnisvoller Aufstieg zum Chief Superintendent. Man hatte lange von Vetternwirtschaft gemunkelt, denn irgend jemand hatte herausgefunden, daß Racers Frau mit einem hohen Tier verwandt war. Dann war die Mär umgegangen, er wolle seinen Abschied einreichen. Und nun lag ein neues Gerücht in der Luft, und dieses Gerücht stank zum Himmel – es hieß, daß Racer die Treppe noch weiter hinauffallen und zum Deputy Assistant Commissioner ernannt werden sollte.

Die Aussicht, daß Racer seinen Mund bald noch weiter aufreißen durfte, schreckte alle außer Jury, der sich bereits daran gewöhnt hatte, wie Sisyphus seinen Stein den Berg hinaufzurollen, bis Racer ihm kurz vor dem Gipfel ein Bein stellte.

Als Jury eintrat, schlüpfte Cyril unbemerkt durch die Tür und nahm seinen Lieblingsplatz auf dem Fensterbrett hinter Racers Schreibtisch ein. Racer verabscheute «das räudige Vieh», wie er zu sagen pflegte. Cyril war alles andere als räudig. Er hatte weiße Pfoten und ein kupferfarbenes Fell, das er ausgiebig pflegte, wenn er nicht gerade damit beschäftigt war, den Chief Superintendent zu überlisten.

Racer nahm gerade seinen nagelneuen maßgeschneiderten Mantel vom Kleiderständer. Es war Zeit für den Lunch in seinem

Club. «Sie sind's!» Es klang, als bräche mit Jurys Erscheinen eine Naturkatastrophe über ihn herein. Er zog den eleganten Mantel über seinen perfekt sitzenden Maßanzug und fügte mit samtweicher Stimme hinzu: «Was für ein Jammer, daß wir Sie aus Glasgow, oder wo immer Ihre Schwester wohnt, zurückbeordern mußten, nicht wahr?»

Jury machte keinerlei Anstalten zu gehen, im Gegenteil, er setzte sich. Daß Racer seinerseits im Aufbruch war, kümmerte ihn nicht im geringsten. «Cousine. Und sie wohnt in Newcastle, nicht in Glasgow.»

«Welch ein Pech für die armen Glasgower», höhnte Racer. Dann wütete er: «Sie sollten sich heute morgen bei mir melden. Jetzt habe ich keine Zeit, ich muß zum Lunch.»

«Heute morgen saß ich noch im Zug.»

«Wenn Sie schon einmal in Urlaub gehen, können Sie da nicht wenigstens die Bezirkspolizei in Ruhe lassen? Sie haben Ihre Nase in deren Angelegenheiten gesteckt. Sie sollten es eigentlich besser wissen.»

Jury ließ sich Zeit für seine Antwort und sah aus dem Fenster. Cyril saß in majestätischer Ruhe da, den Schwanz um die Vorderpfoten drapiert. Sein Fell glänzte im fahlen Licht der Wintersonne. An der Wand neben dem Fenster hing das offizielle Porträt der Königin. Jury überlegte verträumt, ob Cyril immer noch dort sitzen würde, wenn alle Könige dieser Erde schon längst zu Staub zerfallen wären.

«Nun?» polterte Racer. «Ich hab nicht den ganzen Tag Zeit, Mann!»

Jury erwachte aus seinen Träumereien. «'tschuldigung. Ich bin dort oben auf etwas gestoßen, das wir uns ein bißchen näher ansehen sollten.»

Die Nachahmung eines Lächelns spielte um Racers Lippen. Wenn es etwas gab, das ihn mehr erfreute als der Lunch im Club und Mädchen, deren Vater er hätte sein können, dann waren das die langatmigen Vorträge über den Zustand der englischen Polizei, die er Jury zu halten pflegte. Er begann seine Ausführungen stets mit den Wachttruppen des frühen 19. Jahrhunderts, beschrieb die Aufstellung der lokalen Polizeieinheiten und ging dann zu den Fortschritten in punkto Verbrechensaufklärung über. «Sogar mit Mord werden sie dort fertig, Jury. Stellen Sie sich vor, auch im Nordosten Englands gibt es eine Polizei. Selbst im Tyne und Wear-Distrikt. Warum also stecken Sie Ihre Nase in Dinge, die Sie einen feuchten Kehricht angehen?»

Jury sagte nichts. Cyril ließ seinen Schwanz wie eine Peitsche durch die Luft sausen und gähnte.

«Nun? Sie halten mich seit einer guten Viertelstunde auf; ich sollte schon längst im Club sein. Was haben Sie zu Ihrer Entschuldigung zu sagen?»

Die gute Viertelstunde hatte Racer gebraucht, um Jury über die Geschichte der englischen Polizei in Kenntnis zu setzen, den Bau des Polizeigerichts in der Bow Street zu erwähnen und von den Gebäuden zu berichten, die früher in Whitehall für die schottischen Könige reserviert waren und später Scotland Yard seinen Namen gegeben hatten. «Nicht viel, außer daß ich nicht verstehe, was all das mit der Sache zu tun hat.»

«Na hören Sie mal! Das habe ich Ihnen doch eben lang und breit erklärt, junger Mann. Die Polizei von Northumbria ist durchaus in der Lage, mit einem Mord fertig zu werden – falls es Mord ist –, der vor ihrer eigenen Haustür stattgefunden hat. Auf *Sie* können die ganz bestimmt verzichten.» Und ich auch, klang es deutlich zwischen den Zeilen. Er schickte sich an zu gehen.

Aber Jury blieb sitzen und zündete sich mit stoischer Ruhe eine Zigarette an, was Racer sichtlich verärgerte, denn es bedeutete, daß Jury sich auf ein längeres Tauziehen einstellte. Die schnellste Methode, zum Ziel zu kommen, bestand darin, Racers Lunch hinauszuzögern. «Also, folgendes ist passiert…»

Jury begann zu erzählen, wie Helen Mintons Leiche gefunden worden war. Nach drei oder vier Minuten unterbrach Racer ihn. «Schon gut, schon gut. Sie brauchen mir nicht jede verdammte Einzelheit aufzuzählen. Sagen Sie schon, was Sie wollen. Sie wissen doch ganz genau, daß wir unsere langen Nasen nicht in die Angelegenheiten von Northumbria stecken können, wenn die uns nicht um Hilfe bitten.»

«Der Sergeant, mit dem ich gesprochen habe, scheint nichts dagegen zu haben – wie der Chief Constable dazu steht, weiß ich nicht. Jedenfalls kann es sein, daß sie meine Hilfe brauchen.»

«Ihre Hilfe, daß ich nicht lache!» Racer stutzte; er hatte Cyril entdeckt, der anmutig von seinem Sitzplatz hinuntergesprungen war. Der Chief Superintendent brüllte in die Sprechanlage, Fiona solle ihm den Mäusefresser vom Hals schaffen. Cyril umkreiste unterdessen den Schreibtisch und rieb sich an Jurys Bein, schnurrend wie ein kleiner Motor.

«Meine Hilfe», fuhr Jury ungerührt fort, «weil ich vielleicht der letzte war, der mit Helen Minton gesprochen hat. Ich warte noch auf das Ergebnis der Autopsie. Aber vorderhand würde ich mir gerne Helen Mintons Londoner Haus anschauen.»

«Sie wollen also einen Durchsuchungsbefehl?» Racer klopfte auf seine goldene Armbanduhr und hielt sie an sein Ohr, als habe Jurys Erscheinen womöglich sämtliche Uhren Scotland Yards zum Stillstand gebracht. «Dann holen Sie sich doch einen. Das ist kein Problem.»

«Wahrscheinlich brauche ich gar keinen, wenn das Haus bewohnt ist. Immerhin haben wir den Cousin bis jetzt noch nicht ausfindig machen können.»

In diesem Moment stieß Racer mit Fiona Clingmore zusammen, die in der Tür erschienen war, um Cyril zu holen. Racer wich nicht zurück, sondern blieb auf Körperkontakt und sagte mit der ihm eigenen Liebenswürdigkeit: «Wehe, wenn ich dieses räudige Mistvieh noch ein einziges Mal in meinem Büro vorfinde …» Hier gewann sein Interesse an Fionas üppigem Vorbau die Oberhand, und er lehnte sich noch fester gegen ihren Busen.

«Cyril gehört schließlich nicht mir, oder?» Sie ließ eine Kaugummiblase dicht vor dem Gesicht ihres Chefs zerplatzen. «Ich kann nicht ständig auf ihn aufpassen.»

Jury wollte das Ende dieses Wortwechsels nicht abwarten und fragte, wo Wiggins sei.

«Im Krankenrevier», sagte Racer und zog sein Revers zurecht.

Jury seufzte. «Wir haben kein Krankenrevier.»

«Brauchen wir auch nicht. Wir haben ja Wiggins.»

Cyril schlüpfte zwischen Racers Beinen hindurch und baute sich vor der Tür zum Gang auf. Er leckte seine bereits makellos saubere Pfote, bis Racer nahe genug war, daß er zu einem Tritt ausholen konnte, dem Cyril mit einem graziösen Satz auf Fionas Schreibtisch entging, wo er sich gelassen wieder seiner Pfote widmete.

«NUR NOCH ZWEI EINKAUFSTAGE BIS WEIHNACHTEN, und ich spür genau, daß ich mir was eingefangen habe», sagte Detective Sergeant Alfred Wiggins, dessen untere Gesichtshälfte mit einem Taschentuch maskiert war, als sei der bakteriologische Krieg ausgebrochen. «Ich muß noch Geschenke besorgen.»

Sie hatten den Wagen in einer sichelförmigen Seitenstraße der King's Road geparkt und waren auf den Sloane Square zumarschiert, als die glitzernd dekorierten Schaufenster von Peter Jones Wiggins daran erinnerten, daß er noch keine Geschenke gekauft hatte. In einem Schaufenster sah man gesichtslose Puppen, deren Körper in silbrig und schwarz schimmernden Kleidern steckten, was offenbar der diesjährigen Wintermode entsprach. Im nächsten hell erleuchteten Fenster war eine Krippe aufgebaut worden, die – wie in so schicken Stadtteilen wie Chelsea und Kensington nicht anders zu erwarten – um einiges prächtiger aussah als das ärmliche Ensemble im «Jerusalem Inn». Die Heiligen Drei Könige trugen fließende Gewänder aus Goldlamé und seidigem Stoff, als wären sie nicht gekommen, um dem Kind in der Krippe zu huldigen, sondern als rasteten sie hier auf dem Weg zu einem Rendezvous mit den gesichtslosen Mädchen im Nebenfenster.

«Es ist für meine Verwandten in Manchester – alles in allem haben sie wohl ein Dutzend kleiner Rangen. Ach, ich weiß nie so recht, was ich Kindern eigentlich schenken soll. Geht's Ihnen nicht genauso – ich meine, wo Sie doch auch keine haben?» Wiggins steckte sich eine Halspastille in den Mund. «Jedenfalls bin ich froh, daß die Schaufenster auch eine gewisse religiöse Note haben.» Marias Porzellangesicht sah aus, als sei es in Peter Jones' Kosmetikabteilung geschminkt worden.

«Wenn Sie's so nennen wollen», sagte Jury.

«Es ist ein bißchen übertrieben, nicht? Schauen Sie mal, wie die Geschenke der Heiligen Drei Könige eingepackt sind. Man könnte meinen, sie hätten sich in Bethlehem noch schnell Geschenkpapier und Schleifchen besorgt.» Wiggins nieste.

«Ein wenig von der Myrrhe würde Ihnen guttun», sagte Jury.

Die Erwähnung jedes ihm unbekannten Heilmittels ließ Wiggins aufhorchen. «Myrrhe? Ich hab immer gedacht, das wäre irgend so ein Parfumzeug. Sie wissen doch, wie allergisch ich gegen Parfums bin.» Seine Stimme klang vorwurfsvoll.

Jury wußte es. Wiggins war gegen fast alles außer Fish 'n Chips allergisch. «Ich glaube, Myrrhe wird auch als Medizin verwendet. Früher jedenfalls. Gut gegen Erkältungen. Und Grippe.» Jury hatte keine Ahnung, wozu das Zeug gut war, aber die Vorstellung, daß die Drei Weisen so vernünftig gewesen waren, eine Art Heilmittel mitzubringen, schien Wiggins ein wenig aufzuheitern. Jury merkte, daß er die Krippe mit neu erwachtem Interesse betrachtete: er trat näher an das Fenster heran und war höchstens ein kleines bißchen traurig darüber, daß dort drinnen irgendein Säftchen, ein Amulett, ein Mittel gegen seine vielfältigen Gebrechen verborgen sein könnte, das für ihn unerreichbar war.

«Glauben Sie daran, Sir?» fragte Wiggins.

Vielleicht meinte er die Myrrhe, vielleicht Gott. Jury dachte an Pater Rourke, der sein Leben damit verbrachte, solche Fragen zu beantworten. Und er grübelte darüber nach, ob der Dekorateur mit seinen Arrangements aus Flitterkram und neongrellen

Heiligenscheinen nicht auch unbewußt eine große Hoffnungs-
losigkeit ausgedrückt hatte, indem er die Partyszene direkt neben den Drei Weisen angesiedelt hatte, als seien diese Teil eines
einzigen, kitschigen Blendwerks.

Als Jury nicht antwortete, fügte Wiggins hinzu: «Man kommt
ins Grübeln, nicht wahr?»

Jury blieb stumm. Er empfand plötzlich den Verlust von etwas
Unersetzbarem, als sei ein Dieb auf leisen Sohlen aus der Dunkelheit herangeschlichen und habe ihm unbemerkt gestohlen,
was immer es auch gewesen sein mochte, um sich dann über den
Platz mit seinen bunten Lichterketten davonzumachen.

8

DAS HÜBSCHE HAUSMÄDCHEN, das ihnen am Eaton Place öffnete, trug eine adrette flaschengrüne Uniform mit weißen Man-
schetten, die ebenso blitzsauber wirkte wie der Türklopfer aus
Messing. Aber die Augen des Mädchens waren rotgeweint, ihr
Gesicht blaß und betrübt. Beim Anblick von Jurys Ausweis
wurde ihre Miene noch trauriger. Ja, sie sei von der Polizei in
Northumbria benachrichtigt worden. Die Eingangshalle hinter
ihr lag im Dunkel, nur die trüben Strahlen einer Hängelampe mit
Rauchglasschirm erhellten die Finsternis.

Ihr Name, sagte sie, sei Maureen Littleton, und sie sei die
Haushälterin. Das überraschte Jury – sie war wirklich noch ausgesprochen jung. Er entschuldigte sich für die späte Störung und
drückte sein Bedauern über die Umstände aus, die sie hierher
geführt hatten. Doch vielleicht wäre es besser gewesen, sich weniger mitfühlend zu zeigen. Denn als Wiggins zu allem Überfluß
auch noch sein Taschentuch hervorzog, war das Mädchen den
Tränen gefährlich nahe. Um sie abzulenken, bat Jury um eine
Tasse Tee.

«Sergeant Wiggins scheint krank zu werden, und mir täte eine Tasse auch ganz gut. Vielleicht könnten wir uns in der Küche unterhalten?»

Jurys sanftes Drängen und die Aussicht, eine kleine Routinearbeit zu erledigen, ließen Maureen bald ihre Selbstbeherrschung zurückgewinnen. Die warme, vertraute Umgebung der Küche im Souterrain tat ein übriges.

Bei der Zubereitung des Tees verschonte Jury sie mit unbequemen Fragen. Sie plauderten einfach über das Wetter und darüber, daß die Kinder sich wohl auf das schönste Weihnachtsgeschenk überhaupt freuen konnten: auf Schnee.

Sie nahmen an einem runden Tisch im Wohnzimmer der Haushälterin Platz, wo ein wärmendes Kohlenfeuer glühte. Maureen schenkte den dampfenden Tee in andächtigem Schweigen ein, ein Schweigen, das ihr bei dieser rituellen Handlung offenbar geboten erschien. In dem helleren Licht im Wohnzimmer wirkte sie älter, als Jury zunächst gedacht hatte, aber das mochte zum Teil auch an ihrer altmodischen Frisur liegen – sie trug ihr dunkelbraunes Haar ringsherum zu einer Rolle hochgesteckt wie eine Gouvernante aus der Zeit um die Jahrhundertwende. Dazu kamen das ungeschminkte Gesicht und, natürlich, die streng geschnittene Uniform. Diese hätte gut und gern eine ganz persönliche Form von Trauerkleidung sein können.

«Wie lange sind Sie schon bei Miss Minton?»

«Nun, eigentlich waren die Parmengers meine Dienstherren. Ich bin seit neunzehn Jahren hier im Haus. Helen – Miss Minton – war Mr. Parmengers Mündel. Ich war damals noch sehr jung. Ich habe als Küchenmädchen angefangen. Damals lebte Mr. Edward Parmenger noch. Mr. Frederick ist sein Sohn. Der Maler. Wir waren damals vier Bedienstete.» Es klang, als spräche sie über eine längst vergangene Epoche. «Es war zu der Zeit, als Miss Minton aufs Internat kam.»

Wiggins wollte schon sein Notizbuch zücken, steckte es aber auf Jurys Kopfschütteln hin wieder ein und zog statt dessen eine Tüte mit Hustenbonbons hervor.

«Sie kam also aufs Internat. Und Mr. Frederick?»

«O nein, Sir. Der ging in London zur Schule.»

Maureen Littleton konnte damals nicht viel älter als Helen Minton gewesen sein. «Ihr Dienstherr war also Helens Vormund.»

Maureen nickte. Ihr Gesicht nahm hinter dem Dampfschleier, der aus ihrem Teebecher aufstieg, wieder einen verschlossenen und traurigen Ausdruck an.

«Kannten Sie Miss Mintons Eltern?»

«Nur ihre Mutter. Ihren Vater nicht.»

«Schien ihr Onkel sie – gern zu haben?»

Sie senkte den Blick auf ihre Tasse, noch Jahre über den Tod des älteren Parmenger hinaus die treue Dienerin. Maureen war offensichtlich keine Klatschbase, schon gar nicht unter Umständen wie diesen. «Er war ein sehr ... strenger Mann – »

Eine vorsichtige Umschreibung für Leuteschinder oder Sklavenhalter, dachte Jury.

« – und zeigte selten Gefühle, außer – »

Als sie stockte, half Jury nach: «Außer?»

Sie zuckte leichthin die Achseln, während sie Sergeant Wiggins, der ihr seine Tasse hinhielt, Tee nachschenkte. «Nun ja, ab und zu konnte er schon ein bißchen wütend werden.»

Ein Choleriker, mit anderen Worten. Aber Maureen ließ sich nicht dazu bewegen, weiter ins Detail zu gehen. «Was Miss Helen betrifft – ich glaube, die anderen Bediensteten und ich haben nie ein böses Wort von ihr zu hören bekommen. Weder als sie jung war, noch als sie ...» Wieder mußte sie das Gesicht abwenden.

«Es ist doch ein wenig seltsam, daß Mr. Parmenger das Haus Helen Minton und nicht seinem eigenen Sohn vermacht hat.»

Maureen sah das nicht so. «Sehen Sie, Mr. Frederick ...» Sie machte eine Handbewegung, als wäre Mr. Fredericks berufliche und finanzielle Stellung Erklärung genug. «Er hat seine eigene Wohnung. In St. John's Wood. In der Nähe von Keats' Haus. Keats, der Dichter», ergänzte sie zu Jurys besserem Verständnis.

«Die Wohnung ist zwar ziemlich klein, aber er meint, das Licht darin sei gut. Er kam manchmal zum Abendessen zu Miss Helen. Er ist ein großer Maler, aber ich versteh nicht viel von solchen Sachen.» Maureen hatte sichtlich Ehrfurcht vor Mr. Frederick – wie wahrscheinlich vor all jenen Größen, deren Namen aus irgendwelchen Gründen in der Zeitung standen, ob es sich nun um Künstler, Rockmusiker oder Filmstars handelte.

«Die beiden standen also in gutem Einvernehmen miteinander?»

Sie schien ganz verdutzt darüber zu sein, daß Jury eine andere Möglichkeit überhaupt in Betracht zog. «Ihr Tod wird ihn umbringen», sagte sie schlicht.

Das überraschte Jury. Helen Minton hatte nicht den Eindruck gemacht, als glaubte sie, daß von ihrer Existenz oder Nichtexistenz das Leben eines anderen abhinge. «Und weiter?» fragte er.

«Nichts weiter.»

Redselig war Maureen bestimmt nicht. Jury lächelte ihr zu. Er hatte damit bei verstockten Frauen schon oft Erfolg gehabt und sie in Plauderstimmung versetzt. Und Maureen war dafür ebenso empfänglich wie Wiggins für die Verlockungen des federleichten Biskuitkuchens, den sie zum Tee gereicht hatte. Er verdrückte bereits sein zweites Stück.

«Sie glauben also, Frederick Parmenger hat – hatte – seine Cousine sehr gern.»

«Ja, das glaube ich.» Sie schenkte sich und Jury noch etwas Tee ein und hing ihren Erinnerungen nach. Von dem Augenblick an, als Helen das Haus betrat, seien die beiden ein Herz und eine Seele gewesen. Einfach unzertrennlich. «Bis sie aufs Internat kam. Er hat ihr das Malen beigebracht oder es zumindest versucht. Sie bekam aber nie so richtig den Dreh raus. Aber er, er war ein Genie, schon als kleiner Junge. Ich war damals natürlich noch nicht hier, aber Mrs. Petit – die Köchin – hat's mir erzählt. ‹Er ist ein Genie.› Das waren ihre Worte.»

Ob Maureen oder Mrs. Petit verstanden hatten, was das bedeutete? Das Wort allein genügte; es schwebte im Raum wie der Wohlgeruch guten Essens.

«Oben hängen viele Bilder von ihm. Sie sollten sie sich einmal anschauen.»

«Ich würde mir gerne das ganze Haus ansehen, wenn es Ihnen nicht zu viele Umstände macht.»

Für ihn, sagte ihr Blick, wäre ihr nichts zuviel. Das Geplauder mit Jury und der Anblick des Kuchen essenden Wiggins hatten Maureen merklich beruhigt. Die Tatsache, daß ein Inspektor von Scotland Yard den Tod ihrer Herrin untersuchte, schien sie nicht weiter zu verwundern.

Als Jury erneut auf den älteren Parmenger zu sprechen kam, nahm ihr Gesicht wieder den verschlossenen Ausdruck an.

Aber Jury glaubte, den Schlüssel zu dieser Tür zu kennen. «Wissen Sie, Maureen, ich kannte Helen Minton.»

SIE SETZTE SICH KERZENGERADE AUF. Jury war nun nicht mehr der Polizist, der eine Routineuntersuchung durchführte, sondern so etwas wie ein Seemann, der von einem Törn gekommen ist, um seinem Zuhörer die erstaunliche Mär zu erzählen, er sei in einem fremden Hafen auf dessen lange verschollenen Bruder getroffen. «Es war eine zufällige Begegnung. Ich kannte sie im Grunde nur flüchtig.»

«Ach, sie war ja so ein liebenswerter Mensch.» Sie fixierte Jury mit einem beunruhigten Blick. «Aber warum stellen Sie mir eigentlich all diese Fragen?» Erst jetzt schien ihr aufzugehen, daß wohl kaum ein Superintendent von New Scotland Yard zu ihr käme, wenn die Frau eindeutig eines natürlichen Todes gestorben wäre.

Jury antwortete ihr nicht direkt. «Ich wollte etwas über ihr Verhältnis zu ihrer Familie erfahren – zu ihrem Onkel, ihrem

Cousin oder sonst jemandem, der vielleicht einen Groll gegen sie gehegt haben mag.» Wiggins zog jetzt diskret sein Notizbuch hervor, ohne daß Jury ihn diesmal daran gehindert hätte.

«‹Groll›?» Maureen blickte von einem zum anderen, sah, daß sie es ernst meinten, und lachte gezwungen. «Das klingt ja fast, als glaubten Sie, Miss Helen sei …» Sie brachte das Wort nicht über die Lippen.

Jury sprach es aus. «Ermordet worden? Diese Möglichkeit besteht, ja.»

«Das ist doch Unsinn! Niemand hätte Helen Böses gewünscht. Sie hatte keine Feinde; allerdings auch kaum Freunde. Ich meine, sie ging nicht viel aus und bekam selten Besuch.»

«Sie hatte ihren Cousin.»

«Mr. Frederick? Das ist was anderes.»

«Wissen Sie, wo er ist? Wir haben ihn bisher noch nicht ausfindig machen können. Die Polizei in Northumbria würde sich gerne mit ihm unterhalten.»

Sie schüttelte den Kopf. «Er ist oft im Ausland. In Frankreich und so.» Maureen schien nicht viel vom Ausland zu halten.

«Als Helen nach dem Tod ihrer Eltern hier aufgenommen wurde – kam sie da gut mit Edward Parmenger aus?»

Maureen antwortete nicht; sie beobachtete Wiggins, der mit seinem Füller eifrig draufloskritzelte, und nahm es ihm sichtlich übel. Wiggins sah auf, bemerkte ihren mißbilligenden Blick und legte sein Notizbuch beiseite. «Haben Sie den Kuchen selbst gebacken, Miss? Es ist der beste, den ich je gegessen habe. Und ich bin ziemlich wählerisch, was das Essen angeht, besonders bei süßen Sachen.»

Jury wandte das Gesicht ab, um ein Grinsen zu verbergen. Als getreuer, gewissenhafter und unermüdlicher Schreiber von Notizen war Wiggins unersetzlich. Und in letzter Zeit hatte er zudem noch seinen Charme aufpoliert.

Sein Lob schien zu wirken, denn Maureen legte ihm geschmeichelt ein neues Stück Kuchen auf den Teller. Mit vollem Mund nahm Wiggins das Gespräch dort auf, wo Jury steckengeblieben war: «Dieser Mr. Edward Parmenger – ich hab irgendwie das Gefühl, daß er das Mädchen nicht besonders mochte. Was meinen Sie?»

Sergeanten waren ihr offenbar weniger unheimlich als Superintendenten – zumindest wenn sie schon die dritte Portion Kuchen verspeisten –, jedenfalls antwortete sie: «Wie gesagt, er schien ihr ein bißchen die kalte Schulter zu zeigen. Aber er war eben ein sehr harter Mann, wenn ich ehrlich sein soll.»

«Sie meinen, er war zu jedem so?» fragte Wiggins, während er mit der Gabel die letzten Kuchenkrümel aufpickte.

«Nein, das nicht gerade.»

«Was meinen Sie dann, Miss?»

«Er mochte sie nicht. Mrs. Petit sagte immer, er habe sie nicht leiden können.»

«Mrs. Petit ist die Köchin, nicht?»

«Ja, aber sie lebt nicht mehr. Jedenfalls sagte sie immer, Miss Helen täte ihr leid.»

Jury rauchte, starrte ins Feuer und wartete auf die entscheidende Frage: Warum hatte Parmenger sie dann überhaupt aufgenommen?

«Könnte ich vielleicht noch eine Tasse Tee haben?» Wiggins konnte mitunter in seinem Bestreben, Zeugen durch Schmeicheleien Antworten zu entlocken, zu weit gehen.

Während Maureen dem Sergeanten den Rest des Tees einschenkte, fragte Jury: «Wie alt war sie damals? Und wo lag dieses Internat?»

«In Devon. Es war eine sehr *teure* Schule», sagte sie mit einer Betonung, die andeuten sollte, daß Edward Parmenger zwar mit seiner Liebe geknausert haben mochte, aber nicht mit seinem Geld. «Miss Helen war ungefähr fünfzehn. Sie war ein oder zwei Jahre dort. Dann hat Mr. Edward sie wieder vom Internat genommen.»

«Warum?»

Sie schüttelte den Kopf. «Ich weiß nicht. Ich kam damals kaum je aus der Küche heraus. Mrs. Petit hat zwar so einiges erzählt, aber ich habe nie erfahren... Jedenfalls hab ich mir nichts dabei gedacht.»

O doch, das haben Sie, dachte Jury. «Hatten Sie nicht das Gefühl, daß vielleicht ein ... Skandal dahintersteckte?»

«Nein Sir, gewiß nicht!»

Jury mußte lächeln. Sie war so viel jünger als die altvertrauten Vertreter ihrer Zunft – etwa eine Mrs. Petit oder Melrose Plants Butler Ruthven. Dennoch glich sie ihnen. Ein Verehrer alten Stils, fand Jury, hätte ihr gut angestanden. Ihr Anblick gemahnte ihn irgendwie an die längst vergangenen Tage des gloriosen Empire. In Wiggins brachte sie offenbar eine andere Saite zum Klingen: Seinem faszinierten Blick nach zu urteilen, stand zu vermuten, daß er ihretwegen sogar sein Füllhorn von Medikamenten vergessen hätte.

«Falls unser Verdacht zutrifft ... um es klipp und klar zu sagen: Falls Miss Helen ermordet wurde, wollen Sie doch sicherlich, daß der Schuldige seiner Bestrafung zugeführt wird.»

Sie richtete sich empört auf. «Natürlich will ich das! Aber ich kann doch nicht...» Sie unterbrach sich.

Jury wartete, aber Maureen schwieg.

«Ich habe den Eindruck, daß Edward Parmenger das Mädchen gegen seinen Willen bei sich aufnahm. Fühlte er sich aus irgendeinem Grund dazu verpflichtet?» fragte Jury schließlich.

«Wenn *ich* noch ein Kind wäre und *meine* Mutter stürbe» – sie bekreuzigte sich –, «dann würde ich doch auch hoffen, daß jemand mich bei sich aufnimmt. Ich habe kaum noch Verwandte. Bloß eine alte Tante in der Grafschaft Clare.» Sie errötete. Die Maureens dieser Welt blieben nüchtern und sachlich und belästigten andere nicht mit ihren Problemen. Sie räusperte sich und fuhr mit leiser Stimme fort. «Ich wollte nur sagen, ja, es war eine Art Verpflichtung.» Sie sah Jury aus traurigen Augen an. «Es hieß, Helens Vater hätte sich umgebracht. Und dann ist ihre Mutter gestorben, wahrscheinlich an gebrochenem Herzen.» Auch das war typisch: der Hang zur romantischen Verklärung.

«Edward Parmenger hat sie also bei sich aufgenommen, schien

das aber nicht gerne zu tun?» Jury beugte sich über den Tisch und legte ihr die Hand auf den Arm. «Ich vermute, daß Edward Parmenger Helen Minton loswerden wollte», fuhr er fort, «und sie auf dieses teure Internat schickte, weil er sie nicht gerne in der Nähe seines Sohnes sah. Die beiden mochten sich sehr – und sie waren Cousin und Cousine. Zudem war Helen ein hübsches Mädchen. Und ihr Vater war wohl kein sehr charakterfester Mann…» Er wartete; seine Hand blieb auf ihrem Arm liegen. Wiggins machte seine Notizen und warf Jury zwischendurch ganz gegen seine Art finstere Blicke zu.

Sie seufzte und ergriff den Schürhaken, um im Kamin herumzustochern. Doch Jurys Hand hielt sie am Platz fest, so daß sie nicht an das Feuer herankam und ihre Bemühungen schnell wieder aufgab. «Ihr Vater war Mr. Edwards jüngerer Bruder. Er trank zuviel und spielte. Er arbeitete für Mr. Edward und hinterging ihn, indem er – wie sagt man? – ‹die Bücher frisierte›.»

«Sie meinen also, der gute Onkel Edward hat dann Miss Minton dafür büßen lassen?» fragte Wiggins.

«Es sah jedenfalls so aus. Andererseits mochte er seine Schwägerin wirklich gern. Das war auch kein Wunder. Helen – ich meine Miss Helen war ihr in allem sehr ähnlich. Auch im Aussehen. Sie war ein stiller Typ. Und als alles über ihren Mann herauskam, hat es Miss Helens Mutter einfach umgebracht, und dann drohte Mr. Edward auch noch mit dem Gericht und …» Maureen hob die Hände in einer hilflosen Geste.

«Und als alles so tragisch endete, wollte er vielleicht sein Gewissen beruhigen, indem er sich Helens annahm», sagte Jury. «Aber er wollte sie nicht um sich haben. Deswegen hat er sie aufs Internat geschickt.» Aber das ist noch nicht die ganze Geschichte, dachte er.

Sie wandte das Gesicht ab. Jury hatte Mitleid mit ihr. Er bemerkte erst jetzt, daß im Verlauf des Gesprächs die Jahre zusammen mit der ganzen Förmlichkeit von ihr abgefallen waren: unsichtbare Hände schienen ihren Kragen und ihre Haarnadeln löst zu haben; eine dunkle Haarsträhne hing über ihre Wange, und der Kamm, der die Frisur am Hinterkopf hielt, war verrutscht. Sie starrte ins Feuer und sagte leise: «Ach, das arme Mädchen.»

«Er wollte seinen Sohn Frederick von ihr fernhalten.»

Sie schüttelte müde den Kopf. «Ich bin wirklich ganz offen zu Ihnen. Ich weiß es nicht.»

Es mochte noch nicht die ganze Geschichte sein, aber Maureen Littleton war am Ende ihrer Kräfte. Jury erhob sich. Wiggins tat es ihm widerstrebend nach. Er hatte sich so sehr an Maureens Anblick geweidet und hingebungsvoll seine Füße am prasselnden Feuer gewärmt, daß er sogar vergessen hatte, sich weiterhin Notizen zu machen. «Danke, Maureen. Sie haben uns ein gutes Stück weitergeholfen. Bemühen Sie sich nicht. Wir finden allein hinaus.»

Augenblicklich verwandelte sie sich wieder in die adrette, pflichtbewußte Haushälterin. Frisur, Kragen und Uniform wurden zurechtgerückt, das Gesicht nahm wieder einen dienstbeflissenen Ausdruck an und ein *Auf gar keinen Fall, Sir* hing unausgesprochen in der Luft.

Es war ein schönes Haus; die Schatten in der schwach erleuchteten Eingangshalle fielen ebenso schwer herab wie die dunklen Vorhänge an den hohen Fenstern von Helen Mintons Wohnzimmer, an dem ihr Weg zur Haustür vorbeiführte. Auch im Wohnzimmer brannte ein Feuer, und Jury sah den kleinen Kopf eines Dackels in die Höhe fahren, der den Geruch von Fremden witterte.

«Er gehört ihr», sagte Maureen. Sie betraten das Zimmer, und der kleine Hund rappelte sich mühsam auf, als wäre sein Gewicht oder seine Trauer zu schwer für seine Beine. Er hatte auf einer alten Decke vor einem ledernen Ohrensessel gelegen, der am Feuer stand. «Er will einfach nicht dort weg. Ich bringe ihn immer in mein Wohnzimmer, damit er da vor dem Feuer liegt, aber sobald ich mal nicht aufpasse, quält er sich die Treppe rauf und kommt wieder hierher. Sie hat nach dem Abendessen immer dort gesessen. Und was für große Stücke sie auf den alten Hund gehalten hat!» Maureen warf dem Dackel einen hilflosen Blick zu. «Er ist fast blind. Er wird bald sterben.» Sie sagte es mit der Entschiedenheit eines Arztes, dessen Diagnose unerschütterlich ist.

Sie standen vor der Tür in der Dunkelheit. Maureen hatte die Arme über der Brust verschränkt und zitterte in ihrer dünnen Uniform. Wiggins drängte sie, doch wieder hineinzugehen, bevor sie sich den Tod holte. Jury blickte über die Straße auf die schlichte Fassade der Church of Scotland. Ihr gelblichweißer Anstrich hatte im Mondlicht etwas ungesund Fahles. Er störte sich an ihrer Schmucklosigkeit. Nicht die Spur einer Verzierung, keine bunten Fensterscheiben, nur diese Krankenzimmerfarbe. Der Gott der Schotten, dachte er voller Widerwillen, hätte sich ruhig etwas mehr Mühe geben können. Diese Presbyterianer, dachte er verächtlich, und fragte sich dann ein wenig beschämt, ob das überhaupt stimmte. Waren wirklich alle Schotten Presbyterianer? Hätte er das nicht wissen sollen? Er war wütend auf sich. Wenigstens soviel Allgemeinbildung mußte ein Superintendent haben. Wußte er denn überhaupt etwas Nützliches? Er konnte sich beim besten Willen auf nichts besinnen. Aber diese eine Frage mußte jetzt und auf der Stelle geklärt werden. Er würde Wiggins fragen, der kannte sich mit so etwas aus. «Wiggins!»

Sergeant Wiggins fuhr herum. Jury hatte ihn aus einem anregenden Gespräch über das bevorstehende Weihnachtsessen aufgescheucht. «Sir?»

«Ach, nichts.»

Wiggins nahm sein Gespräch mit Maureen wieder auf. «In meinem Beruf muß man natürlich immer mit allem rechnen, aber falls ich Weihnachten hier bin... ich würde mich freuen. Aber ich esse am liebsten ganz einfache Gerichte...»

Jury überlegte, wer da wen zum Essen einlud, was seinen Hader mit Gott immerhin so weit besänftigte, daß er sogar ein wenig lächelte.

«...fritierte Scholle mit Chips, damit liegen Sie bei mir immer richtig», fuhr Wiggins fort. «Ich weiß, das klingt einfallslos, aber ...»

«Mit Erbsenpüree», sagte Maureen fröhlich.

Jurys Blick fiel wieder auf die Kirche, und die beruhigende Wirkung der harmlosen Debatte über die Vorzüge von pürierten gegenüber ganzen Erbsen verflog. *Nur ein einziges lausiges Buntglasfenster, wäre das etwa zuviel verlangt? Ist Dir denn jedes bißchen Schmuck zuwider? Wie kannst Du erwarten, daß die Leute angesichts dieser kahlen käsebleichen Fassade Hoffnung schöpfen?* Er hatte den beiden noch immer den Rücken zugewandt, als er sich plötzlich sagen hörte: «Sie war wie eine Schwester für Sie.»

Das Gespräch verstummte. Er hörte Maureen aufschluchzen und drehte sich beschämt um. Er hatte das nicht laut sagen wollen. Aber während ihres Gesprächs vorhin hatte er immer wieder daran denken müssen: zwei gleichaltrige Mädchen, die eine Hausmädchen, die andere Waise, beide hübsch, freundlich und ernsthaft und beide – da war er sicher – einsam. «Tut mir leid», murmelte er, schmerzlich berührt von der Unzulänglichkeit seiner Worte, und wandte sich ab, um mit wiedererwachtem Zorn die Church of Scotland zu betrachten. *Schau, was Du angerichtet hast!*

Er merkte, daß Maureens Hand sanft wie der herabrieselnde Schnee seinen Arm berührte, und in ihrer Stimme schwangen Trauer, Zärtlichkeit und Zorn mit, als sie sagte: «Es stimmt, sie war wie eine Schwester für mich. Aber ich schwöre, daß ich nicht weiß, was geschehen ist. Wenn Sie recht haben, und jemand hat – hat Schuld an ihrem Tod, nun, ich halte mich für eine gute Katholikin, aber ich glaube nicht, daß ich auf Gottes Rache warten würde. Nein, wenn mir der Mörder in die Finger geriete, ich würde ihn eigenhändig umbringen. Und das ist die Wahrheit.»

Jury starrte auf die Church of Scotland und dachte nach. Er

wurde immer ungehaltener, weil er spürte, daß zwar sein Zorn nachließ, nicht aber seine Traurigkeit. Dieses Haus erinnerte ihn zu sehr an jenes andere Haus am Dorfanger von Washington.

«Wer zum Teufel», sagte er und räusperte sich, «wer zum Teufel ißt schon gerne Erbsenpüree?»

9

«NATÜRLICH FEIERE ICH WEIHNACHTEN NICHT», sagte Mrs. Wasserman, während sie Jury eine Tasse von ihrem starken Kaffee einschenkte. «Sie wissen ja…» Und sie lächelte und zuckte die Achseln, als hätte sie ihre eigene Religion aus einer Laune heraus beim Einkaufsbummel erstanden. «Aber das heißt nicht, daß ich anderen, denen Weihnachten etwas bedeutet, keine Geschenke mache.»

Sie saßen in Mrs. Wassermans Kellerwohnung, tranken Kaffee und aßen Kuchen. Er war müde nach dem langen Besuch am Eaton Place, und doch hatte er nicht bedauert, daß sie ihn vom Fenster aus gesehen und eingeladen hatte. Jury mochte die zwei Etagen zu seiner leeren Wohnung nicht hinaufgehen. Vielleicht sollte er Cyril adoptieren; Mrs. Wasserman würde ihn bestimmt gerne füttern, so wie sie es auch mit Jury tat, wann immer sie Gelegenheit dazu hatte.

Sie war erstaunt gewesen, ihn zu sehen, denn er hatte ihr erzählt, er verbringe die Feiertage bei seiner Cousine in Newcastle. Erstaunt und erfreut. Jury garantierte nämlich ihre Sicherheit. Die Riegel, Schlösser, Ketten und Gitter an ihrer Tür – die er in der Mehrzahl eigenhändig angebracht hatte – waren kein Vergleich zu einem leibhaftigen Superintendent von Scotland Yard, der über einem wohnte und nun sogar am selben Tisch mit einem saß.

Eine Weile lang war sie behaglich auf ihrem Stuhl hin und her gerutscht und hatte über das Weihnachtsfest geplaudert; jetzt beugte sie sich zu ihm herüber und senkte die Stimme zu einem Flüstern, als hielten die Riegel und Gitter nicht nur Diebe fern, sondern auch Jahwe, den Gott der Juden: «Ehrlich gesagt, ich mag Ihr Weihnachten.» Als hätte Jury das Fest erfunden. «All diese Dekorationen, die bunten Lichter, und dann sehe ich immer so gerne, wie Prinz Charles die Lichter an dem großen Weihnachtsbaum einschaltet... Und Selfridge's! Haben Sie die Schaufenster gesehen?» Jury schüttelte den Kopf. «Sie müssen sie sich einfach ansehen! Ich weiß ja, Sie haben viel zu tun, aber nehmen Sie sich mal ein bißchen Zeit. Die haben dort die ganze Weihnachtsgeschichte aufgebaut, von Fenster zu Fenster, und man geht um das Gebäude herum und sieht die Drei Weisen aus dem Morgenland, das Christkind und so weiter!»

Jury lächelte. «Bei Peter Jones haben sie die Drei Weisen auch. Die kommen ganz schön in der Weltgeschichte rum.»

Mrs. Wasserman winkte verächtlich ab. «Ach, dieser Laden... Nur weil er am Sloane Square ist... nein, nein. Selfridge's müssen Sie sich ansehen. Das sind vielleicht Schaufenster, Mr. Jury.»

Er dachte an die Drei Weisen und an Maureen und an die Church of Scotland.

«Entschuldigen Sie, aber Sie sehen ein bißchen niedergeschlagen aus. Das liegt bestimmt an Ihrer Arbeit. Hier, nehmen Sie noch ein Stück Kuchen.»

Er schüttelte den Kopf und lächelte. «Wahrscheinlich liegt es wirklich an meiner Arbeit. Tut mir leid.»

«Es tut Ihnen leid? *Sie* entschuldigen sich bei *mir*?» In gespieltem Entsetzen spreizte sie die Finger über ihrem ausladenden, in Schwarz gehüllten Busen. Ihr Haar war ebenso schwarz wie ihr Kleid und wie immer straff nach hinten gekämmt und in einem Knoten zusammengefaßt, der so fest war, daß Jury oft dachte, der Kopf müsse ihr davon weh tun. «Bei mir entschuldigt er sich», sagte sie zu dem leeren Stuhl neben Jury wie zu einem dritten Besucher. Sie schenkte Kaffee nach. «Nach allem, was Sie für mich getan haben, müssen Sie sich bestimmt nicht entschuldigen, wenn Sie einmal niedergeschlagen sind.»

«Danke. Aber so viel habe ich ja gar nicht getan. Ich habe Ihnen lediglich geholfen, ein paar Fenstergitter und ein Riegelschloß anzubringen.»

Mrs. Wasserman stellte die Kaffeekanne ab und wandte sich erneut an den unsichtbaren Dritten. «Nur ein Schloß, sagt er.» Sie schüttelte traurig den Kopf über Jurys scheinbare Einfalt. «Sie haben mir schon so viel geholfen, seitdem Sie hier eingezogen sind. Hatte ich nicht sogar Angst, mit der U-Bahn zu fahren?» Sie nippte an ihrem Kaffee. «Und eines Tages werden Sie ihn finden, das weiß ich.»

Nach all dem Geplauder über weihnachtliche Schaufenster dauerte es einen Augenblick, bis Jury klar wurde, wen sie meinte: nicht Gott sollte er finden, sondern den gnadenlosen Verfolger, der nach Mrs. Wassermans Überzeugung seit Jahren hinter ihr her war. Jury wußte jedoch, daß es diesen Mann gar nicht gab.

Aber für Mrs. Wasserman existierte er. Seit ihrer Flucht aus Polen während des Zweiten Weltkrieges hatte sich sein Bild unauslöschlich in ihre Seele eingebrannt. Und seitdem hielt Mrs. Wasserman die Vorhänge geschlossen und die Tür verriegelt und mit Ketten gesichert.

Es war jedoch ein gewaltiger Trost für sie, daß Jury ihr zu glauben schien. Jedesmal wenn sie ihren Jäger wieder gesehen hatte – und das kam sehr häufig vor –, hatte Jury sich den Mann beschreiben lassen. Die Beschreibung paßte allerdings auf jeden Dritten, der die Straße hinunterlief.

Nun erklärte sie dem unsichtbaren Besucher, daß der Inspektor viel zu bescheiden sei. Und daß sie stets eine Todesangst gehabt habe, ihre Wohnung zu verlassen, bevor er oben im zweiten Stock eingezogen war.

Das stimmte. Bis sie einmal in seiner Begleitung zur Camden Passage, zu den Märkten und zur U-Bahn gelaufen war, hatte sie sich höchstens einmal die Woche auf die Straße getraut, um ins nächstgelegene Geschäft zu huschen und das Notwendigste einzukaufen.

Und obgleich sie gewohnheitsmäßig durch einen Spalt im Vorhang nach Jury Ausschau hielt und immer wußte, ob er zu Hause war oder nicht, hatte Mrs. Wasserman stets größtes Taktgefühl bewiesen und seine Privatsphäre respektiert. Nicht ein einziges Mal hatte sie versucht, sich in seine Privatangelegenheiten einzumischen – im Gegensatz zu seiner Cousine und seinen Kollegen mit ihrem ewigen *Was du brauchst, ist eine Frau, ein Mädchen, eine Katze, ein Hund oder sonstwas.*

«...in gewisser Weise ist es auch deprimierend.» Sie sprach wieder über das Weihnachtsfest. «So viel Flitterkram, so viel Rauschgold.» Sie zuckte die Achseln. «Ist es wahr, daß zu Weihnachten mehr Leute Selbstmord begehen als sonst?»

Jury nickte. «Es ist wahr.»

Sie trank ihre Tasse leer. «Das ist traurig. Viel zu traurig, als daß man an Weihnachten wirklich glücklich sein könnte. Das muß doch schwer sein für euch Christen.»

Es war mehr eine Frage als eine Feststellung, und da sie befürchtete, taktlos gewesen zu sein, wandte sie sich errötend ab.

Jury lächelte. «Ich weiß ja nicht mal, ob ich einer bin. Ich war seit Urzeiten nicht mehr in der Kirche.»

«Wir könnten doch gehen», sagte sie unvermittelt.

«Was?»

Sie war schon aufgesprungen. «Kommen Sie. Nur für ein paar Minuten, das wird Ihnen nicht schaden. St. Stephens ist gleich um die Ecke.»

Jury traute seinen Ohren nicht. «Aber Mrs. Wasserman! Ich meine – dürfen Sie das denn?»

Sie wandte sich mit ausgestreckten Armen an den leeren Stuhl. «Ob ich *darf*, fragt er allen Ernstes. Ob ich *darf*! Wer sollte es mir denn verbieten – die Polizei vielleicht?» Sie konnte gar nicht mehr aufhören zu lachen, so gut gefiel ihr der Witz. Während sie ihren Hut mit einer Nadel feststeckte und sich dann von Jury in den Mantel helfen ließ, sagte sie: «Mr. Jury, nach allem, was wir beide durchgemacht haben, können wir uns solche Haarspaltereien doch sparen, oder?»

Das schrille Klingeln des Telefons riß Jury am nächsten Morgen aus dem Schlaf. Als er zum Hörer griff, fiel sein Blick auf den Wecker – es war fast Mittag! Das kann doch nicht sein, dachte er. Das alte Ding mußte kurz vor Mitternacht stehengeblieben sein. Er packte und schüttelte ihn, um ihn wieder zur Vernunft zu bringen, aber der Wecker tickte ungerührt vor sich hin, als habe er überhaupt nichts damit zu schaffen, daß sein Besitzer den Frühzug nach Newcastle verpaßt hatte.

«Verdammt», schimpfte dieser leise in den Hörer, direkt in das muschelförmige Ohr von Chief Superintendent Racer am anderen Ende der Leitung.

«Es ist schon schlimm genug, daß Sie bis Mittag schlafen, Jury», fauchte Racer, «aber daß Sie auch noch Ihren Vorgesetzten anschnauzen, ist eine Unverschämtheit!»

«Ich habe mit meinem Wecker gesprochen.»

Es folgte ein kurzes Schweigen, währenddessen Racer, wie Jury sehr wohl wußte, fieberhaft nach einer möglichst schlagfertigen Erwiderung suchte.

Das Ergebnis seiner Überlegungen war matt: «Legen Sie sich doch 'ne Katze zu, Jury.» Dann folgte ein dumpfes Geräusch in Racers Büro, und Jury glaubte ein leises, aber drohendes Fauchen zu hören. «Es ist nicht gut, so ganz alleine zu leben. Sie können Fionas Mäusefresser haben.»

«Cyril hängt doch viel zu sehr an Ihnen. Haben Sie mich etwa deswegen angerufen? Weil Sie meine und Cyrils Zukunft mit mir besprechen wollten?» Jury hielt sich den Kopf. Warum fühlte er sich nur so verkatert? Er hatte gestern nicht ein einziges Bier getrunken. Aber vielleicht war der Kirchgang dran schuld. Die Galle kam einem da hoch, das ganze Gift, das man mit sich herumgetragen hatte... Racer ließ unterdessen seinerseits Schmähungen vom Stapel.

«Wie bitte?»

«Ich sagte – wenn Sie sich bloß eine Minute auf das Thema konzentrieren könnten, Mann – dieser Kerl von der Bezirkspolizei Northumberland ...»

«Northumbria», berichtigte Jury. «Dazu gehören Northumberland, Sunderland ...»

«Ich brauche keinen Geographie-Unterricht. Seitdem Sie es zum Superintendent gebracht haben ...»

Das ging etwa eine Minute so weiter. Jurys Beförderung lag dem Chief Superintendent wie ein Stein im Magen. Jury schnitt ihm schließlich das Wort ab. «Sie sagten etwas von einem Mitarbeiter der Polizei von Northumbria, Sir.»

Racer prüfte dieses ‹Sir› auf Widerhaken, bevor er es schluckte: «Sein Name ist... warten Sie mal.» Papiergeraschel. «Colin Soundso...» Wieder Geraschel.

Jury hörte auf zu gähnen und richtete sich auf, wobei er die Füße auf den Boden stellte. Sein Kopf dröhnte. «Vielleicht Cullen? Sergeant Roy Cullen?»

«Ja, ja, genau», sagte Racer ungeduldig. «Was zum Teufel denkt der, wer ich bin? Ihr Anrufbeantworter?»

Jury kämpfte sich bereits in sein Hemd, wobei ihm die Telefonschnur ständig in die Quere kam. «Würden Sie mir bitte sagen, was für eine Nachricht er hatte, Sir?»

«Ah, hier ist es ja: es geht um eine Frau namens Minton.» Racer wußte sehr gut, was es mit dieser Frau auf sich hatte, aber weil er nicht selbst auf den Fall gestoßen war, ließ er sich nun Zeit. «Helen Minton. Autopsiebericht. Er meinte, es würde Sie interessieren. Sie wurde vergiftet.»

Es knackte in der Leitung, dann war sie tot. Jury starrte auf den Hörer.

VIERTER TEIL

SCHNEEBLIND

10

SCHNEEFLOCKEN RASTEN WIE EIN SPERRFEUER von Leucht-
spurgeschossen gegen die Windschutzscheibe und nahmen ihnen
jede Sicht.

«Wir haben uns verirrt», sagte Lady Ardry, die schon bei den
ersten Anzeichen von Schneefall zur Landkarte und einer füll-
haltergroßen Taschenlampe gegriffen hatte. Neben ihr auf dem
Rücksitz des Flying Spur kauerte Ruthven, eingemummt in
seine Reisedecke.

«Red keinen Unsinn, Agatha», sagte Vivian. «Wir haben uns
überhaupt nicht verirrt. Wir fahren nur etwas langsamer, weil
Charles gesagt hat, wir müßten hier irgendwo abbiegen.»

«Du kannst in diesem Schneesturm nicht fahren, Plant. Du
mußt auf der Stelle anhalten.»

Aber wo, das war Melrose ein Rätsel. Es war halb sechs und
bereits stockfinster. Er konnte höchstens zwei Meter weit sehen.
«Gern, sobald du eine schöne Wiese siehst, wo wir unser Zelt
aufschlagen können.» Er wischte die beschlagene Windschutzscheibe mit seinem Lederhandschuh ab.

«Da war eben eine Stelle, wo du von der Straße hättest runter-
fahren können – was steht auf dem Schild da?» Sie rieb an ihrer
Scheibe ein Guckloch frei und spähte hinaus in die tiefe Dunkelheit. «‹Spinney Moor›.» Mit der Taschenlampe verfolgte sie die
Straße auf der Landkarte. «Um Himmels willen, Plant, du hast
uns mitten in ein Moor kutschiert!»

«Dann sind wir nicht weit von Seainghams Haus. Er meinte,
es sei nördlich von Spinneyton», sagte Vivian.

«Sümpfe und Moore sind mir zuwider», sagte Agatha er-
schauernd.

Melrose steuerte den Wagen sicher durch eine scharfe Kurve

und sagte: «Dieses Moor ist in der Tat recht interessant. Kennt ihr die Geschichte vom Schlächter von Spinneyton? Nein? Nun, der Schlächter hat Leute in Stücke gehackt und die Leichenteile in den hiesigen Moorlöchern versenkt.»

«Melrose!» sagte Vivian entsetzt, und Ruthven murmelte: «Also wirklich, Mylord.» Danach herrschte im Auto Totenstille, vielleicht zum erstenmal, seit sie Ardry End verlassen hatten.

«Du versuchst doch nur, uns Angst einzujagen», sagte Agatha. Aber ihre Stimme klang unsicher.

«Nein, wirklich, der Schlächter war ein Beilfetischist ...»

«Hör um Himmels willen auf, Melrose», sagte Vivian und wischte über die Windschutzscheibe, die schon wieder beschlagen war.

In Gedanken spann Melrose seinen makabren Faden weiter: *Die Morde im Spinney Moor. Der stille Jäger vom Spinney Moor* ... Vielleicht sollte er ein paar Schlagzeilen dieser Art seiner Freundin Polly Praed zu ihrer Erbauung übermitteln.

«Wir sind gerade an einem Schild vorbeigefahren, auf dem ‹Spinneyton› stand.» Vivian seufzte erleichtert auf. «Da muß es doch irgendwo einen Pub geben, von dem aus wir Charles Seaingham anrufen können.»

«Vivian hat recht», sagte Agatha. «Halt beim ersten Pub an.»

«Der erste wird vermutlich auch der letzte sein. Ich fürchte, Spinneyton ist kaum bewohnter als ein Potemkinsches Dorf. Wie sollte sich da eine Wirtschaft halten?»

«Was ist ein Potemkinsches Dorf?» fragte seine Tante. Man hörte Papiergeraschel. Die bloße Erwähnung einer Wirtschaft schien sie hungrig gemacht zu haben, denn sie kramte wieder nach den von Martha zubereiteten Sandwiches.

Die Arme über dem Lenkrad verschränkt, spähte Melrose angestrengt durch die beschlagene Windschutzscheibe und fragte: «Hast du noch nie von Potemkin, dem Schrecken der Dörfer gehört – ?»

«Licht! Licht!» rief Agatha.

«Du hörst dich an wie Othello. Ich sehe es.»

In der Ferne schimmerten die erleuchteten Fenster eines Hauses wie fahle Sterne durch das Schneetreiben. «Seainghams Landhaus liegt nur eine oder zwei Meilen nördlich von Spinneyton. Was Scott in der Antarktis geschafft hat, schaffen wir doch allemal.» Seine Bemerkung rief einstimmiges Protestgeschrei hervor. Selbst Ruthven sah sich zu einem matten Protest genötigt, weniger aus Angst, in der glucksenden Bodenlosigkeit eines Moorlochs zu versinken, als aus Sorge, Seine Lordschaft könnte sich eine Lungenentzündung holen.

«Wenn das da ein Dorf ist», sagte Agatha, den Mund voller Sandwich, «dann gibt's da auch einen Pub. Kein Dorf ohne Pub.»

Es gab tatsächlich einen Pub. Die erleuchteten Fenster gehörten zu einem gedrungenen, quadratischen Gebäude, das einsam und verlassen dastand. Daneben befand sich ein kleiner Parkplatz mit schneebedeckten Autos. Als sie aus dem Flying Spur ausstiegen, wurde die Tür des Pubs aufgestoßen, und ein Mann beförderte einen anderen unsanft hinaus in den Schnee. Dieser rappelte sich auf, klopfte sich ungerührt den Schnee von Hemd und Stiefeln und marschierte wieder hinein.

«O Gott!» sagte Agatha. «Was ist denn das für eine Spelunke?»

Melrose warf einen Blick auf die fensterlose Seitenmauer, wo eine trübe Lampe einen schwachen Lichtschein auf das Wirtshausschild warf. «Wie passend», sagte er, «‹Jerusalem Inn›.»

«Na, hier herrscht doch wenigstens noch Stimmung!» Melrose zündete sich eine Zigarre an und beobachtete die Prügelei, von der sie draußen bereits einen Vorgeschmack bekommen hatten und die nun im Schankraum fortgesetzt wurde. Der Kampf schien um der puren Rauflust willen geführt zu werden. War sie verraucht, würde er einfach aufhören – gleich einer Silvesterrakete, die nur so lange weitersaust, wie der Zündstoff reicht, und dann abstürzt.

Agatha klammerte sich an den Arm ihres Neffen und bestand darauf, sofort zu gehen. Vivian betrachtete die Szene mit vor Staunen aufgerissenem Mund. Ruthven zog den Kopf ein, als ein Stuhl an ihm vorbeizischte.

Irgend jemand stand am Eingang Schmiere – aber was hätte der Dorfpolizist hier schon ausrichten können? –, während der eine der Kontrahenten, ein Schwarzhaariger mit einem Ring im Ohr, einen Tisch hochhob, um ihn auf dem Schädel des anderen, eines tätowierten Fettkloßes in Lederjacke, niedersausen zu lassen. Ein Kerl mit Sonnenbrille und nietenbesetzter Weste hinderte ihn daran.

Zum Dank bekam er ein «Ich schlag dir die Fresse ein, du Arsch!» zu hören, bevor der mit dem Ring im Ohr sich von ihm losriß.

«Ach, Nutter, schlag dir doch deinen eigenen Hohlkopf ein!» kreischte ein alter Mann und pochte mit seinem Stock dreimal auf den Boden, als würde er damit dem ganzen Spuk ein Ende bereiten.

Nutter dachte nicht im Traum daran, dergleichen zu tun. Doch bevor er sich dem Fettkloß wieder zuwenden konnte, wurde er von einem großen Rotschopf herumgewirbelt und bekam dessen Faust direkt ins Gesicht. Nutter packte den Störenfried bei seinen roten Locken und rammte ihm seinen Schädel gegen die Nase. Mit blutüberströmtem Gesicht stürzte der Rothaarige über eine Bank.

«Na los, steh auf, ich hau dir die Birne zu Brei!» schrie der Bursche, der Nutter genannt wurde.

Der Mann hinter dem hufeisenförmigen Tresen, den Melrose für den Wirt hielt, wirkte wie ein General, dessen Truppen verrückt spielten und der machtlos zusehen mußte, wie nun ein weiterer Tisch unter dem Anprall zweier Männer zusammenkrachte, die hingebungsvoll mit den Schädeln zusammenkrachten. Das schien in diesen Gefilden ein überaus beliebter Zeitvertreib zu sein.

Mehrere Unbeteiligte, darunter ein paar Frauen, waren auf den harten Holzbänken an der Wand sitzen geblieben und verfolgten von dort aus interessiert das Geschehen. Das Ganze hat etwas von einem Schaukampf, dachte Melrose. Unterdessen war es dem Mann, der an der Tür Schmiere gestanden hatte, anscheinend zu langweilig geworden, denn er bewegte sich jetzt mit einem abgebrochenen Tischbein in der Hand drohend auf ihn zu. Melrose drückte einen Knopf am Silberknauf seines Stockes und zog den Stockdegen aus der Scheide. Der heranrückende Angreifer schien daraufhin seinen Irrtum einzusehen, jedenfalls wandte er sich ab und probierte das Tischbein am Kopf eines anderen aus.

Das Handgemenge endete so abrupt, wie Melrose es erwartet hatte. Stühle und Tische wurden wieder aufgestellt, und ehe man sich's versah, waren die Scherben weggefegt, volle Gläser standen auf den Tischen, und alle saßen friedlich beim abendlichen Drink.

Mehrere Augenpaare wandten sich nun den vier Eindringlingen zu, und Melrose schoß der Gedanke durch den Kopf, daß seine kleine Gruppe in dieser Arbeiterkneipe bestimmt einen recht seltsamen Anblick bot: Vivian im Nerz, einem Geschenk des italienischen Grafen; Agatha in ihrem schwarzen Cape; Ruthven mit seiner Melone, die er immer noch unter die Armbeuge geklemmt hielt; Melrose in einem Mantel mit Samtkragen und mit seinem außergewöhnlichen Spazierstock. Sie paßten so gut hierher wie ein Streichquartett auf den Jahrmarkt.

«Haben Sie ein Telefon?» fragte Melrose den Wirt. «Und eine Flasche Remy?»

Der Wirt, der etwas blaß, aber sonst recht unbeeindruckt wirkte – vermutlich war er derlei Dinge gewohnt –, antwortete: «Das Telefon ist hinter der Bar, Kumpel, da an der Wand.» Vivian ging Charles Seaingham anrufen.

«Da hast du uns ja in ein schönes Lokal gebracht, Melrose», schimpfte seine Tante und marschierte mit ihrem Cognacschwenker zu einem leeren Tisch am Kamin. Ruthven ließ sich einen winzigen Schluck einschenken und setzte sich ergeben auf eine harte Bank, als sei dies das Los eines jeden Butlers. Aber bald war er in ein lebhaftes Gespräch mit seinem Banknachbarn vertieft.

Melrose wartete auf Vivian und sah sich in der Kneipe um.

Trotz der Schlägerei, der spartanischen Einrichtung und der schlichten Holzmöbel bewies der Weihnachtsschmuck, daß das «Jerusalem Inn» redlich bemüht war, seinem Namen Ehre zu machen.

«Was trinken Sie?» fragte Melrose den Wirt und legte einen großen Geldschein auf den Tresen. «Worum ging's eigentlich bei der Prügelei?»

Der Wirt, der sich als Hornsby vorstellte, dankte Melrose für den Drink und zuckte die Achseln. «Keine Ahnung, Mann. Passiert hier ständig. Nutters dummes Geschwätz hat irgend jemand gestunken, und dann gab's eben Krach. Wenn Nutter die Schnauze nicht halten kann, dann soll sich der blöde Hund nicht wundern, wenn er mal eine verpaßt kriegt.» Er tat das Ganze mit einem erneuten Schulterzucken ab, warf einen Blick auf Melroses Stock und fragte: «Ist das Ding da erlaubt?»

«Eigentlich nicht. Kennen Sie einen gewissen Charles Seaingham? Wir wollen nämlich zu seinem Haus.»

«Mr. Seaingham? Na klar. Sie fahren durch Spinneyton – verirren können Sie sich da nicht – und nehmen dann die erste Straße nach rechts. Aber ich glaub nicht, daß Sie in diesem Schneetreiben sehr weit kommen.» Er ging zum Zapfhahn am anderen Ende des Tresens, denn der Kerl mit den Tätowierungen und ein kleiner Mann, der Melrose an eine Natter erinnerte, hatten nach Bier verlangt. Hornsby war bald wieder zurück. «Schlimme Nacht. Sind Sie aus dem Süden?»

«Aus Northants.»

Hornsby verzog das Gesicht, als gäbe es keinen südlicheren Ort auf weiter Flur.

Im «Jerusalem Inn» herrschte eine Atmosphäre verschlafener Festlichkeit. Staubiger Weihnachtsschmuck war aus Kisten gekramt und an Wänden und Decken aufgehängt worden. Auf dem großen Spiegel hinter dem Tresen klebten große grüne und rote Pappbuchstaben, die «Fröhliche Weihnachten» wünschten. Bunte Lichterketten waren an den Deckenbalken befestigt, von denen zusätzlich kleine Lamettakaskaden herabhingen.

Die auffälligste Dekoration jedoch war eine fast lebensgroße Krippe, die in der Nische neben dem Kamin aufgebaut worden war. Die billigen Gipsfiguren mit ihrer abblätternden Farbe boten einen jämmerlichen Anblick: es gab dort eine Ziege mit abgebrochenen Ohren und ein Lamm, dem ein Vorderbein fehlte, was den Eindruck vermittelte, es sei im Begriff, niederzuknien. Zwischen Lamm und Ziege schlummerte ein Hund von unbestimmter Rasse, dem es anscheinend zu Herzen gegangen war, daß die Tierwelt hier nur so dürftig vertreten war. Man konnte fast meinen, er sei der Stickerei über dem Kamin entsprungen. Diese verkündete allen, die es noch nicht wußten, den Tod von Treu und Glauben, den wohl allein jene verschuldet hatten, die ihre Zeche nicht bezahlten. Maria und Joseph beugten sich mit gütigem Lächeln über eine Art Kiste, die außer Stroh nichts enthielt als ein Kätzchen, das seine Chance gewittert und genutzt hatte. Sein Fell war häßlich geckeckt, das Mäulchen so schief und verzerrt wie das eines Wasserspeiers.

Melrose wurde auf einmal traurig, weil Maria und Joseph nicht wußten, daß ihr Kind fehlte. Und warum waren die Heiligen Drei Könige nur zu zweit? Er gesellte sich zu Agatha und Vivian.

«Hör auf, Löcher in die Luft zu starren und setz dich, Melrose. Vivian hat gerade Charles Seaingham angerufen...»

«Er kommt und holt uns ab», sagte Vivian. «Er meinte, es sei das beste bei diesem Schneetreiben.»

«Wir sollten ihm nicht solche Ungelegenheiten bereiten. Wir könnten ja auch hier übernachten und morgen früh weiterfahren.»

«*Übernachten*?» protestierte Agatha. «In einer *Kneipe*?»

Während sie warteten, schlenderte Melrose mit seinem Glas ins Hinterzimmer, wo ein paar Pool- und Snooker-Tische einige Leute in verschiedenen Stadien der Trunkenheit angelockt hatten, die nun ihr Talent beim Billardspiel unter Beweis stellen wollten. Die einzigen, die nüchtern aussahen, waren ein hübscher junger Mann mit dunklem Hemd und Lederweste, der gerade die Spitze eines Queues einkreidete, und ein anderer, hochgewachsener junger Mann mit braunen Haaren, dem trüben Blick und dem schlaffen Mund eines Debilen. Die beiden unterhielten sich.

Melrose beobachtete einen Spieler dabei, wie er die Kugeln zurechtlegte, eine Weile überlegte, Maß nahm und dann die weiße Kugel mit einem kräftigen Stoß im hohen Bogen über die Bande beförderte. Schließlich schaffte er es auch noch, etwas Bier auf der Tischbespannung zu verschütten. Sofort brach ein Streit aus, doch bevor er sich zu einer Neuauflage der Prügelei von vorhin steigern konnte, verließ Melrose den Bierdunst der Spielstätte zugunsten des milderen Klimas im Vorderraum. Dort erblickte er zu seiner großen Freude einen Gentleman, der in einer Schneewolke zur Tür hereintrat und nur Charles Seaingham sein konnte. Der Mann wechselte ein paar Worte mit Hornsby, und der deutete auf ihren Tisch am Kamin.

Charles Seaingham entschuldigte sich wortreich und dankte ihnen für ihre Geduld, als trüge er allein die Verantwortung für das Wetter. Er war groß, Ende sechzig, hatte eisengraues Haar und würde, wie Melrose ihn einschätzte, auch noch seinen Mann stehen, wenn die restliche Welt längst aufgegeben hatte. Zwar schien er seiner Erscheinung und seinem Auftreten nach ausgezeichnet in diese ländliche Abgeschiedenheit zu passen, doch Melrose wußte, daß Charles Seaingham ein Mann von Welt mit einem äußerst verfeinerten Geschmack war und als Kritiker so viel Respekt genoß, daß er den Ruhm eines Künstlers so schnell vergessen machen konnte wie eine Nachricht von vorgestern. Vivian durfte sich geschmeichelt fühlen, daß Seaingham nicht allein von ihren Gedichten, sondern auch von ihrer Person so viel hielt, daß er sie in sein Haus einlud. Man machte sich gegenseitig bekannt, und Agatha nutzte die Gelegenheit, um zu einer Aufzählung der Titel der Earls of Caverness anzusetzen. Melrose stopfte ihr zu Seainghams Verwirrung rasch den Mund.

«Tja, wir sollten vielleicht aufbrechen. Ich habe den Landrover mitgebracht, mit anderen Fahrzeugen kommt man zur Zeit nicht durch.» Auf dem Weg zur Tür fügte er hinzu: «Wir sind nur ein kleiner Haufen; alte Freunde, die Ihnen, glaube ich, gefallen werden.» Er lachte. «Die werden froh sein, ein paar neue Gesichter zu sehen. Wir sind da oben schon seit drei Tagen eingeschneit.»

Na prächtig, dachte Melrose.

I I

NATÜRLICH WAR ES EINE ALTE ABTEI, wie konnte es anders sein.

«Spinney Abbey» verkündete das Bronzeschild an dem steinernen Torpfosten. Die Steinmassen, die sich in der Ferne auftürmten, als «Haus» zu bezeichnen war, gelinde gesagt, eine Untertreibung. Plant stellte sich schon darauf ein, daß ihn am Ende der langen, nur wenig geräumten Auffahrt eine kalte, ungemütliche Zelle erwartete. Das Gebäude war riesengroß, abweisend, düster, mittelalterlich. Aus mächtigen Schornsteinen ragten hohe Abzugsrohre mit spitzen Kappen wie Speere in den Nachthimmel. Als Seaingham seinen Gästen auch noch erklärte, die Umgebung der Abtei sei ein beliebter Drehort für Gruselfilme, wurde Melroses Laune nicht besser.

Sie kletterten aus dem Landrover und kämpften sich durch den Schneesturm zu einer Eingangstür, die aussah, als könnte allenfalls eine Schar Gallier oder Goten sie aufstemmen. Wunderbarerweise wurde sie jedoch von einem einzigen Butler geöffnet.

«Marchbanks», sagte Seaingham, während man ihnen aus Mänteln, Schals und Stiefeln half, «sehen Sie zu, daß Lord Ardrys Diener versorgt wird, ja? Und sagen Sie der Köchin, daß wir in einer halben Stunde zu Abend essen.» Er lächelte. «Die Leute hier brauchen einen Drink zum Aufwärmen.»

Was Melrose betraf, würde es mehr als nur eines Drinks bedürfen. Die Vorhalle war zwei Stockwerke hoch, ihre tiefen Fensternischen waren mit je zwei Oberlichtern versehen und unten durch Läden verschlossen. In der Mitte des Raums befand sich ein riesiger offener Kamin. Ein mächtiger, mit weißen Lichtern geschmückter Weihnachtsbaum ragte zu der gewölbten Decke empor. In früheren Zeiten mußten hier Banketts zu Ehren fürstlicher Besucher und deren Gefolgschaft stattgefunden haben. Heute diente dieser Saal nur noch als Durchgangszimmer, das eine Anzahl Statuen beherbergte und auf dem Weg zu anderen, zweifellos ebenso feudalen Räumlichkeiten passiert werden mußte.

Marchbanks, der Butler, paßte perfekt hierher. Er hätte geradewegs aus einer der Wandnischen getreten sein können, in denen schmucklose Büsten und Statuen mit geistlich anmutenden Gewändern traurig die Köpfe hängen ließen.

Während Ruthven Marchbanks hinterhertrottete, setzte Seaingham seinen kleinen Trupp in Bewegung und führte ihn zu einer weiteren Tür – einer großen Doppelschiebetür, deren blankgewienertes Holz durch den Rauch von Kerzen und Kamin mit den Jahren tiefdunkel geworden war.

Eigentlich waren nicht allzu viele Leute versammelt; dennoch machte der Raum einen fast überfüllten Eindruck. Vielleicht lag es an der Art, wie die Gäste im Zimmer verteilt waren – gleich den Statuen in der Vorhalle schienen sie allein zum Zweck einer ausgewogenen Komposition auf ihren Sitz- und Stehplätzen postiert worden zu sein. Die Stimmung war hier allerdings eher alkoholisiert als vergeistigt. Der Martinikrug war offenbar schon einige Male herumgereicht worden, und auch die Whiskyflaschen und der Sodasiphon waren nicht unberührt geblieben.

Dieses Wohn- oder Empfangszimmer erinnerte nur noch vage an die Vorhalle. Auf einem Fries, der den Sims des prächtigen Kamins stützte, prangte das Wappen eines verblichenen Lords. Es gab hohe Fenster mit mehrfach unterteilten Scheiben und steinernen Fensterbänken. Doch abgesehen davon herrschte eine Atmosphäre behaglicher Eleganz: Samt und Brokat, pastellgrüne Wände, eine cremefarbene Decke mit Stuckgirlanden. Melrose liebte schöne Zimmerdecken: auf Ardry End gab es viele von Adam gestaltete Decken, deren Feinheiten Melrose besonders in jenen müßigen Stunden studierte, wenn Agatha zum Tee vorbeikam.

Aus einem entfernten Gebäudeflügel drangen die schrägen Klänge des schlechtesten Klavierspiels, das Melrose je gehört hatte.

Grace Seaingham, Charles' Frau, erwies sich als perfekte Gastgeberin: sie stellte Agatha und Vivian allen vor, ohne daß man etwas von ihrer diskreten Führung gemerkt hätte. Sie war eher zierlich und von einer kühlen Schönheit, die das weiße Seidenkleid und das platinblonde Haar noch unterstrichen. Als einzigen Schmuck trug sie einen Mosaikanhänger.

Alle hatten sich feingemacht, die Damen waren in Abendgarderobe, die Herren im Smoking erschienen. Melrose fiel ein, daß Ruthven bestimmt auf der Stelle tot umfallen würde, wenn er den Earl of Caverness im Tweedanzug zum Dinner Platz nehmen sähe. Aber als er die anderen Gäste betrachtete, bereute er fast, nicht in Reithosen und einem Pullover mit durchgewetzten Ellenbogen gekommen zu sein. Agatha würde tausend Tode sterben, weil sie ihr purpurnes Samtkleid und ihre Perlenkette nicht mitgenommen hatte. Die Perlenkette seiner Mutter, besser gesagt. Die Countess of Caverness hatte ihren Schmuck Agatha nicht vermacht. Aber das kümmerte Agatha nicht. Im Augenblick trug sie einen Opal, der zum Ardry-Plant-Familienschmuck gehörte.

Während sie den Anwesenden vorgestellt wurden, bemerkte Melrose, daß nicht alle ihre Abendgarderobe mit der gleichen lässigen Selbstverständlichkeit trugen wie Lady St. Leger, die eindeutig für das fürstliche Purpur wie geschaffen war, das Agatha so gern getragen hätte. Elizabeth St. Leger reichte Melrose die Hand, deren Finger ein wenig gichtig waren, was bei einer Frau ihres Alters nicht verwunderte. Sie trug eine lange Perlenkette, und ihr Kleid war tatsächlich aus Samt, aber grau und mit Rücksicht auf ihre untersetzte Figur sehr schlicht geschnitten. Es war allerdings von einer Schlichtheit, die eine Stenotypistin ein Jahresgehalt gekostet hätte.

Der Vergleich mit der Stenotypistin drängte sich Melrose beim Anblick der nächsten Dame auf, Lady Assington («Susan» flüsterte sie ihm ins Ohr, als sei ihr Vorname ein wohl-gehütetes Geheimnis). In Lady Assingtons teurem grünem Kleid im Stil der zwanziger Jahre steckte unverkennbar der Typ einer kleinen Büroangestellten mit hochfahrenden Plänen, was sie vor ihrer Ehe mit Sir George Assington zweifellos auch ge-wesen war. Ihr Mann war dreißig Jahre älter als sie, hatte einen Schnurrbart und sah aus wie ein Herrenreiter. Er war, wie Mel-rose erfuhr, ein angesehener Arzt. Es mußte ja auch einen Grund geben, warum Seaingham die Anwesenheit dieser Frau in Kauf nahm.

Zum Glück war das Zimmer gut beheizt, denn sonst wäre die Dame, die Melrose als Beatrice Sleight vorgestellt wurde, be-reits erfroren gewesen: Ihr schwarzes Kleid hatte hinten einen tiefen Ausschnitt, vorne ein spitz zulaufendes Dekolleté bis zur Taille und an den Seiten Schlitze wie drohende Pfeile. Sie hatte eine prächtige, schimmernde mahagonibraune Mähne, in der zahlreiche Lack- und Bernsteinkämmchen steckten. Eines der Kämmchen krönte ein goldener Drachen mit Rubinaugen und Saphirflügeln. Die Kämme verliehen ihrem Haar ein zerzaustes Aussehen, als käme sie soeben aus dem Bett. Wenn man sie sich so ansah, verbrachte sie auch sonst viel Zeit darin, dachte Mel-rose. Um den Hals trug sie ein Collier aus großen quadrati-schen Smaragden in emaillierten Fassungen; in dem gedämpften Licht wirkten die Steine fast schwarz. In krassem Gegensatz zu diesem Überfluß an Juwelen stand Mrs. Seainghams Anhänger: in das Mosaik eingelegt war das Symbol ☧ – das christliche Chi Rho. Beatrice Sleight war das krasse Gegenstück zu Vivian, die in ihrem einfachen Rock und dem Kaschmirpullover wie ein

Aschenputtel aussah und sich so unwohl fühlte, als sei sie soeben auf einem Kamel in den Saal geritten.

Beatrice Sleight bot Melrose mehr als nur ihre Hand zur Begrüßung. Sie rückte ihm so nah, daß nur noch ihr Cocktailglas ihre Körper voneinander trennte. Sie war Schriftstellerin, und ihre Spezialität war ein Genre, das sie selbst erfunden zu haben schien: Schlüsselromane, deren Hauptthema der britische Adel war. Zwei ihrer Bücher – *Ein Graf am Galgen* und *Ende eines Earls* – waren kometenhaft an die Spitze der Bestsellerlisten aufgestiegen. «Für das Privatleben des Adels interessiert sich doch jeder, stimmt's?» sagte sie.

«Wenn Sie meinen», entgegnete Melrose lächelnd, bevor Seaingham ihn von Beatrice befreite und ihm einen jungen Mann vorstellte. Es war William MacQuade, der Schriftsteller, den Vivian bewunderte. MacQuade hatte kürzlich mehrere Preise für einen Roman gewonnen, den selbst Charles Seaingham gelobt hatte. Und das wollte einiges heißen. Melrose mochte ihn, sowohl wegen seines schlechtsitzenden Smokings als auch wegen seiner offenkundigen Intelligenz: Nach zehnminütigem Geplauder hatte Melrose immer noch keine Platitüden à la «Scheußliches Wetter draußen» von ihm gehört oder genialische Angebereien ertragen müssen.

Der große schweigsame Bursche, der am Fenster gelehnt hatte, als sie hereingekommen waren, entpuppte sich als der Maler Parmenger. Er machte einen schlechtgelaunten Eindruck, und die Tatsache, daß Melrose und Agatha ihm vorgestellt wurden, schien ihn nicht aufzuheitern. Mit der einen Hand umklammerte er ein großes Whiskyglas, die andere ließ er in der Hosentasche stecken, während er die beiden Neuankömmlinge mit einem knappen «Hallo» begrüßte. Er schien nicht im mindesten daran interessiert, daß Melrose ein richtiger Lord und gar noch der Neffe dieser Dame war, die sofort das Wort ergriff, als Seaingham sie miteinander bekannt gemacht hatte und wieder gegangen war. Wie vernünftig von ihm, dachte Melrose.

«Mein Neffe, Lord Ardry» wiederholte Agatha.

«Melrose Plant», korrigierte ihr Neffe sie zum ixtenmal.

Frederick Parmenger sah von einem zum anderen, und ein amüsiertes Lächeln umspielte seine Mundwinkel. Sein Blick jedoch blieb kalt. «Sie scheinen sich ja schwer darauf verständigen zu können, wer dieser Mann ist.»

Da Melrose durchaus wußte, wer er war, kümmerte ihn die Geringschätzung im Ton des Mannes nicht im geringsten.

«Melrose erzählt den Leuten gerne, daß er seinen Titel aufgegeben hat», sagte Agatha in einem Tonfall, der nahelegte, daß Melrose log wie gedruckt. Sie nippte an ihrem Gin Bitter.

«Liebe Tante, ich glaube eher, daß *du* es bist, die den Leuten gerne erzählt, daß ich gerne herumerzähle ...»

Sie unterbrach ihn mit einer unwilligen Handbewegung wie einen ungezogenen Jungen. «Hör auf, in Rätseln zu sprechen, Plant.» Sie wechselte jäh das Thema und begann, über Malerei zu fachsimpeln. Parmenger, der soeben begonnen hatte, sich für den kleinen Familienzank zu interessieren, verfiel sogleich wieder in Lethargie und sehnte sich sichtlich nach einem neuen Whisky, während sie ihm lang und breit ihre Kunst-ist-was-mir-gefällt-Philosophie erläuterte.

Das Klaviergeklimper – stellten die Seainghams sich das etwa unter mittelalterlicher Hausmusik vor? – war verstummt, und Melrose wollte gerade Vivian aus Lady Assingtons Klauen befreien, als Charles Seaingham hinter ihm auftauchte und sagte: «Mein Lieber, hier ist jemand, den Sie kennenlernen müssen.»

Melrose drehte sich um.

«Lord Ardry. Der Marquis von Meares.» Seaingham kicherte und blinzelte Melrose zu. «Wir nennen ihn Tommy. Familienname Whittaker.»

Melrose starrte den Jungen an. Es war der Billardspieler aus dem «Jerusalem Inn».

Tommy Whittaker, Marquis von Meares, starrte zurück. Seinem Gesichtsausdruck nach zu urteilen, hatte auch er Melrose bemerkt, als dieser in das Hinterzimmer der Kneipe spaziert war. Tommy sah ein wenig bleich aus.

Melrose fragte sich, wie in aller Welt dieser Junge es geschafft hatte, noch vor dem Landrover in Spinney Abbey anzukommen, sich in einen Abendanzug zu werfen und ans Klavier zu setzen (von dem er sich nun zum Glück wieder erhoben hatte).

Tommy Whittaker räusperte sich: «Ich wünschte, die Leute würden mich nicht immer mit diesem Titel vorstellen.»

«Ihm geht's genauso», sagte Vivian, die sich hinzugesellt hatte.

«Ich bin zu jung, um schon Marquis zu sein.»

Vivian, die nach zwei Martinis zu schnippischen Bemerkungen aufgelegt war, entgegnete: «Und er hier ist zu alt, um noch Earl zu sein. Ihr habt also etwas gemeinsam. Aber dafür hast du dich in dieser Arbeiterkneipe doch recht gut amüsiert, nicht wahr, Melrose?»

«Ich wäre an deiner Stelle vorsichtig, Vivian. Schließlich warst du es, die unbedingt beim ‹Jerusalem Inn› anhalten wollte.» Er hielt inne, als er Tommy Whittaker erröten sah. Die Schamröte stand dem Marquis von Meares ausgezeichnet. Er war einer der schönsten jungen Männer, die Melrose je gesehen hatte. Die Mädchenherzen mußten ihm nur so zufliegen.

Vivian rauschte vom Alkohol beflügelt davon, und Tommy Whittaker räusperte sich ein weiteres Mal und bat inständig: «Sie werden doch nichts davon erzählen, daß Sie mich dort gesehen haben?»

«Eher würde ich mich erschießen lassen. Aber eins mußt du mir sagen: Wie zum Teufel hast du es bloß geschafft, *vor* uns hier zu sein? Wir haben's ja kaum mit dem Landrover geschafft.»

Tommy Whittaker warf ihm ein strahlendes Lächeln zu, aber bevor er antworten konnte, erschien Lady St. Leger an seiner Seite, gestützt auf einen Gehstock mit Silberknauf. «Wie ich sehe, haben Sie meinen Neffen bereits kennengelernt», sagte sie zu Melrose, indes ihr Blick liebevoll auf Tommy Whittaker ruhte. «Du kommst ein wenig spät, mein Lieber. Ich weiß ja, du mußt üben …» Dann wandte sie sich an Melrose und erklärte ihm, wie musikalisch ihr Neffe sei.

In diesem Moment öffnete Marchbanks die Schiebetür und verkündete, das Dinner sei serviert. Er schien ein wenig ungehalten, denn erstens hatte das Dinner sich erheblich verzögert, und zweitens hatte er auch noch den Butler des Butlers spielen und sich um Ruthven kümmern müssen.

DAS SPEISEZIMMER WAR MIT EICHENHOLZ VERTÄFELT, seine Sprossenfenster hatten blaßrote und amethystfarbene Scheiben. Im Zusammenspiel zwischen dem Licht der vielen Kerzen und den dunklen Tönen des Raums schien es, als läge eine feine Patina aus poliertem Kupfer auf dem gedeckten Tisch.

Susan Assingtons Stimme wirkte wie ein Kratzer auf dieser schönen Oberfläche. «Ich finde», sagte Lady Assington plötzlich, als sie beim Dessert waren, «jetzt müßte ein Mord geschehen.»

Ihr Blick wanderte über die Dinnertafel, auf der glänzendes Porzellan und funkelndes Kristall standen.

«Ich meine», erklärte sie und klopfte mit einem silbrig schimmernden Fingernagel an ihr Weinglas, «es *paßt* einfach alles zu gut.»

Da niemand sonst antwortete, fragte Melrose, der ihr gegenüber saß, höflich: «Warum denn das?»

«Na ja, wir sitzen hier im kleinen Kreis und sind eingeschneit! Da könnten einem doch leicht die Nerven übergehen ...»

Übergehen? dachte Melrose. Stilsicherheit war offenbar nicht Lady Assingtons Stärke. Das galt auch für ihr Aussehen. Ihr dunkles Haar war zu einem Bubikopf im Stil der zwanziger Jahre geschnitten. Das Kleid hing ihr seltsam schief am Körper, als habe die Schneiderin bei der Arbeit plötzlich durchgedreht und unter Mißachtung aller menschlichen Proportionen mit

Schere und Nadel drauflosgewütet. All das fiel Melrose auf, während sie fortfuhr, von Mord und Totschlag zu plappern, und dabei mit ihrem Löffel herumfuchtelte.

«...wir sind genau zwölf, oder? Da drängt sich einem ein Mord doch geradezu auf! Das ist genau wie in diesem Buch, wo die Leute auf einer Insel stranden und sich dann gegenseitig umbringen...»

«Ach, ich erinnere mich. Die waren zwar nur zu zehnt, aber wir finden schon noch eine Leiche im Kaminschacht oder draußen im Treibhaus. Ringsherum natürlich keinerlei Fußspuren im Schnee...»

MacQuade lachte und deutete hinter sich auf das Fenster. «Dabei muß ich an die verschneiten Moore da draußen denken – dunkle Fußspuren auf einer weiten verschneiten Ebene... ich liebe solche Symbole.»

«Ich fürchte, ein Mord wäre kaum Ihrem Sinn fürs Ästhetische gemäß, Mr. MacQuade», griente Melrose. «Wie sollten denn diese hübschen dunklen Fußstapfen mitten ins Moor gekommen sein...»

Lady Assington erschauerte. «Wollen Sie nicht mal das Thema wechseln?» Offenbar hatte sie bereits vergessen, daß sie es erst aufgebracht hatte. «Offen gesagt, ich lese eigentlich keine Krimis, Lord Ardry.» Nachdem sie so ihren literarischen Hochgeschmack ins rechte Licht gerückt hatte, sah sie beifallheischend in die Runde.

«Ich schon», fiel ihr MacQuade in den Rücken. Er schwenkte den Wein in seinem Glas. «Ich hab sogar mal versucht, einen zu schreiben, aber es wurde nichts draus. Mir fehlt einfach die mörderische Ader. Und dann all die losen Enden, die man am Schluß verknüpfen muß...»

Melrose dachte an seine Freundin Polly Praed, die Krimiautorin. «Manche Kriminalromane sind einfach wirklich gut. Übrigens müssen Sie mich nicht mit ‹Lord Ardry› anreden, Lady Assington. Ein schlichtes ‹Plant› genügt.»

Doch damit war er an die Falsche geraten, wie er feststellen mußte, als er ihre Gazellenaugen verständnislos auf sich gerichtet sah. Wenn Susan Assington etwas liebte, dann waren das Adelstitel – sie hatte ja auch lange genug gebraucht, um selbst einen zu ergattern. Susan (geborene Breedlove, wie Melrose von Beatrice Sleight erfahren hatte) war Verkäuferin in einer Boutique gewesen, bis eines Tages das große Geld hereinspaziert war. Lady Assington wäre eher gestorben, als auf ihren Titel zu verzichten.

«Aber wenn Sie der Earl of Caverness sind – nun, dann ist die Anrede doch eindeutig ‹Lord›.» Ein Buch hatte sie mit Sicherheit Zeile für Zeile gelesen – den *Debrett's*. «Ich verstehe nicht ganz...» sagte sie.

«Wer tut das schon?» bellte Agatha von ihrem Tischende herüber. «Können Sie sich vorstellen, daß jemand darauf verzichtet, ein Earl zu sein? Aber Melrose war ja schon immer ein komischer Vogel.» Seufzend ließ sie sich von Marchbanks eine zweite Portion Grand Marnier-Soufflé auftun und machte Ruthven Zeichen, ihr Wein nachzuschenken. Plants Butler hatte die gnädige Erlaubnis erhalten, Marchbanks zu sekundieren – sehr zur Freude Agathas, die ihn als ihr persönliches Eigentum betrachtete.

Melrose fragte sich, ob nun sein Passierschein, der ihm Zugang zu diesem illustren Kreis verschafft hatte, ungültig geworden war, denn alle wandten sich ihm zu und verlangten nach einer Erklärung für sein seltsames Verhalten. Nur MacQuade lächelte versonnen, und Vivian studierte betont eifrig die Zimmerdecke. Bea Sleight indessen beugte sich ihm so weit über den Tisch entgegen, daß ihr kammgespicktes Haar der Kerzenflamme gefährlich nahe kam. Die Rubinaugen des Drachen glitzerten.

«Da gibt es nicht viel zu erklären», sagte Melrose. «Ich wollte den Titel nicht mehr. Und das Getue», fügte er hinzu.

Tommy Whittaker mischte sich zum erstenmal ein. «Sie meinen, man kann einfach damit – *aufhören*?» Es klang, als sei Melrose alkohol- oder drogenabhängig gewesen.

«Natürlich. 1963 wurde ein Gesetz verabschiedet, das es erlaubt, einen Titel abzulegen. Es sei denn, man ist Ire. Dann muß man sein Kreuz auf Lebenszeit mit sich herumschleppen.»

Beatrice Sleight beugte sich noch weiter vor, wohl um ihr Dekolleté besser zur Geltung zu bringen. «Warum haben Sie es nun wirklich getan?» fragte sie in einem Ton, der unterstellte, daß Lord Ardry mit den wahren, verabscheuungswürdigen Gründen für die Aufgabe seines Titels noch hinter dem Berg hielt. Ihre Stimme triefte vor Sarkasmus, als sie ihrem Groll gegen die gesamte Adelskaste die Zügel schießen ließ: «Waren Sie neidisch auf all die Privilegien, die uns gemeinen Sterblichen vorbehalten sind? Ich meine, wollten Sie *wählen* oder so was?»

«Wählen? Ja wen denn bloß?»

Parmenger lachte laut auf, und Vivian senkte den Kopf und schmunzelte in ihre Dessertschale.

Aber so leicht ließ Bea Sleight Melrose nicht davonkommen. In einem ihrer Bücher gab es auch einen Earl, der seinen Titel loswerden wollte. «Ihr macht alle den gleichen Fehler», sagte sie und schnippte Zigarettenasche auf den Adventskranz in der Mitte des Tisches. «Ihr geht augenzwinkernd über die Dekadenz des Adels hinweg.» Ihr Blick glitt von Melrose hinüber zu Tom Whittaker, Lady St. Leger und Sir George und heftete sich dann auf eine empörte Susan Assington.

«Der Adel ist sicherlich auch nicht dekadenter als der Rest der Welt», sagte Charles Seaingham begütigend vom anderen Tischende, wo er neben Agatha saß. (Der Mann mußte Nerven wie Drahtseile haben.) Es ging das Gerücht, daß er demnächst geadelt werden sollte; ein Ritterschlag hätte allerdings nur ihn selbst getroffen – nicht auch noch seine arme Nachkommenschaft.

«Nein? Dann schauen Sie sich mal Leute wie Lucan und Joslyn Erroll an.»

Lady St. Leger sagte kühl: «Die sind wohl kaum repräsentativ für den Adel. Schwarze Schafe finden sich überall.»

«Schwarze Schafe? Sie würden die beiden als schwarze *Schafe* bezeichnen? Ihr haltet alle zusammen, was? Da sagt keiner was, wenn einer von euch Kindermädchen ermordet oder nach Belieben auf seinen Mitmenschen herumtrampelt und...»

«Ich glaube, wir können auf diese Aufzählung von Entgleisungen des Adels verzichten.»

«Ich würde Errolls Verhalten kaum als bloße Entgleisung bezeichnen. Immerhin hat er...»

Melrose versuchte, die Gemüter zu beruhigen, indem er ein oder zwei Geschichten über Adlige zum besten gab, die für ihre Verrücktheit ein weniger blutrünstiges Ventil gefunden hatten – weniger blutrünstig jedenfalls als die mörderischen Umtriebe eines Lord Lucan. «Ich mag den alten Poachy ganz gerne – Lord Ribbenpoach ist sein Hoftitel; er ist Erbe eines Herzogtums oder so etwas. Der Gute ist ein bißchen verschroben. Er marschiert durch seine eigenen Wälder und spielt dort den Wilderer. So heißt es jedenfalls.»

Charles Seaingham griff den Faden auf und erzählte von den Problemen, die er auf seinem eigenen Land mit Wilderern gehabt hatte, wohl ebenfalls in der Hoffnung, das Gespräch auf unverfänglicheres Terrain zu lenken.

«Die meisten von euch sind doch nicht ganz dicht...» begann Bea Sleight. Gemurmel vom anderen Tischende signalisierte, daß Agatha hierin ganz ihrer Meinung war. «Kein Wunder bei der jahrhundertelangen Inzucht.»

«Ich bitte Sie», sagte Melrose lachend. «Der Inzucht verdanken wir doch höchstens, daß wir alle ähnliche Nasen und vorstehende Zähne haben.» Sie waren inzwischen bei Käse und Portwein angelangt (Grace Seaingham hatte mit der ehrwürdigen Tradition gebrochen, daß die Damen sich bei diesem letzten Akt des Dinners zurückzogen), und MacQuade, dem die ganze Unterhaltung großen Spaß zu machen schien, reichte Melrose die Flasche, während dieser fortfuhr: «Schade, daß ich *decessit sine prole* sterben werden.»

Seine Tante hörte entsetzt auf zu kauen und sagte mit vollem Mund: «Wenn du noch kein Testament aufgesetzt hast, dann solltest du das augenblicklich nachholen, Melrose!»

Beatrice Sleight lachte. «Er meint kinderlos.»

«Ich finde, Mr. Plants Titel ist allein seine Angelegenheit», sagte Grace Seaingham. Sie schob ihre unberührte Dessertschale beiseite.

Melrose lächelte ihr dankbar zu und sagte zu Beatrice: «Es scheint eine Ihrer Leidenschaften zu sein, dem Adel gehörig auf die Finger zu klopfen. Da kann man von Glück sagen, daß ich nicht mehr dazugehöre.»

«*Sie* persönlich nehme ich von meinem Urteil aus. Sie faszinieren mich.»

Melrose hoffte inständig, daß dem nicht so war.

«Ich habe Ihren Namen im *Burke's* nachgeschlagen.»

«So schnell? Ich bin doch eben erst angekommen.»

Bea Sleight lächelte. «Charles hat uns erzählt, daß Sie kommen würden. Sie stehen überall, im *Burke's*, im *Debrett's* und im *Landed Gentry*.»

«Im *Almanach de Gotha* haben Sie nicht nachgesehen?»

«Das hätte ich gern. Aber der ist auf Französisch.»

«Wie schade.»

Da das Gespräch sich nun schon einmal um Agathas Lieblingsthema drehte, ergriff sie nur zu gerne die Gelegenheit, mit düsterer Grabesstimme all die schönen verlorenen Titel aufzuzählen, als handelte es sich um die Namen einer Schar ertrunkener Kinder: Baron Mountardry of Swaledale... aus dem 16. Jahrhundert... Viscount of Nitherwold, Ross and Cromarty... Clive D'ardry De Knopf, vierter Viscount...

So leierte sie ihren Text herunter. Melrose hatte das Gefühl, dem Ansager beim Rennen in Ascot zuzuhören, während die Pferde ihren Platz in den Startboxen einnahmen: *Das Feld ist ab! Viscount of Nitherwold setzt sich an die Spitze*... Melrose gähnte. Inzwischen kreiste das Gespräch um das historisch-politische Thema der Rosenkriege. Er betrachtete den aus rosa und weißen Christrosen geflochtenen Adventskranz. Im ganzen Haus waren Christrosen verteilt.

Während am Tisch der Kampf zwischen den Häusern Lancaster und York tobte (Parmenger war in der richtigen Laune, einen – wenn auch längst beendeten – Strauß auszufechten, und favorisierte auf seine wunderbar verquere Art Richard III.), unterhielt Melrose sich mit Lady St. Leger über Gärtnerei und Rosenzucht, um sie vom Nachdenken über Beatrice Sleights taktlose Bemerkungen abzuhalten.

«Susan hat die Blumen mitgebracht», sagte sie mit einem Blick auf den Kranz. «Lieb von ihr. Man sieht es ihr vielleicht nicht an, aber sie ist eine ausgezeichnete Gärtnerin.» Ihre Stimme klang angespannt. «Wir haben selber ausgedehnte Gärten in Meares. Früher habe ich dort so gerne selbst mit Hand angelegt. Aber jetzt –» Sie zuckte die Achseln. «Mögen Sie geometrische Gartenanlagen? Mir sind sie ein Greuel.»

«Nein, aber ich kann meinen Gärtner einfach nicht davon abhalten, die Hecken in alle möglichen Formen zu zwingen.»

«Wie schrecklich. Ich hasse beschnittene Hecken und Büsche. Wie kann man den Pflanzen nur so etwas antun!»

«Ich wette, daß Tante Betsy mehr über Parks und Lustgärten weiß, als Miss Sleight jemals über Adlige erfahren wird», warf Tommy Whittaker mit einem ironischen Seitenblick auf Bea Sleight ein.

Seine Tante lächelte ihn verschwörerisch an. Doch Beatrice war die Bemerkung nicht entgangen. «Da wäre ich mir nicht so sicher, Schätzchen», sagte sie spitz. Ihre Augen funkelten boshaft im Kerzenlicht. Melrose fand allmählich, daß Susan Assington recht hatte: ein Mord wäre vielleicht doch keine so schlechte Idee.

Zuerst das Klavier, und jetzt auch noch die Oboe. Die meisten, die sich schließlich mit ihren Drinks und Zigarren in den Salon geflüchtet hatten, waren diesem musikalischen Genuß nicht gewachsen gewesen; außer Lady St. Leger hatte nur Grace Seaingham Tommys Darbietung gelauscht – ein sicherer Beweis für ihre Engelsgeduld.

Fasziniert von ihrer bleichen, madonnenhaften Schönheit nahm Melrose seinen Brandy und setzte sich neben sie. «Danke, daß Sie mir vorhin beigesprungen sind», sagte er.

«Ich bin sicher, Sie wären auch allein mit ihr fertig geworden.» Grace Seaingham warf einen Blick auf Beatrice Sleight, die ihr Möglichstes tat, Parmenger auf sich aufmerksam zu machen. «Wir kennen Bea seit Jahren. Sie kann ziemlich unausstehlich sein.» Sie sagte es in einem so mitfühlenden Ton, daß man hätte meinen können, noch der abscheulichste Charakter sei liebenswert, wenn man es nur versuchte. «Kennen Sie eigentlich Freddie Parmenger? Ich meine, haben Sie seine Arbeiten gesehen?»

«Ich habe von ihm gehört. Er stellt doch zur Zeit in London aus, in der Akademie, nicht wahr? Ich muß gestehen, daß mir jeglicher Zugang zur modernen Kunst fehlt.»

«*Das* würde Freddie bestimmt nicht gerne hören.» Sie lachte glockenhell. «Er hält sich auch nicht für modern; er hält sich für unsterblich.»

«Ist er so arrogant?»

«Arroganz hat doch nichts mit Kunst zu tun, oder? Ich meine bei Künstlern von Freddies oder Bill MacQuades Kaliber. Obwohl man *ihm* kaum vorwerfen könnte, er sei arrogant.» Sie deutete mit dem Kopf auf MacQuade, der ihr zulächelte. Dann schweifte ihr Blick hinüber zu Parmenger, der lesend auf einem Stuhl saß. «Schauen Sie, wie er dasitzt: ein Bollwerk gegen jede Geselligkeit.»

Da es Bea Sleight war, deren Gesellschaft Parmenger entfliehen wollte, konnte Melrose leicht über seine schlechten Manieren hinwegsehen. Ihr geheucheltes Interesse an seinem Buch war schnell verflogen, und sie gesellte sich zu Charles Seaingham.

Ihr Blick und die Vertraulichkeit, mit der sie ihren Arm unter seinen schob, ließen deutlich erkennen, warum sie überhaupt eingeladen worden war. Melrose bemerkte auch, daß Grace die beiden mit einem Blick bedachte, in dem kein Zorn, sondern bloß tiefe Trauer lag.

Er konnte diesen Ausdruck in ihren Augen nicht ertragen und kam hastig auf ihre Bemerkung über die Kunst zurück. «Arroganz hat nichts damit zu tun? Da mögen Sie recht haben. Sie räumen mithin ein, daß für Künstler andere moralische Maßstäbe gelten als für normale Sterbliche?» Sogleich bereute er seinen Fauxpas.

Sie lächelte ihn an: «Ich glaube, es ist völlig bedeutungslos, was ich ‹einräume› oder nicht ‹einräume›. Vermutlich würde auch meine Moral keiner näheren Untersuchung standhalten.» Sie stellte ihren Sambuca ab und erhob sich. «Würden Sie mich jetzt bitte entschuldigen, Mr. Plant. Ich möchte gerne mein Cape holen und zur Kapelle gehen.»

«Ihr Cape? Heißt das, Sie wollen jetzt noch nach draußen gehen? Gibt es hier keine Hauskapelle –?»

Seine Besorgnis amüsierte sie. «Ich gehe in die Marienkapelle. Keine Angst; sie liegt direkt gegenüber dem Ostflügel, und der Weg ist überdacht. Der Flügel steht mehr oder weniger leer, bis auf das kleine Arbeitszimmer meines Mannes und die Waffenkammer. Und an seinem hinteren Ende habe ich ein Sonnenstudio einrichten lassen. Morgen werde ich Ihnen das alles zeigen.»

Sie ging hinaus, und während er ihr nachsah, stellte er fest, daß er seltsam verwirrt war. Er fragte sich tatsächlich, wie es wäre, mit ihr verheiratet zu sein. Würde dieses Übermaß an Tugend – deren Echtheit Melrose nicht bezweifelte – einen Jahr um Jahr umspülen wie das Meer die Küste, bis die Umrisse der eigenen Persönlichkeit ausgewaschen und ausgehöhlt waren?

«Ich weiß, was Sie denken, Mr. Plant, aber ich habe wirklich keine tauben Ohren.» Lady St. Leger warf ihm einen schelmischen Blick zu.

«Der Marquis braucht wahrscheinlich nur ein wenig Übung», sagte Melrose, ohne eine Miene zu verziehen.

«Nur ein wenig? Verzeihen Sie, wenn ich vermute, daß Sie das aus reiner Höflichkeit sagen. Wären wir befreundet, würde Ihr Urteil gewiß offener ausfallen.» In ihrem Schoß lag ein Stickrahmen. Sie arbeitete an einem komplizierten Muster. «Alle denken, ich hätte Tom zum Musikunterricht gezwungen. In Wirklichkeit besteht Tom darauf, nicht ich. Ich weiß nicht, was er sich da in den Kopf gesetzt hat. Aber solange es ihm Spaß macht, spiele ich da gern mit. Bitte verzeihen Sie mir den Kalauer.»

«Sowohl den Kalauer als auch das Klavier, Lady St. Leger.»

Den Blick auf ihre Stickarbeit gerichtet, sagte sie: «Aber die Oboe wohl nicht.»

«Äh, nein, ich fürchte, das wird mir schwerfallen – aber Ihr Neffe wird sicherlich noch ein Gebiet finden, auf dem er sein Talent beweisen kann.»

«Das hoffe ich sehr. In der Schule zeigt er leider wenig Neigung zum Lernen – aber die Geschichte des Altertums interessiert ihn aus irgendeinem Grund. Der Direktor von St. Jude's ...»

«St. Jude's Grange? Er geht doch hoffentlich nicht auf *diese* Schule?» Melrose war schlichtweg entsetzt.

«Doch, wieso?» Sie sah ihn mit leuchtenden Augen an. «Sie kennen sie also?»

Er kannte St. Jude's in der Tat, obgleich er eher zugegeben hätte, Verbindung zu einem Satansorden zu haben. Nicht, daß in dieser Zuchtanstalt geistigen Mittelmaßes die Jungen (und inzwischen wohl auch Mädchen) verprügelt oder schlecht ernährt worden wären, es sei denn in intellektueller Hinsicht. Aber St. Jude's war einer der größten Anachronismen auf den britischen Inseln. Wer heute dort Schüler war, folgte einer Tradition, die auf den Ur-Ur-Ur-Urgroßvater zurückging – es war wie ein Familienfluch. Die Schule hatte hohe Mauern und Glockentürme, und Melrose hätte sich während seines kurzen Aufenthalts dort nicht gewundert, auch einen Burggraben vorzufinden. Es gab keine Wärter, keine Zuchtmeister und keine guten Lehrer, die diese Bezeichnung verdient hätten. Er war einmal dorthin eingeladen worden, um einen Vortrag über die französischen Romantiker zu halten, und die Handvoll bebrillter sommersprossiger Jungen, die erschienen war, um ihn in seiner schwarzen Robe reden zu hören, hatte sich auf den hinteren Bänken prächtig mit ihren Gummizwillen amüsiert. Das eigentlich Unglaubliche aber war, wie St. Jude's es fertigbrachte, im Ruf einer ausgezeichneten Lehranstalt zu stehen, während doch jeder wußte, daß die Absolventen allenfalls klug genug waren, um das Geld in ihren Brieftaschen zu zählen. Das einzige, womit St. Jude's sich brüsten konnte, waren ein erstklassiges Cricket-Team und ein Haufen spendierfreudiger Ehemaliger, die ihre Cricketbegeisterung noch nicht abgelegt hatten. Melrose hatte einmal tief durchgeatmet, als er der muffigen Atmosphäre der Schule mit ihren Zinnen, dem Efeu und den schwarzen Roben endlich entronnen war. Er hätte sich lieber von Poe einmauern lassen, als dort ein Trimester zu verbringen.

«Sie halten mich bestimmt für sehr altmodisch, Mr. Plant», sagte Lady St. Leger.

«Ich bin selber ziemlich altmodisch», sagte Melrose und stellte den italienischen Likör weg, den Grace Seaingham ihm empfohlen hatte. Sie behauptete, er wirke wahre Wunder nach dem Essen, vor allem dank der Kaffeebohnen, die an seiner Oberfläche schwammen. *Sambuca con mosca* nannte sie das Getränk.

Agatha, die immer auf der Höhe der Zeit sein wollte, was Essen und Trinken betraf, war von diesem Sambuca recht angetan gewesen und hatte gefragt, was *con mosca* bedeutete.

«‹Mit Fliegen›», hatte Grace mit todernstem Gesicht gesagt, worauf Tante Agatha angeekelt ihr Glas beiseite gestellt hatte.

Melrose mochte klebrige Liköre nicht und rauchte eine Zigarre, um den Geschmack loszuwerden. Alle hier schienen ihren Lieblingslikör zu haben: Beatrice Sleight sprach dem mit der grausigsten Farbe zu – einem preiselbeerroten Zeug; Grace Seaingham trank ihren kristallklaren Sambuca, und Agatha blieb letztlich doch lieber bei Crème de violette.

Lady St. Leger bevorzugte vernünftigerweise teuren Courvoisier. Sie hielt die ihr von Melrose angebotene Zigarette vorsichtig zwischen Daumen und Zeigefinger wie jemand, der selten raucht. «Vielleicht nehme ich das alles auch zu genau, weil Tom nicht mein eigener Sohn ist. Sein Vater, der zehnte Marquis, und seine Mutter starben, als er zehn war, und da ich ihre engste Freundin war... Besser gesagt, *wir* waren ihre engsten Freunde, aber Rudolph lebt nicht mehr.» Ihre Augen verschleierten sich. Sie waren von einem irisierenden Perlgrau wie das kristallene Cognacglas in ihrer Hand.

«Sie starben beide zur gleichen Zeit?»

«Ja, an Malaria. Es war in Kenia. Die beiden reisten viel.»

Insgeheim dachte Melrose, daß er schon sehr großes Fernweh würde haben müssen, bevor es ihn nach Kenia triebe. Er dachte sehnsüchtig an Ardry End und starrte Vivian an, die sich mit Charles Seaingham unterhielt. Sie blinzelte und winkte ihm zu, schien aber kaum zu bemerken, daß er ihre Zeichen nicht erwiderte.

«...Safari.»

Melrose erwachte aus seinen Träumen. «Verzeihung... Toms Eltern waren auf einer Safari?» Er rutschte tiefer in seinen Sessel.

«Ja. Sie starben auf einer Safari.»

«Und er war erst zehn? Das muß eine traumatische Erfahrung für ihn gewesen sein.» Melrose begann heftige Abneigung gegen Toms Eltern zu empfinden.

«Es war schlimm für Tom. Besonders der Tod seines Vaters, glaube ich. Jedenfalls haben sie uns den Jungen hinterlassen.»

Es klang, als sei der junge Marquis von Meares ein testamentarisch vermachtes Erbstück. Melrose war nahe daran, für Beatrice Sleights Ansichten über den Adel Verständnis aufzubringen.

«Ich fand sie manchmal ein wenig ... leichtfertig», gestand Lady St. Leger leise.

Gelinde gesagt, dachte Melrose.

«Deswegen neige ich vielleicht dazu, in der Erziehung ein bißchen zu übertreiben und eher zu streng mit dem Jungen zu sein.

Ich habe Tom sehr lieb; er ist ein guter Junge. Aber er hat eben auch einen Namen, dem er verpflichtet ist, und aus dieser Pflicht kann er sich nicht so einfach davonstehlen – oh, entschuldigen Sie bitte vielmals. Ich wollte Sie nicht verletzen.»

Schon war sie wieder die feine Lady. Melrose akzeptierte ihre Entschuldigung, aber mit innerlicher Belustigung.

Sie kam schnell auf ihre Pläne für ihren Neffen zurück, die ein Studium im Christ Church College in Oxford und eine Karriere als Arzt oder Jurist vorsahen. Und falls Tom partout den Bohemien spielen wollte – hier warf sie einen abfälligen Blick zu Parmenger und MacQuade hinüber, die auf Melrose keineswegs den Eindruck von Bohemiens machten –, dann sollte er sich in Gottes Namen eine Zeitlang als Musiker oder Schriftsteller versuchen.

Armer Tommy Whittaker. Sein Leben schien bereits verbrieft und versiegelt und auf Bahnen gebracht, die schnurstracks in die Bürohochhäuser in der Londoner City führten und allenfalls einen kurzen Abstecher in den Bordellbezirk gestatteten.

«Sie halten mich bestimmt für zu streng?»

Melrose war ein wenig erstaunt, wie wichtig es ihr war, daß er ihre Erziehungsmaßnahmen billigte.

«Darüber kann ich mir kein Urteil erlauben. Aber ich neige zu der Ansicht, daß jeder sein Leben so leben sollte, wie es ihm gefällt. Man lebt schließlich nur einmal.»

«Aber genau das haben Toms Eltern ja getan. Allerdings habe ich wohl nicht das Recht, sie dafür zu kritisieren: Rudy – mein Mann – und ich sind früher selbst oft nach Kenia auf Safari gefahren. Inzwischen finde ich dergleichen ziemlich albern. Von Gefahr und Abenteuer kann keine Rede sein. Du lieber Himmel, man zieht sich bei diesen Spritztouren in die Savanne ja sogar zum Dinner um. Und ich bin heute auch der Meinung, daß die Jagd zu unserem Vergnügen unmenschlich ist. Ich brauche nur an unsere Fuchsjagden zu denken... brrr...» Sie schüttelte sich.

Melrose hatte keine große Lust, über die Jagd zu reden, zumal er Tante Agatha auf sie zupirschen sah.

«Ich habe selbst einmal eine Antilope geschossen. Scheußliches Gefühl.» War es purer Zufall, daß er, sobald Agatha auftauchte, ans Schießen dachte? «Ihr Neffe macht im übrigen keineswegs einen leichtfertigen Eindruck auf mich.» Tommy Whittaker stand andächtig vor dem Feuer. «Im Gegenteil, er scheint mir viel zu ernst für sein Alter.»

Sie schüttelte den Kopf. «Sie irren sich, Mr. Plant. Er schlägt seinen Eltern nach. Abgesehen von seiner Musik – immerhin nimmt er die wenigstens ernst ...»

Gott sei's geklagt, dachte Melrose.

«Er ist ziemlich leichtfertig.»

Melrose neigte zweifelnd den Kopf. Vielleicht irrte er sich wirklich. Aber eigentlich glaubte er das nicht. «Und wie äußert sich das?»

Sie bürstete ein wenig Zigarettenasche von ihrem Samtkleid. «Er spielt Pool.»

«Du liebe Güte!» sagte er. Aber dann kam Agatha, und er stand schnell auf. Agatha ließ sich auf den freigewordenen Platz fallen, als habe sie vor, die nächsten Jahre dort sitzen zu bleiben.

«Na so was, Betsy! Wie ich sehe, stickst du auch!»

Auch? wunderte sich Melrose, der in ihrer linken Hand noch nie etwas anderes gesehen hatte als eine Tasse Tee oder ein Törtchen.

«Ihr Buch hat mir gefallen», sagte Melrose zu William McQuade.

«Mein Buch?» Der junge Mann schien irritiert.

Melrose lächelte nachsichtig. «Sie erinnern sich doch bestimmt daran. Das, für das Sie den Booker-Preis bekommen haben.»

McQuade errötete. Er war mit den Gedanken offenbar ganz woanders gewesen, und nach der Richtung seines Blicks zu schließen, hatten sie bei Grace Seaingham geweilt, als Melrose zu ihm getreten war. «Entschuldigung. Ich wollte nicht den Bescheidenen spielen.»

Den mußte er nach Melroses Einschätzung auch gar nicht erst spielen: er war offenbar die Bescheidenheit in Person. Aber vielleicht erkannte man gerade daran wahres Talent. Wenn diese Theorie stimmte, mußte es der Autorin von *Ende eines Earls* notgedrungen fehlen. «Charles Seaingham hat das Buch in den höchsten Tönen gelobt. Und in der Regel tut er eher das Gegenteil. Bitte verstehen Sie mich richtig; das soll nicht heißen, daß ich Seaingham für einen Mäkler und Beckmesser halte. Er ist bloß aufrichtig. Was zur Zeit an junger Literatur erscheint, reißt einen ja nicht gerade zu Begeisterungsstürmen hin. Aber es ist doch ziemlich schwer, Seainghams Ansprüchen zu genügen. Ich glaube, seit *Krieg und Frieden* hat ihm kaum mehr etwas gefallen.» Melrose redete einfach drauflos, um MacQuade über seine Verlegenheit hinwegzuhelfen. Es mußte scheußlich sein, die Frau des Mannes zu lieben, der einen so förderte.

MacQuade grinste. «So alt ist er nun auch wieder nicht!»

«Das habe ich auch nicht damit sagen wollen.» Charles Seaingham ging zwar schon auf die Siebzig zu, aber seine asketische Lebensführung schien ihn verdammt gut in Form zu halten. Anders seine Frau, die den durchsichtigen Teint einer chronisch Kranken hatte und recht abgemagert aussah. Melrose meinte, sie erinnere ihn ein wenig an die Hauptfigur in Wilkie Collins Roman *Die Frau in Weiß*.

«Ja, das stimmt», sagte MacQuade und wurde wieder rot, als befürchtete er, der andere könnte seine Gedanken lesen. «Sie dürfte bei dieser Kälte nicht nach draußen gehen. Das müßte er verhindern.»

Melrose versuchte, ihn zu besänftigen: «Nun, wenn jemand religiös ist und Weihnachten vor der Tür steht...» Ihn persönlich allerdings hätten zu dieser Stunde keine zehn Pferde dazu gebracht, selbst die wenigen Schritte zur Kapelle zu eilen – nicht einmal, wenn er einen hermelingefütterten Mantel gehabt hätte. «Kennen Sie sie denn schon lange?»

«Ich... nein, das nicht. Aber ich glaube, ich kenne sie besser als ihr eigener Mann.»

MELROSE HATTE SICH zu den Bücherregalen zurückgezogen, blätterte in einem Band mit französischer Lyrik und beobachtete Frederick Parmenger und Beatrice Sleight. Bea hatte Vivian rücksichtslos verdrängt, sobald diese es geschafft hatte, Parmenger von seinem Buch abzulenken. Vivian rauschte nun an Melrose vorbei – offenkundig auf der Suche nach jemandem, der sie mehr interessierte als er.

«Die kann blaues Blut zur Wallung bringen, was, mein Süßer?» sagte sie im Vorbeigehen.

Es war schon imposant, wie Parmenger Beatrice abblitzen ließ. Nachdem sie Vivian, an der er interessierter gewesen zu sein schien, erfolgreich aus dem Feld geschlagen hatte, drapierte sie ihren Leib über seinen Sessel und wucherte mit ihren Pfunden. Doch Parmenger machte sich nicht einmal die Mühe, von seinem Buch aufzublicken. Ein ruppiger Hund, dachte Melrose, aber irgendwie liebenswert …

«Falls Sie sich wundern, warum er sich mit uns abgibt – er porträtiert mich gerade», unterbrach ihn eine Stimme. Grace Seaingham war von ihrer Andacht zurückgekehrt. Sie gehörte offenbar zu den Leuten, in deren Gegenwart es gefährlich war zu denken. «Ich kann mir niemanden vorstellen, der im Zusammenhang mit Ihnen von ‹sich abgeben› sprechen würde, Mrs. Seaingham.»

«Ich bitte Sie, Mr. Plant. Sie sind doch kein Schmeichler.»

«Ich weiß. Deswegen habe ich es auch so vorsichtig formuliert.»

Sie errötete ein wenig. Auf ihrem blassen Gesicht wirkte der plötzliche Anflug von Rot beinahe unnatürlich, so als habe ihr nicht das Blut die Wangen gefärbt, sondern die Christrose, die sie – einer plötzlichen Eingebung folgend – aus dem Adventskranz gepflückt und sich an den Ausschnitt gesteckt hatte – eine Art Dank an Susan Assington für die Blumen und gewiß eine für Grace typische Geste, voller Liebreiz und Anmut. Melrose fand es schwer, bei ihrem Anblick nicht in solch ätherischen Begriffen zu denken. Andererseits aber hatte sie ihn mit der

Rose in der Hand sehr an die Feen auf den Bildern des Malers Rackham erinnert, zarte, fast durchsichtige Elfenwesen, die mit zerbrechlichen Flügeln über einem Märchengarten schwebten. «Dieses Porträt würde ich gern einmal sehen. Ist es denn schon fertig?»

«Ja. Es war Charles' Idee», fügte sie achselzuckend hinzu, als wollte sie damit ausdrücken, daß ihr selbst solch eitle Hoffart natürlich fremd sei. «Charles hält ihn für ein Genie ersten Ranges. Er malt gewöhnlich keine Porträts. Ich habe keine Ahnung, wie Charles ihn dazu überreden konnte.»

Das war glatt gelogen. Sie mußte sehr genau wissen, daß Seaingham einfach kein Mann war, dem man so etwas abschlug. Hatte er denn nicht dafür gesorgt, daß MacQuade kein armer unbekannter Schreiberling mehr war? Und Vivian, die Gesellschaften eigentlich nicht mochte – hatte er die nicht auch von ihrem Elfenbeinturm heruntergeholt?

12

«Akonit», sagte Cullen. «Die Königin der Gifte. Schon zu Mittag gegessen?» fragte er und reichte Jury den Autopsiebericht über den Tisch wie einen gefüllten Teller.

Jury hatte Cullen und Trimm in einem kleinen Restaurant in Washington namens «The Geordie Nosh» aufgestöbert. Trimm schaufelte riesige Portionen Fleisch und Gemüse in sich hinein. Die Uhr hatte bereits drei geschlagen, die Lunchzeit war vorbei; sie waren die einzigen Gäste.

«Danke, ich habe im Zug gegessen.» Eine freundlich aussehende Frau kam an ihren Tisch. Jury bestellte Kaffee.

«Im Zug? Das ist doch der letzte Fraß dort, Mann. Was gibt's Neues in London?»

«Alles beim alten. Erzählen *Sie* mir mehr.»

Kauend begann Cullen zu berichten. «Ein mörderisches Zeug. Der Leichenbeschauer meint, daß schon ein fünfzigstel Gramm ausreicht, um einen Mann zu töten. Schon die Griechen haben es auf Pfeile und Speere geschmiert. Haben Sie *Ich, Claudius, Kaiser und Gott* gesehn? Da ist einer von den alten Ganoven auch so abgemurkst worden...»

«Ich interessiere mich eigentlich mehr für die Gegenwart», sagte Jury.

«Benommenheit, Prickeln, Brennen, Herzrasen – das sind die Symptome, sagt der Leichenbeschauer», fuhr Cullen fort. «Mit anderen Worten, sie muß gemerkt haben, daß etwas nicht stimmte, hatte aber keine Zeit mehr, was zu unternehmen – das Zeug wirkt schnell. Die richtige Dosis, und *bong*, es haut einen um...» Er hieb Trimm mit der Faust auf die Schulter. Der Constable aß unbeirrt weiter. Mit großer Konzentration trug er Berge von Rübenbrei, Schmorbraten und Gemüse ab; die Welt jenseits des Tellerrands schien er vergessen zu haben.

Jury überflog den Autopsiebericht. «Könnte sie das Zeug aus Versehen geschluckt haben?»

Cullen schüttelte den Kopf. «Ausgeschlossen. Es kommt nur in den Wurzeln des Eisenkrauts vor. Die sehn in etwa aus wie Steckrüben oder so.»

Trimm verputzte unverdrossen seinen Brei aus Steck- oder Kohlrüben.

«Wird auch Wolfsgift genannt. Die Wölfe graben das Zeug im Winter aus, wenn sie nichts anderes zu fressen haben.» Die Gabel fest in der Faust, säbelte er heftig an seinem Steak herum, das so zart war, daß er es auch mit dem Finger hätte schneiden können. Auch eine Art, seine Aggressionen loszuwerden. Er stopfte sich ein großes Stück Fleisch in den Mund und wies mit der Gabel auf den Bericht.

«Ich glaube, ich erinnere mich an einen ähnlichen Fall», sagte Jury. «Ist reines Akonit nicht ein kristallines Pulver?»

Cullen nickte mit vollen Backen. «Stimmt. Es braucht nur auf die kleinste Wunde zu kommen, um einen zu töten.»

Jury schob ihm die Zuckerdose zu. «Sieht es aus wie Zucker?»

Cullen runzelte die Stirn. «Weiß nicht. Soll irgendwie süßlich schmecken, meinte der Leichenbeschauer.»

«Helen Minton sagte, daß sie Besuchern von Old Hall gelegentlich Tee anbot.»

«Und ein Besucher tut es in die Zuckerdose? Hm, das würde für ein Schock amerikanischer Touristen reichen.» Er kaute nachdenklich auf einem Stück Fleisch herum.

«Ich habe dabei nicht an die Zuckerdose gedacht.»

Die Bedienung kam wieder an den Tisch und nahm die Bestellungen für den Nachtisch entgegen. Trimm tunkte mit einem Stück Brot sorgfältig die letzten Reste der fetten Bratensauce auf. Nachdem das erledigt war, legte er Messer und Gabel ordentlich auf den Teller und verlangte nach Apfelauflauf. Als Jury wieder nichts bestellte, sagte Cullen: «Wenigstens einen Nachtisch müssen Sie essen, Mann. Hier ist alles frisch zubereitet. Das beste Essen im Umkreis und billig dazu. Haben Sie eigentlich diesen Maler gefunden?»

Jury schüttelte den Kopf. «Ich habe jemanden auf ihn angesetzt. Der Bursche ist schwer greifbar.» Er beschäftigte sich wieder mit dem Bericht. «Ist der Tod sofort eingetreten?»

«Mit Akonit könnte es Minuten gedauert haben, aber auch Stunden, je nach der Dosis.»

«Kennen Sie einen Pub namens ‹Jerusalem Inn›?»

Trimm griff nach einem Zahnstocher und rülpste. «So 'n Schuppen mitten in der Pampa? Liegt Richtung Spinneyton. Nichts als Keilereien und Besäufnisse.»

«Da treibt sich ein Junge namens Robin Lyte rum.»

Trimm zuckte die Achseln. «Sagt mir nichts», brummte er mürrisch, um ja keine falschen Vorstellungen über seine Hilfsbereitschaft aufkommen zu lassen.

Jury wandte sich an Cullen. «Ist der Name Lyte häufig in dieser Gegend?»

«Nicht daß ich wüßte.» Er lachte kurz auf. «Wenn Sie in *der* Spelunke nach dem Mörder von Helen Minton suchen, wundert mich das kein bißchen. Nur ist um Durham herum viel mehr Schnee runtergekommen als hier. Soviel ich gehört habe, ist Spinneyton eingeschneit.» Seine Miene verdüsterte sich. «Sogar das Spiel gegen Sunderland ist ausgefallen.»

«Wollen Sie damit sagen, daß es nicht möglich gewesen wäre, durch den Schnee von Spinneyton nach Washington zu kommen?»

«Es sei denn auf Skiern», sagte Cullen. «Sie glauben, es war jemand von dort, was?»

Jury zuckte die Achseln. «Ich weiß nicht, was ich glauben soll. Hier in der Gegend gibt es ein Hotel, das Margate...»

«In Shields», sagte Trimm. «Sunderland-Küste.» Er deutete mit dem Daumen über seine Schulter, als läge die Küste von Sunderland auf der anderen Straßenseite.

«South Shields», sagte Cullen. «Ich kenn das Hotel. Ist jetzt 'n bißchen runtergekommen; früher war's richtig elegant. Übrigens, Ihr Sergeant hat angerufen. Wiggins – so heißt er doch? Der Mann hat in einem fort geniest, er war so schlecht zu verstehn. Sie sollen Scotland Yard anrufen.»

«Danke. Gehen Sie zurück aufs Revier?»

«Ja. Na los, Trimm, wir haben nicht den ganzen Tag Zeit.»

Trimm löffelte den Rest von Cullens Vanillesauce aus und ließ den Löffel klirrend in die Schale fallen. «Geschafft!» sagte er mit der Selbstzufriedenheit eines Mannes, der eine schwierige Aufgabe bewältigt hat.

«SIE WAR SCHWANGER DAMALS», sagte Wiggins. Es knisterte in der Leitung; entweder war die Verbindung schlecht, oder Wiggins riß gerade das Zellophan einer neuen Tüte Hustenbonbons auf. «Natürlich konnten sie sie nicht auf der Schule behalten, sagt die Direktorin. Die ehemalige Direktorin, meine ich.

Ich hab ziemlich lange gebraucht, um sie ausfindig zu machen. Und dann wohnt sie auch noch an der Küste.» Es folgte eine Pause, um Jury Gelegenheit zu geben, ihn wegen seiner aufopfernden Arbeit zu bemitleiden.

Aber Jury schwieg. Er konnte es in Wiggins' gequälten Nebenhöhlen pfeifen hören. Manchmal schien es fast, als führten sie ein Eigenleben.

Sergeant Wiggins fuhr beherzt fort. «Maureen hat mir erzählt..., ach ja, ich bin noch einmal auf einen kleinen Plausch bei ihr gewesen. Ich weiß, Sie haben mich nicht ausdrücklich beauftragt, noch einmal zum Haus von Helen Minton zu gehen...»

Jury lächelte. Es war sicherlich nicht Wiggins' letzter Besuch bei Maureen gewesen. «Nein, aber ich bin froh, daß Sie es trotzdem getan haben. Ich glaube, Maureen weiß mehr, als sie uns erzählen wollte.»

«Das stimmt; sie wußte auch, daß Helen Minton schwanger war. Sie wollte es uns nicht sagen, weil das in ihren Augen einem Vertrauensbruch gleichgekommen wäre. Aber da ich es sowieso herausgefunden hatte, meinte sie wohl, es könnte nicht schaden, wenn sie es bestätigte.»

«Was weiter?»

«Parmenger, ihr Onkel, ist damals vor Wut fast geplatzt. Die Sache hat ihn völlig um den Verstand gebracht.»

Jury schwieg eine Weile. «Aha, da liegt also der Hase im Pfeffer...» Er sprach nicht weiter. Wiggins war mucksmäuschenstill. «Wiggins? Was hat sie Ihnen noch erzählt?»

Wiggins räusperte sich. «Ich habe versprochen, nichts weiterzusagen...»

Jury hielt sich den kühlen Hörer einen Moment gegen die Stirn, um nicht loszubrüllen. Dann sagte er ganz ruhig: «Ich arbeite für Scotland Yard. Sie wollen gegenüber Maureen nicht wortbrüchig werden. Aber ich kann eine Vermutung äußern, und Sie sagen mir, ob ich richtig liege. Sie denkt, Frederick Parmenger war der Vater, richtig?»

«Entschuldigung, Sir. Ja, das ist richtig. Sie ist ziemlich sicher, daß er der Vater war.»

«Das würde die Reaktion des alten Parmenger erklären. Trotzdem... ob er wohl an all die Ammenmärchen über die schrecklichen Folgen des Inzests zwischen Cousin und Cousine geglaubt hat?»

«Ich weiß es nicht. Aber wir haben den jungen Parmenger ausfindig gemacht, Sir.»

Jury zündete sich eine Zigarette an. «Na, Gott sei Dank. Wo ist er? In einer Einsiedlerhöhle?»

«In einer Abtei. Spinney Abbey heißt sie – sie liegt ganz in der Nähe von dort, wo Sie gerade sind. Ungefähr zehn Meilen von Durham.»

Jury verbrannte sich fast die Finger an seinem Streichholz. «Spinney Abbey? Und das nächste Dorf heißt Spinneyton?»

«Stimmt, Sir. Die Abtei gehört einem Mann namens – Sekunde – Charles Seaingham. Er schreibt Bücher oder Artikel...»

«Ich weiß. Er ist ein bekannter Kritiker. Reden Sie weiter.»

«Nun, Frederick Parmenger ist anscheinend vor ein paar Wochen dahin gefahren, um zu malen. Dieser Seaingham hat ihm den Auftrag gegeben, seine Frau zu porträtieren.»

Jury dachte schweigend nach.

«Sir?»

«Danke, Wiggins. Sie haben ausgezeichnete Arbeit geleistet.»

Normalerweise hätte ein Kompliment von Jury Wiggins' verstopfte Nebenhöhlen augenblicklich freigemacht. Aber im Moment schien er zu sehr von gewissen bösen Vorahnungen erfüllt. «Werden Sie mich dort brauchen, Sir?» Seine Stimme verriet, daß er nicht gerade darauf brannte, seinem Vorgesetzten zu folgen.

«Ja, sicher.»

Schweigen. «Es liegt bei Newcastle-upon-Tyne.»

«Das weiß ich.»

«Ein Kohlerevier. Kennen Sie den alten Spruch ‹Kohlen nach Newcastle und Eulen nach Athen tragen›?» Das wird meiner

Nase nicht guttun.» Er wand sich. «Mit dem Zug? Sie wissen, wie ich Bahnhöfe verabscheue.» Als Jury immer noch schwieg, fügte er wehmütig hinzu: «Weil ich morgen doch dienstfrei habe, wollte ich eigentlich mit Maureen nach Stevenage fahren, um ihren Bruder zu besuchen.»

«Okay. Da mir so weihnachtlich ums Herz ist, können Sie den Zug von Stevenage aus nehmen.» Jury ließ Wiggins noch eine Weile über Kohle, Rauch und Ruß jammern und sagte dann: «Schön. Ich erwarte Sie also morgen. Nehmen Sie einen Schnellzug.»

«Vor denen muß man sich in acht nehmen. Ihr Sog ist so stark, daß er einen vom Bahnsteig auf die Gleise reißen kann.»

«Dafür haben sie die dicken gelben Linien auf die Bahnsteige gemalt. Hinter denen sind Sie sicher.»

13

Jury sah den Strand hinunter auf das Margate Hotel, ein langgestrecktes, weißgetünchtes Gebäude, das sich vor einem steilen felsigen Abhang aus dem nassen Sand erhob wie das Skelett eines von der Flut ausgespülten Schiffsrumpfes. Der Wind hatte den Schnee zu hohen Dünen aufgetürmt, die sich gegen die Felswand drückten. Der Strand war menschenleer. Nur hinten, zwischen den Felsen, gingen Arm in Arm ein Mann und eine Frau spazieren, schwarze Schatten vor der versinkenden Sonne.

Auf der Veranda des Margate standen vereinzelt Schaukelstühle herum und wiegten sich knarrend im Wind oder unter dem Gewicht von Geistern längst verstorbener Gäste. Alles Leben schien von hier geflohen zu sein. Zugegeben, man konnte kaum erwarten, daß es zur Winterszeit in einem Badeort zuging wie in einem Bienenstock. Aber über diesem Hotel schwebte eine solche Aura der Verlassenheit, daß Jury sich fragte, ob der

Sommer etwas daran ändern oder ob nicht auch dann die Scharen bunt gekleideter Gäste, das Kreischen planschender Kinder, kurz: das ganze leuchtende, wimmelnde Strandleben nur eine fahle Erinnerung an längst vergangene Zeiten sein würde.

Nur die großen offenstehenden Eingangstüren sagten ihm, daß das Haus über die Feiertage nicht geschlossen war. Und dann bemerkte er auch noch andere Lebenszeichen: laute Stimmen vom Ende der dunklen Vorhalle, und in einem Raum hinter der Rezeption gingen Schubladen auf und zu. Als er linker Hand durch eine halboffene Tür blickte, erkannte er die Gestalten von zwei oder drei älteren Leuten, die regungslos wie Ölgötzen dasaßen. Von einer der Gestalten sah er nur einen grauen, geflochtenen Zopf über einer Sessellehne liegen. Eine andere war wohl eingeschlafen, denn das Kinn war ihr auf die Brust gesunken. Und dann bemerkte er noch die huschende Bewegung einer Hand, die in einer Illustrierten blätterte.

Ein Mädchen kam mit einem Stapel Aktendeckel aus dem Zimmer hinter der Rezeption und blieb überrascht stehen – sie hatte zu dieser Jahreszeit offenbar keinen neuen Gast mehr erwartet. Sie war gewiß die Jüngste im Haus, Ende Zwanzig und von einer vernachlässigten Schönheit. Wahrscheinlich dachte sie, daß es hier nicht der Mühe wert sei, zu Puder und Lippenstift zu greifen. Aber nun taxierte sie Jury ab und betrachtete sich dann kritisch in einem zerbrochenen Spiegel, der in einer Ecke hinter dem Empfangspult hing. Sie biß sich auf die Lippen und strich sich mit der freien Hand übers Haar. «Sie wollen ein Zimmer, ja?» Sie steckte eine Anmeldekarte in einen kleinen Klemmhefter und schob sie ihm hinüber. Ihr Lächeln war kokett, aber leider durch schlechte Zähne entstellt.

Jury ließ ihr für eine Weile die Illusion, daß er ein Gast sei. «Nicht viel los um diese Jahreszeit, was?»

Tiefe Verdrossenheit breitete sich auf ihrem Gesicht aus. «Allerdings. Und wenn schon mal Leute kommen, dann höchstens steinalte Rentner. Und alle haben sie irgendwelche Wehwehchen, aber Mrs. Krimp – das ist die Besitzerin – läßt sie hier billig wohnen.» Sie zuckte ihre mageren Schultern. «Warum auch nicht... sonst kommt ja sowieso keiner.» Sie nahm ihre Handtasche vom Pult, kramte einen Lippenstift hervor und begann sich zu schminken. Als nächstes griff sie zu Kamm und Nagellack, als wäre Jury nur gekommen, um sie zu einer flotten Tour durch sämtliche Pubs des Ortes abzuholen. Und für einen kleinen Schwatz war er ihr vorerst allemal willkommen. «Na ja, jedenfalls kann ich hier ein bißchen Geld verdienen, warum soll ich mich also beklagen? Ich bin zwar ausgebildete Stenotypistin, aber versuchen Sie mal, in dieser Gegend einen Job zu bekommen. Sie sind wohl nicht von hier, ich hör's an Ihrer Aussprache.»

«Ich bin aus London.»

«London.» Er hätte ebensogut Atlantis sagen können. «Da war ich noch nie. Haben Sie ein Glück!»

Jury lächelte. «Es hat seine Nachteile. Keine frische Seeluft zum Beispiel.»

«Im Sommer ist es gar nicht mal so übel hier. In Shields gibt's ein paar Läden, wo man ein bißchen Spaß haben kann.» An welche Art Spaß sie dabei dachte, überließ sie Jurys Vorstellungsvermögen. «Und dann geh ich manchmal nach Washington, in dieses neue Einkaufszentrum. Da gibt's 'ne Disko, wo ab und zu Rockgruppen spielen, das ‹Silver Spur›. War'n Sie da schon mal?» Jury schüttelte den Kopf. «Mögen Sie keine Diskomusik? Heute abend spielen *Kiss of Death*.»

«Wer?»

«Ach, kommen Sie. *Kiss of Death*! Eine der besten Gruppen, die's gibt. So alt sind Sie nun auch wieder nicht.»

«Leider doch.»

Sie schmiegte ihr Kinn in ihre Hände und lächelte ihn an. «Das sieht man Ihnen aber nicht an. Mir sind sowieso...»

...ältere Männer lieber. Er kannte die Leier. «Übrigens brauche ich kein Zimmer. Ich brauche eine Auskunft.»

Sie reagierte, als hätte er ihr nach einer langjährigen Beziehung den Laufpaß gegeben. Unter der Schminke verhärtete sich ihr Gesicht. «Was für eine Auskunft?»

Jury zog das Foto von Helen Minton hervor. «Diese Frau. Ich glaube, sie war einige Male hier. Erkennen Sie sie wieder?»

Aber das Mädchen würdigte das Bild keines Blickes. Ihre Augen wurden schmal. «Sind Sie von der Polizei, oder was?»

«Ja.» Jury legte seinen Ausweis auf den Tisch, den sie stirnrunzelnd begutachtete.

«Scotland *Yard*?» Was er auf romantischem Gebiet in ihrer Gunst an Boden verloren hatte, machte sein Beruf wieder wett. Die Vorstellung, daß Scotland Yard sich für das Margate Hotel interessierte, zauberte kindliches Erstaunen auf ihr Gesicht. Sie warf einen Blick auf das Bild, schüttelte den Kopf und sah dann noch einmal genauer hin. «Ja, stimmt. Sie war zwei- oder dreimal hier.»

«Wann zum letztenmal?»

«Ich erinnere mich nicht genau – vielleicht vor einer Woche.»

«Wie lange ist sie geblieben?»

Sie zuckte die Achseln. «Ein paar Tage.»

«War sie mit irgendwelchen anderen Gästen befreundet?»

«Komische Frage. Mit wem soll man sich hier schon anfreunden? Aber halt, warten Sie… Sie hat, glaub ich, manchmal mit Miss Dunsany geredet. Aber meistens ist sie nur am Strand auf und ab gelaufen. Ich glaube, sie kam wegen der Seeluft.» Sie beugte sich über das Empfangspult und musterte ihn neugierig. «Warum interessiert sich die Polizei für sie?»

«Haben Sie sie irgendwann einmal mit einem Mann gesehen? Ich meine, kam sie gelegentlich in Männerbegleitung hierher?»

«Nein, nicht während ich hier war. So was passiert in diesem langweiligen Kasten sowieso nie. Wenn *mich* ein Mann übers Wochenende in so einen Schuppen bringen würde…»

Jury unterbrach sie, bevor sie ihre erotischen Phantasien zum besten geben konnte. «Sie kam also allein, blieb auch die meiste Zeit für sich und machte lange Spaziergänge. Fanden Sie das nicht ein wenig seltsam?»

Sie zuckte die Achseln. «Ich kapier sowieso nicht, warum jemand, der noch so jung ist – ich meine jung im Vergleich zu denen da» – sie gestikulierte in Richtung Salon –, «warum so jemand ausgerechnet ins Margate kommt.»

Sie schraubte ihr Fläschchen Nagellack auf und begann, ihren kleinen Fingernagel blutrot anzumalen. Da von Jury offenbar keine obszönen Enthüllungen über Helen Minton zu erwarten waren, hatte sie jedes Interesse an ihr verloren.

«Sie sagten, sie habe sich mit einem der Gäste angefreundet.»

«Ja, mit Miss Dunsany.»

«Und wo ist Miss Dunsany?»

«Wahrscheinlich im Salon. Maxine wird jetzt gleich mit dem Kaffee kommen. Nach dem Abendessen halten sie sich alle gern dort auf.»

In diesem Moment kam ein schlampiges Mädchen in einer Schürze – vermutlich Maxine – mit einem Tablett den Flur herunter. «Heißes Wasser, heißes Wasser», rief sie wie ein orientalischer Straßenhändler. «Die ganze Zeit auf Achse für diese Alten, mir steht's langsam bis hier, Glo.» Offenbar sprach sie mit der Empfangsdame. Die schien an Maxines Gejammer gewöhnt zu sein, denn sie sah nicht einmal von ihren glänzenden Fingernägeln auf. Sie zuckte lediglich die Achseln, während das Mädchen in den Salon schlurfte.

«Wären Sie so freundlich, mir Miss Dunsany zu zeigen?» bat Jury.

Glo machte keine Anstalten, sich zu erheben. «Sie finden sie schon selber. Sie sitzt immer in dem Sessel am Kamin.»

Falls Miss Dunsany es gerne warm hatte, so nützte ihr der Platz am Kamin nicht viel. Der Rost sah aus, als hätte seit einem halben Jahrhundert kein Feuer mehr darauf gebrannt. Die Holzscheite, die Jury zunächst für feuersichere Attrappen hielt, erwiesen sich jedoch als echt.

Der Raum war mit planlos verteilten Sofas und Sesseln möbliert, deren dunkelbraune Polster teilweise unter zerschlissenen Schonbezügen verschwanden. Im winterlichen Dämmerlicht wirkte das Zimmer noch kälter, als es ohnehin schon war.

Die alte Dame, die sich vielleicht noch aus ihrer Jugend daran erinnerte, daß Salons von einem prasselnden Feuer erwärmt wurden, saß in einem Ohrensessel am Kamin. Sie trug ein Kleid aus dunkelblauem Crêpe de Chine und einen Schal um ihre Schultern. Als Jury auf sie zutrat, nahm sie gerade ihre Tasse in beide Hände und führte sie vorsichtig zum Mund. Es waren noch zwei weitere Gäste im Raum, eine kleine magere Frau und ein Mann mit vorquellendem Bauch, der schnaufend seine Kanne mit heißem Wasser inspizierte. Keiner sprach.

«Miss Dunsany», sagte Jury und setzte sich ihr gegenüber in einen klobigen Sessel. «Mein Name ist Richard Jury. Ich bin von Scotland Yard.» Als sie ihn erschrocken ansah, fügte er rasch hinzu: «Und ein Bekannter von Helen Minton.»

Das beruhigte sie nicht. «Helen. Ihr ist etwas zugestoßen, nicht wahr?»

«Leider ja.»

Sie starrte auf den kalten Rost – eine Frau, die an schlechte Nachrichten gewöhnt war. «Hätten Sie gerne eine Tasse Kaffee, Mr. –? Es tut mir schrecklich leid, aber mein Gedächtnis ist nicht mehr so gut wie früher.»

«Jury. Aber nennen Sie mich Richard.»

«Ich heiße Isobel. Was ist denn geschehen?»

«Ein Unfall. Helen ist tot.»

Sie warf einen Blick in den trostlosen Raum, als wollte sie damit sagen, daß dies genau die Art Nachricht sei, die man im Margate erwarten würde. «Das tut mir furchtbar leid. Ich mochte Helen. Ich weiß, daß sie wegen einer Herzschwäche Medikamente nahm. Aber deswegen sind Sie wohl nicht hier?»

«Wir sind noch nicht sicher, was ihren Tod verursacht hat. Ihre Nachbarin sagte, daß Helen Sie kannte.»

Isobel Dunsany starrte wieder in den kalten Kamin. «Wissen Sie, ich habe mich immer gewundert, warum sie ausgerechnet ins Margate kam. Es ist ziemlich scheußlich hier, finden Sie nicht?» Ihr Gesicht war alt und faltig, aber ihr Lächeln war jung geblieben. «Ich glaube, es ist nur die Gewohnheit, die mich hier hält.

Es war nicht immer so, wie es heute ist. Natürlich könnte ich mir etwas Besseres leisten.»

Einen Moment lang dachte Jury, daß dies nur eine Ausrede sei, wie sie alte Leute gebrauchten, die einst bessere Tage gesehen hatten und die das ärmliche Leben, das sie nun fristen mußten, verabscheuten – die gräßlichen Möbel, die gleichgültige Bedienung, die leeren Zimmer, die Einsamkeit, die ihnen sagten: *Das habt ihr nun aus eurem Leben gemacht; ihr habt's nicht besser verdient.* Aber mit einem Blick auf ihre Kleidung – die Qualität des Crêpe de Chine, die feine Wolle des Schals – und angesichts ihrer Silberbrosche und der Ringe an ihrer Hand wurde ihm klar, daß sie die Wahrheit sagte: sie hätte sich leicht etwas Besseres leisten können.

Sie spielte mit ihrer leeren Tasse herum. «Ich kenne dieses Hotel seit meiner Jugend. Ich war noch ein Mädchen, als ich mit meinen Eltern zum erstenmal hierher kam. Sie wären überrascht, wie beliebt das Margate damals war. Und wie fröhlich es hier zuging.» Ihre Augen – die von jenem Blau waren, das bei alten Menschen immer so erstaunlich hell aussieht – streiften durch den Raum. «Die Möbel in diesem Raum waren Louis Quinze, burgunderrot und vergoldet... dort drüben stehen noch ein oder zwei Stühle» – Jurys Blick folgte dem ihren zu den verblichenen Stühlen, die zwischen zwei Fenstern an der Wand standen –, «und mitten im Zimmer stand eine große kreisförmige Couch. Dort saß ich oft und träumte davon, daß ein schöner junger Mann kommen und mich zum Tanz auffordern würde. Im hinteren Teil gibt es einen Ballsaal. Jetzt ist er geschlossen. Zu schwer zu beheizen.» Sie zog den Schal enger um ihre Schultern. «Aber wenigstens *hier* könnten sie ein Feuer anzünden.»

«Das ist nicht weiter schwierig», sagte Jury und zog Streichhölzer aus der Tasche. Das Papier und die Kienspäne fingen Feuer, und kurz darauf begannen die Scheite Funken zu sprühen.

Dieses völlig unerwartete Ereignis riß die beiden anderen Anwesenden aus ihrer Lethargie; sie erhoben sich ächzend und steuerten auf Sessel zu, die näher am Feuer standen. Dann saßen sie ganz still, wie um diesem wundersam warmen Glanz in ihrer kalten Kammer zu huldigen.

Die Wärme im Salon mußte sich bis in die Halle ausgebreitet und die Aufmerksamkeit der Hoteldirektorin erregt haben – falls es Mrs. Krimp war, die in diesem Augenblick zur Tür herein-rauschte, um nachzusehen, was zum Teufel hier los war und wel-chen ihrer Gäste sie für diesen Bruch der Hausordnung zur Re-chenschaft ziehen konnte.

Mrs. Krimps Erscheinung vermittelte in der Tat den Eindruck, als wäre jede künstliche Wärme in ihrem Falle Verschwendung. Über kobaltblauen Hosen leuchtete ein orangefarbener Pullover. Ihr dauergewelltes Haar war rot und züngelte in feurigen kleinen Locken um ihren Kopf. Ihre katzengelben Augen glühten vor Empörung. «Was ist denn hier los! Mr. Bradshaw!» – als wäre er der Brandstifter – «Sie wissen doch, daß wir nach dem Abend-essen kein Feuer mehr anzünden. Das lohnt sich nicht, Sie gehen sowieso bald ins Bett. Mrs. Gibbs, ich bin überrascht...» Beim Anblick des Fremden verstummte sie. Inzwischen war Glo hinter ihr aufgetaucht und flüsterte ihr etwas ins Ohr.

«Polizei!» rief Mrs. Krimp. «Das gibt Ihnen noch lange nicht das Recht, in mein Hotel einzudringen und alles in Unordnung zu bringen...»

Langsam erhob Jury sich aus seinem Sessel. Gewöhnlich legte er es nicht darauf an, Eindruck zu schinden, aber er hatte eine Art kultiviert, sich aufzurichten, die ihn größer als seine 186 Zenti-meter erscheinen ließ, und er konnte einen samtweichen Ton anschlagen, der einem Schauer des Entsetzens den Rücken herab-rieseln lassen konnte. Mrs. Krimp wich ein oder zwei Schritte zurück, als er zu ihr sagte: «Sie wissen doch, Mrs. Krimp, daß es gewisse Richtlinien gibt, an die jedes Hotel sich zu halten hat. Wann hat in diesem Kamin dort zum letztenmal ein Feuer ge-brannt? Heute nach dem Frühstück? Ich würde mich schon sehr wundern, wenn es in der letzten Woche überhaupt angezündet worden wäre.» Er zückte sein Notizbuch, blätterte darin herum (als hätte er bereits umfangreiche Aufzeichnungen über die Vorgänge im Margate gemacht) und kritzelte etwas hinein. «Zugegeben, ich bin nicht von der Aufsichtsbehörde. Aber ich werde jemanden von dort kommen lassen» – er lächelte zuckersüß –, «und zwar schleunigst.»

Der alte Mann unterdrückte ein Kichern, und die andere alte Dame sah Mrs. Krimp erwartungsvoll an, als wollte sie sagen: Na, wie schmeckt dir das, du alte Hexe.

Mrs. Krimp wurde feuerrot. Ihre Lippen bewegten sich, doch sie brachte keinen Laut hervor.

Miss Dunsany ließ sich die günstige Gelegenheit nicht entgehen und sagte im Tonfall eines Menschen, der gewohnt ist, mit Personal umzugehen: «Ja, Mrs. Krimp. Und da wir gerade dabei sind: Könnten wir zum Abendessen vielleicht einmal etwas anderes bekommen als Tomatensuppe aus der Dose?» Dann fügte sie mit beiläufiger Grandezza hinzu: «Und wir hätten alle gerne ein Glas Port.»

«Port? Was soll das nun heißen? Die Bar ist im Winter geschlossen...»

«Meine gute Frau, ich spreche von *meinem* Port. Die Kiste Cockburn's, die ich Ihnen anvertraut habe, damit sie in Ihrem Keller gelagert wird.»

Jury hätte wetten können, daß Mrs. Krimp sich schon seit geraumer Zeit die trübe Winterlaune mit dem Cockburn's vertrieb. Das Netzwerk feiner roter Äderchen in ihrem Gesicht sprach Bände. Cockburn's und Gin, schätzte er.

Mrs. Krimp fegte wutentbrannt aus dem Zimmer.

Nach ein paar Minuten erschien Maxine, die jetzt um einiges eilfertiger wirkte und Jury ansah, als fürchtete sie, er werde ihr auf der Stelle Handschellen anlegen. Sie trug ein Tablett mit einigen zusammengewürfelten Gläsern und einer Flasche Bristol Cream darauf.

Miss Dunsany lächelte. «Bestimmt aus ihren Privatbeständen. Ich kann mir schon vorstellen, was aus meinem Cockburn's geworden ist.»

Während der nächsten halben Stunde wurde es richtig gemütlich.

«Helen Minton», nahm Miss Dunsany das unterbrochene Gespräch wieder auf, nachdem sie genüßlich an ihrem Glas genippt hatte. «Sie war ganz anders als die Leute, die man gewöhnlich hier im Margate antrifft.»

«Wie war sie denn?» Er zog seine Zigaretten hervor, bot auch Miss Dunsany eine an und gab ihr Feuer.

«Unglücklich. Im übrigen hat sie wohl mehr über mich erfahren als ich über sie. Ich glaube, sie hatte kaum Angehörige. Einen Cousin, den sie selten sah; er ist Künstler. Über ihre Eltern weiß ich nichts Genaues. Soviel ich mir zusammenreimen konnte, war der Vater in eine ziemlich unangenehme Sache verwickelt. Vielleicht in eine Unterschlagung?» Sie sah Jury fragend an, als könnte er aus den dürftigen Anhaltspunkten, die sie zu bieten hatte, möglicherweise die genauen Fakten ableiten. «Jedenfalls nahm er sich das Leben, und die Mutter starb kurz danach. Es sieht so aus, als wäre der Skandal zuviel für sie gewesen. Sie muß demnach ein ziemlich empfindsamer Mensch gewesen sein. Wenn ich da an meinen eigenen Mann denke – aber lassen wir das. Helen kam auf ein Internat und fand es dort gräßlich. Es muß ein schwerer Schlag für sie gewesen sein, erst die Eltern zu verlieren und dann einfach irgendwohin abgeschoben zu werden. Sie hat einmal gesagt: ‹Wenn die anderen herausbekommen, daß einer allein ist, dann werden sie todsicher alles daransetzen, ihn noch einsamer zu machen.› So, wie sie über die Schule redete, konnte man meinen, all das sei ein böser Alptraum gewesen. Die anderen Mädchen waren kaltherzig, die Flure ein einziger Irrgarten. Und als sie dann sechzehn oder siebzehn war, hat sie der Onkel, dem sie das alles zu verdanken hatte, plötzlich vom Internat genommen.»

«Und warum?»

«Ich weiß es nicht.»

Jury dachte einen Moment nach. «Sie haben gesagt, daß Helen eine Menge über Sie wußte. War sie denn so neugierig?»

Isobel Dunsany schien ein wenig verwirrt, als hätte sie über diesen Gesichtspunkt noch gar nicht nachgedacht. «Neugierig war sie bestimmt nicht. Eher andersherum: Sie hat meine Geschwätzigkeit immer mit viel Geduld ertragen. Aber das haben Sie ja auch.» Sie schnippte lässig ihre Zigarette in den Kamin.

«Wäre es möglich, daß Helen Minton Ihretwegen hergekommen ist?»

Sie sah ihn nachdenklich aus ihren kühlen blauen Augen an. «Wenn ich es mir so recht überlege – wäre das schon möglich. Damals war ich einfach froh, daß jemand zuhörte, wenn ich meine langweiligen Geschichten erzählte – über die alten Zeiten, meine Familie und so weiter. Sie schien sich sehr für die Dienerschaft zu interessieren, obwohl mir das zu dem Zeitpunkt nicht weiter aufgefallen ist. Ich hatte ein Dienstmädchen, Danny. Richtig hieß sie Danielle. Ihre Mutter muß entweder Französin oder ziemlich dumm gewesen sein, ihr so einen ausgefallenen Namen zu geben.»

«Wie kam das Mädchen zu Ihnen?»

«Vor ihrer Ehe hatte sie jahrelang als Bedienstete gearbeitet. Ihre Referenzen waren ausgezeichnet, und ein liebes Mädchen war sie auch. Ihr Mann war durchgebrannt, und sie hatte ein Kind zu ernähren. Ich vermute, sie saß in der Patsche, weil er ihr Erspartes hatte mitgehen lassen. Deswegen mußte sie sich wieder nach einer Anstellung umsehen.»

«Wann war das?»

Sie lachte leise und ein wenig verlegen. «Ich habe ein schlechtes Zeitgefühl. Vor zwölf Jahren ungefähr, es kann auch länger her sein.»

«Und was ist später aus Danny geworden?»

«Ich habe sie aus den Augen verloren. Tut mir leid.» Sie preßte die Finger gegen ihre Stirn, sah dann plötzlich auf und sagte, als sei ihr plötzlich eine Erleuchtung gekommen: «Lyte. Natürlich!»

«L–y–t–e?»

«Ja, genau. Danny Lyte. Jetzt fällt's mir wieder ein. Es war der Name einer alten Familie aus Washington. Seltsam, aber für sie hat Helen sich besonders interessiert.»

«Erinnern Sie sich an das Kind?»

Aber der Sherry und das behagliche Feuer schienen Miss Dunsanys Erinnerungsvermögen eingelullt zu haben. «Danny wohnte in Washington. Den kleinen Jungen habe ich nur ein einziges Mal gesehen. Wie hieß er doch gleich?»

Jury wartete, aber Miss Dunsany schüttelte nur den Kopf.

«Robin?»

Er hatte ins Schwarze getroffen. «*Robin*! Sie haben recht! Er wurde nach seinem Vater benannt. Jetzt sehe ich ihn auch wieder vor mir.» Sie beschrieb den Jungen: braunes Haar, braune Augen, ziellos schweifender Blick. «Es war traurig. Der Junge war ein wenig... zurückgeblieben. Wirklich eine traurige Geschichte.»

«Und für den Jungen hat Helen Minton sich auch interessiert?»

Wieder ein Treffer für Scotland Yard. «Ja, stimmt. Woher wissen Sie das bloß alles?»

Jury lächelte. «Ich hab einfach geraten.» Er bedankte sich bei Isobel Dunsany und erhob sich. Zum Abschluß versprach er ihr, daß ein Aufsichtsbeamter demnächst das Hotel inspizieren werde. Die Wiedereröffnung des Tanzsaals sei damit zwar noch nicht gesichert, aber mit den Dosensuppen werde es wahrscheinlich ein Ende haben.

«Ich hoffe, Sie finden, was Sie suchen. Leben Sie wohl, Mr. Jury.»

Sie wandte sich wieder dem Feuer zu, das nun langsam herunterbrannte.

14

‹*Ich werde mich heute etwas früher zur Ruhe begeben*›, sagte *Lady Stubbings*. Normalerweise hätte Melrose über so etwas gerade noch hinweglesen können – in Krimis begab man sich eben gerne früh zur Ruhe –, aber in diesem Fall empfand er den Satz als absolut unerträglich und wünschte, sämtliche handelnden Personen würden schleunigst ihre Betten aufsuchen.

Bis jetzt hatte er ein halbes Dutzend Leichen gezählt, die entweder im Studierzimmer, auf der Terrasse oder im Treibhaus entdeckt worden waren. Melrose gähnte und legte *Die Morde auf Stubbings* beiseite. Er hatte schon nach ein paar Seiten gewußt, wer die Mörderin war, und war nur allzu froh, daß sie sich nun endlich zur Ruhe begab … Anstatt sich jeden Abend wieder früh in ihre Zimmer zurückzuziehen, sollten alle Romangestalten es ihm gleichtun und lieber gleich ganz im Bett bleiben. Dann bliebe allen eine Menge Mühe und Ärger erspart: die Opfer müßten sich nicht umbringen lassen, der Mörder müßte nicht morden, der Leser müßte das Buch nicht lesen, und vor allem müßte der Autor gar nicht erst mit dem Schreiben anfangen. Daß Melrose im allgemeinen trotzdem gern in Krimis schmökerte, ging auf seine Bekanntschaft mit Polly Praed zurück. Er hatte jedes ihrer Bücher zweimal gelesen, um es in seinen Briefen einer kritischen Würdigung unterziehen zu können. Seine Kritik war jedoch nicht mit ungeteilter Begeisterung aufgenommen worden, wie Pollys letzter Brief an *Mr. M. Plant (Lord Ardry? Euer Gnaden??)* bezeugte. Also wirklich!

Melrose klopfte die Kopfkissen zurecht, um sich eine bequemere Leseposition zu verschaffen. Dann nahm er *Die Fußspur an der Decke* von dem Bücherstapel auf seinem Nachttisch und las den Namen der Autorin – Wanda Wellings Switt. Grund genug, das Buch ohne Umschweife auf den Stapel abgelehnter Romane zu legen. Es interessierte ihn nicht die Bohne, von wem der blutige Fußabdruck an der Decke stammte.

Die dritte Taube, von Elizabeth Onions. Der Schutzumschlag zeigte einen Schwarm Tauben, die auf einen dunklen, wolkenverhangenen Himmel im Bildhintergrund zuflogen. Eine Taube, die zu blöd gewesen war, sich rechtzeitig aus dem Staub zu machen, stürzte wie ein Stein auf ein Gebüsch im Vordergrund herunter, aus dem finster ein Gewehrlauf lugte. Warum zum Teufel schrieb jemand über den Mord an Tauben, wenn ihm potentiell vier Milliarden Menschen als Opfer zur Verfügung standen?

Es wurde langsam Zeit, daß er aufstand. Die Migräne, die er am Morgen vorgeschützt hatte, konnte ihn ja nicht auf ewig bei den anderen Gästen entschuldigen – und Agatha nahm auf sein Ruhebedürfnis ohnehin keine Rücksicht. Mit schöner Regelmäßigkeit tauchte ihr grauhaariger Kopf in seiner Tür auf, um immer neue Vermutungen über seine Krankheit anzustellen: Die tödlichen Krankheiten waren inzwischen abgehakt, denn Ruthven hatte sich standhaft geweigert, einen Priester zu rufen; akute Erkrankungen fielen ihr offenbar keine mehr ein, und so begnügte sie sich nun mit einer Aufzählung chronischer Leiden.

Melrose stand auf und trat an das hohe schmale Fenster. Vielleicht hatten die Götter ja das kleine Wunder eines Wetterumschwungs vollbracht, und er konnte seine Taschen in den alten Flying Spur werfen und…

Schnee.

Schnee, Schnee und noch mal Schnee. Lady Assington hatte erklärt, dies sei «endlich mal ein echtes Abenteuer», als wären sie gezwungen, sich in arktischem Klima von Lebertran zu ernähren und Stöckchen aneinanderzureiben, um Feuer zu machen, während in Wirklichkeit prasselnde Kaminfeuer, Zigarren, Grand Marnier und Sambuca für ihr leibliches Wohl bereitstanden.

Ruthven klopfte, trat ein und fragte, ob Seine Lordschaft zum Nachmittagstee erscheinen würde.

Melrose studierte die Decke, fand sie kalt, klösterlich und bar jeder Fuß- oder Blutspur und seufzte: «In Gottes Namen denn.»

Zum Nachmittagstee wurde eine Vielfalt von Speisen gereicht, an denen jeder außer Agatha sich auf Tage hinaus hätte satt essen können: Räucherlachs, Rebhuhnpastete mit Trüffeln und natürlich eine Kuchenplatte, die Agatha sofort nach Sahnetörtchen absuchte.

Da die interessanteren Gäste wie Parmenger und MacQuade anscheinend Schweigegelübde abgelegt hatten, dominierten wieder Beatrice Sleight und Agatha das Gespräch.

Nachdem Agatha sich tags zuvor erschöpfend über die Titel der Ardry-Plants ausgelassen hatte, ging sie heute zu deren Besitztümern über. Da sie kein eigenes Vermögen besaß, gab sie um so mehr mit Melroses Reichtum an: «...und auf Ardry End haben wir eine der besten Lalique-Sammlungen. Nächsten Monat gehen wir zu der Auktion bei Christie's...»

Von dieser Auktion wußte Melrose noch gar nichts, und er hatte auch nicht vor, hinzugehen.

«Mein verstorbener Mann, Honorable Robert Ardry...» plapperte Agatha weiter und garnierte ihr Thema mit einer erneuten Aufzählung von Adelstiteln. Unterdessen floh Melrose aus dem Speisesaal in die Halle, hörte aber noch, wie sie auf eine Frage von Beatrice Sleight antwortete: «Ich? O nein, meine Liebe, keinen Penny.» Sie lachte. «Ich hab nur noch meinen Schmuck und, äh – *ma devise*.»

Da der Schmuck aus dem Besitz seiner Mutter stammte, blieb ihr lediglich ihr Anteil am Familienwappen. Aber den würde sie mit Zähnen und Klauen verteidigen.

Melrose schlenderte in den Salon, wo er Tommy Whittaker vor dem Feuer sitzen sah. «Verbrenn dir nicht die Finger», sagte er. «Sonst ist es aus mit dem Oboespielen.»

Tommy sah auf. Sein Gesicht war von makelloser Schönheit, aber ihm selbst schien das kaum bewußt zu sein. Er wirkte unsicher. «Ich spiele erbärmlich, nicht wahr? Ich müßte mehr üben.»

«Aber bitte nicht jetzt.»

Tommys düstere Miene hellte sich auf; er begann zu lachen. «Tut mir leid, daß Sie meine Katzenmusik ertragen mußten.»

«Schon gut.»

«Interessieren Sie sich für Bücher?»

«Manchmal sogar für das, was drinsteht.» Melrose zündete sich eine Zigarre an.

«Mir ist die Lust am Lesen vergangen.» Er sah sich vorsichtig um. «All diese Schreiberlinge hier...»

«Aber, aber! Du weißt ja gar nicht, was dir entgeht! Ich denke da an so herrliche Bücher wie *Die dritte Taube* oder all die übrigen Werke von Elizabeth Onions.» Tom sah ihn verwirrt an, und Melrose fuhr fort: «Nur eine Krimiautorin. Keine Sorge, die Onions wird nicht auch noch hier auftauchen. Wahrscheinlich liegen Krimiautoren unter Mr. Seainghams Niveau.»

Tommy stieß einen Seufzer aus. «Wahrscheinlich wäre ein Mord wirklich keine so schlechte Idee. Ich würde mich gerne als Opfer anbieten.» Er stützte sein Kinn in die Hände und sah wieder so aus, als wollte er sich jeden Augenblick in die Flammen stürzen.

«Deine Opferbereitschaft ist edel, aber unnötig. Trotzdem, ich verstehe, was du meinst.»

«Ich bin froh, daß wenigstens einer mich versteht.»

Melrose wußte nicht genau, ob er wirklich den Seelentröster spielen wollte. So etwas konnte zu allerlei Komplikationen führen.

Tommy stand auf. «Machen wir doch einen kleinen Spaziergang. Haben Sie Lust?»

«Einen Spaziergang? Wohin?»

Tommy zuckte ungeduldig die Achseln. «Einfach raus. Wir könnten in den Ruinen rumlaufen.»

«Na prächtig. Hast du nicht bemerkt, daß der Schnee knietief liegt?»

«Wir könnten auch durch den Kreuzgang laufen und uns dann in die Kapelle setzen.»

Kreuzgang, Kapelle – das waren ja schöne Aussichten. Melrose hatte nichts weiter vorgehabt als zurück auf sein Zimmer zu gehen und sich mit der *Dritten Taube* krank ins Bett zu legen.

«Ich wollte mit Ihnen über heute abend sprechen. Unter vier Augen.»

«Heute abend? Steht heute abend etwas Besonderes an?»

«Ja.» Tommy Whittaker war bereits unterwegs, um ihre Mäntel zu holen.

Mit jedem Schritt die lange Galerie hinunter, an deren hinterem Ende Charles Seainghams Arbeitszimmer lag, spürte man, wie die Kälte einem mehr und mehr in die Glieder drang. Die Galerie lag im Ostflügel des Hauptgebäudes, dessen Räume in vergangenen Tagen dem Abt als Unterkunft gedient hatten. Das vordere Ende der Galerie war in einen Wintergarten umgebaut worden, in dem es im Sommer ganz angenehm sein mochte, der aber im Winter nichts als ein ungemütlicher Glaskasten mit einer trostlosen Aussicht war. Melrose glaubte schon zu fühlen, wie ihm der Schnee in die Schuhe drang. Die Marienkapelle, in der Grace Seaingham abends zu beten pflegte, stand am Ende eines überdachten Wegs zu ihrer Rechten. Linker Hand lagen die Klosterruinen. Der Kreuzgang beziehungsweise dessen Überreste war immerhin noch gedeckt. Von der Basilika aber war kaum noch etwas zu sehen, so daß zwischen dem augenblicklichen Standort der Männer und dem Haupteingang eine unberührte Schneefläche lag, die nur von der halbherzig geräumten und schon wieder zugeschneiten Auffahrt zerteilt wurde.

Die Luft war frisch, der Wind hatte sich gelegt. Melrose fühlte sich plötzlich um Jahrhunderte zurückversetzt und meinte, die Zisterziensermönche zur Morgenandacht schreiten zu sehen. Die Vorstellung ließ ihn frösteln.

Dann sagte Tommy Whittaker etwas, das ihn jäh in die Gegenwart zurückholte. «Auf *Skiern?*» rief Melrose. «Du erwartest doch nicht etwa, daß ich mir Skier an die Füße schnalle und mit dir zum ‹Jerusalem Inn› laufe?»

«Ach, kommen Sie schon. Das wird ein Heidenspaß. Wenn Sie wollen, können Sie auch Schneeschuhe nehmen. Die haben hier ein ganzes Arsenal von Sportgeräten. In der Waffenkammer, gleich neben dem Solarium. Mr. Seaingham ist bestens ausgerüstet, also...»

«Moment mal! Ich hab noch nie im Leben auf Skiern gestanden und erst recht nicht auf Schneeschuhen.»

«Ich auch nicht, bevor ich hier festsaß. Sieht ja aus, als müßten wir den Rest unseres Lebens hier verbringen.»

«Beschrei's nicht.» Melrose sandte ein stummes Stoßgebet gen Himmel.

«Skilaufen ist wirklich ganz einfach», sagte Tommy beruhigend, und um Melroses Vorbehalte gegen das Unternehmen vollständig zu zerstreuen, fuhr er fort: «Sie haben doch gesagt, Sie hätten *Auf Skiern* gelesen. Das Buch ist praktisch eine Anleitung zum Skilaufen. Ich hab daraus gelernt, wie man sich auf den Dingern bewegt. MacQuade ist Experte für Skilanglauf. Und das ist die einzige Möglichkeit, von hier wegzukommen.» Tommy wies auf die endlose Schneefläche vor ihnen, als wollte er Melrose plastisch vor Augen führen, daß man hier nicht mit Hausschuhen durchkam.

«Das ist mir durchaus klar. Aber wenn du dich unbedingt auf dieses Wagnis einlassen willst, warum fragst du dann nicht MacQuade, ob er dich begleitet?»

«Weil man mit Erwachsenen nicht reden kann.»

Was, fragte sich Melrose, bin denn dann ich? «Wieso willst du eigentlich partout im Schnee rumschlittern?»

«Heute abend findet ein Match statt. Im ‹Jerusalem Inn›. Ich spiele dort schon seit einiger Zeit Snooker; Meares Hall liegt nicht weit von dort, am anderen Ende von Spinneyton. Wußten Sie das nicht? Tante Betsy und die Seainghams sind schon seit Ewigkeiten miteinander befreundet. Sonst ist hier ja auch kaum jemand, oder?»

«Der Schlächter von Spinneyton vielleicht.»

«Nie von gehört.» Angst war ihm offenbar auch nicht einzuflößen. Tommy Whittaker interessierte sich für nichts als sein Snooker-Match. «Jedenfalls find ich's super im ‹Jerusalem Inn›. Natürlich mußte ich mir was einfallen lassen, damit niemand merkt, daß ich dorthin gehe, und die Leute da wissen selbstverständlich nicht, wer ich bin.»

«Das ist mir auch nicht ganz klar», sagte Melrose und wandte sich ab, um wieder ins Haus zu gehen.

«Ich kann Ihnen in fünf Minuten beibringen, wie man Ski läuft. Wir müssen nur bis nach dem Abendessen warten. Dann ist es stockdunkel, und keiner wird sehen, wie wir verschwinden.»

«Man wird mich beim Brandy vermissen», sagte Melrose, obwohl er genau wußte, daß zu so später Stunde und mit dem Drink in der Hand sich keiner mehr um den Verbleib des anderen scheren würde.

«Erfinden Sie eine Ausrede. Sagen Sie, Sie seien krank. Genau wie heute morgen.»

Sie hatten inzwischen die Tür zur Kapelle erreicht. «Ich bin kein Lügner.»

«Natürlich sind Sie einer. Sie haben anscheinend vergessen, wie es ist, jung zu sein und nicht tun zu dürfen, was einem gefällt. Alles ist verboten – Zigaretten, Drinks, Snooker. Zu Hause darf ich auch nicht spielen, obwohl wir ein riesiges Spielzimmer haben. Als Tante Betsy nämlich gesehen hat, wieviel Spaß es mir macht, hat sie Angst gekriegt, daß ... also, ehrlich gesagt, glaube ich, sie hat Angst, daß ich so werde wie mein Vater. Sagen würde sie das allerdings nie. Es ist im Grunde ihr einziger schwacher Punkt. Sie hat's tatsächlich geschafft, Parkin – das ist unser Butler – so weit zu bringen, daß er ständig neue Gründe dafür erfindet, warum er den Raum verschlossen halten muß.»

«Das klingt wirklich ein bißchen übertrieben. Hübsch ist es hier.» Sie standen im Mittelschiff. Vor der blaßblau und gold bemalten Figur der Jungfrau Maria brannten Kerzen.

Aber Tommy Whittaker hatte anderes im Kopf als Gott und die Heiligen. «Übertrieben? Das kann man wohl sagen. Wenn ich Ihnen erzählen würde, was ich durchmache, um im Training zu bleiben ... ach, lassen wir das. Jedenfalls muß ich jeden Tag Snooker spielen, um nicht aus der Übung zu kommen.»

«Und wofür brauchst du dann ausgerechnet mich? Wenn du schon die letzten zwei Nächte auf Skiern...»

«Als Alibi.»

«Wie bitte?»

«Es ist auf die Dauer zu riskant für mich allein. Bis jetzt hat mich zwar noch keiner gesehen. Aber wenn Tante Betsy es rauskriegt, komme ich in Teufels Küche. Sind Sie aber dabei, dann kann ich erzählen, wir hätten uns die Ruinen angesehen oder so was. Ihnen wird schon was einfallen.»

Melrose betrachtete das unbewegte Gesicht der Jungfrau Maria. Er hätte schwören können, daß sie ihm eben aufmunternd zugelächelt hatte.

«Na schön», sagte er so barsch wie möglich, damit der junge Marquis sich nicht etwa einbildete, er könne jetzt frei über ihn verfügen und ihn zu weiteren unbesonnenen Abenteuern überreden.

Aber als Tom ihm einen kameradschaftlichen Klaps auf die Schulter gab, mußte Melrose zugeben, daß er einem Abend mit der *Dritten Taube* alles andere vorziehen würde, sogar eine Skifahrt zum «Jerusalem Inn».

15

ALLES WAR WIE GEWOHNT: Robbie spielte Pac-Man, und Nell Hornsby stand hinter der Bar. Das Kätzchen lag wieder in der Krippe – die Puppe Alice war vermutlich für andere, wichtigere Aufgaben gebraucht worden.

In Jurys Kielwasser erschienen nach und nach ein paar Stammgäste an der Bar. Dickie stand bereits am Tresen, den Lauch wie einen ständigen Begleiter neben sich; er entblößte seine zahnlosen Kiefer zu einem freundlichen Grinsen, als er Jury ansprach: «Ich brauch 'n Bier, Mann. Wolln Sie auch eins?» Jury nahm dankend an. Dickie war kein Geizkragen, soviel stand fest.

Nell Hornsby warf sich das Geschirrtuch über die Schulter und zapfte zwei Glas Bitter.

«Gießen Sie sich auch was ein, Nell», sagte Jury. Sie nahm eine Flasche aus dem Regal und schenkte sich einen kleinen Whisky ein. «Wissen Sie, wo Spinney Abbey liegt?»

«Klar. Die Hauptstraße weiter bis zum Ortsausgang und dann nach rechts. Sie etwa auch?»

«Ich etwa auch? Was meinen Sie denn damit?»

«Gestern abend haben vier Leute nach dem Weg gefragt. Aus Northants, meinte Joe. Einer von ihnen war ein richtiger Earl. Sie sind mitten in eine Prügelei geplatzt – gleich, du alter Saftsack!» schrie sie zu Nutter hinüber. «Ich hab bloß zwei Hände.»

«Wie sah er aus?»

«Groß, aber nicht ganz so groß wie Sie. Helles Haar, grüne Augen. Gutaussehender Bursche.»

«Wer waren die anderen?»

Sie zuckte die Achseln. «Ich selber hab sie nicht gesehn. Joe sagte, der eine sah aus, als wäre er der Dienstbote vom andern. Eine alte Dame war auch dabei. Und eine junge. Joe meint, sie sei ziemlich hübsch gewesen. Hat ihn an diesen Filmstar erinnert – wie heißt sie doch gleich?»

«Vanessa Redgrave», sagte Jury mehr zu seinem Glas als zu Nell.

«Genau. Sie kennen diese Leute also.»

Jury nickte. «Wollten sie zu den Seainghams?»

«Ja.»

Jury hatte keine Ahnung, was Melrose Plant in Spinney Abbey trieb, aber er war froh, daß er dort war. Das würde ihm eine Menge Zeit und Ärger ersparen. Plant hatte ihm schon bei so manchem Fall weitergeholfen.

Nell Hornsby leerte ihr Whiskyglas und fragte: «Mögen Sie eigentlich Snooker? Im Hinterzimmer findet gerade ein Match statt. Clive macht auch mit.»

«Danke. Vielleicht seh ich's mir mal an.» Jury verschob seinen Besuch in der Abtei auf später. Je später die Stunde, desto größer der Überraschungseffekt.

Und desto später käme es zu der Begegnung mit Vivian Rivington.

Der hintere Teil des Pubs bestand aus einem langen Zimmer mit Steinfußboden, das ein Radiator in dem großen, kalten Kamin nur äußerst unzureichend beheizte. Das Zimmer war im Moment für die Snooker-Partien reserviert; den niedrigeren Pool-Tisch hatte man in den Vorderraum gestellt. Die Kälte schien keinen zu stören, weder die Spieler noch die Zuschauer, die zum größten Teil von dem Spiel am ersten Tisch zum zweiten Tisch hinüberwanderten, wo soeben eine neue Partie begann.

Clive, der eine Sonnenbrille trug, setzte in einer Art Boxerpose zum ersten Stoß an. Jury fragte sich, wie er durch die dunklen Gläser noch die Kugeln erkennen konnte. Obwohl er von Snooker etwa soviel Ahnung hatte wie von der Hundepflege, kam ihm Clives Haltung doch ein wenig nachlässig vor. Seine linke Hand bildete eine wacklige Brücke für das Queue. Allerdings war er mit seinen kurzen Stummelfingern ohnehin im Nachteil. Wenn man jedoch danach ging, wie die Leute sich um den Tisch drängten, um ihm zuzusehen, dann schien Clive der Dorfchampion zu sein. Er fixierte lange das Dreieck mit den roten Kugeln und visierte dann die linke hintere an. Er versenkte sie in der linken Ecktasche. Der Spielball prallte von der Bande ab und kam hinter den farbigen Kugeln fast wieder auf der Feldlinie zum Stehen. Für Jury, den Laien, sah das nach einem verdammt guten Stoß aus, denn Clive hatte jetzt keine Schwierigkeiten, die gelbe Kugel in der mittleren Tasche zu versenken. Er konnte abwechselnd noch drei rote und drei farbige einlochen, bevor ihm bei einem Stoß auf eine rote Kugel, die an der Bande lag, das Queue abrutschte. Aber er hatte eine hübsche Serie hingelegt, so daß er sich beruhigt zurücklehnen konnte.

Jury ging hinüber zu ihm. Er zeigte ihm seinen Ausweis und

das Foto von Helen Minton. «Tut mir leid, daß ich Sie stören muß, aber Mrs. Hornsby hat mir erzählt, Sie hätten sich mit dieser Frau hier unterhalten.»

Clive beäugte mißtrauisch das Bild und zuckte die Achseln. «Ich hab ihr nur einen Drink ausgegeben. Sie hat kaum ein Wort geredet.» Er schaute zum Snookertisch hinüber. «Ich bin wieder dran.» Er schob sich an Jury vorbei und trat an den Tisch.

In Höhe von Jurys Ellbogen sagte eine Stimme: «Ich hab die Kleider.»

Es war Chrissie. Im Arm hielt sie die große Puppe, die jetzt mit Stoffstreifen umwickelt war und wie ein Fall fürs Leichenschauhaus aussah.

«Schön», sagte Jury. «Jetzt sieht sie schon eher wie das Jesuskind aus.»

Chrissie war offenbar mit diesem mageren Kompliment noch nicht zufrieden, aber als Jury dem nichts weiter hinzuzufügen hatte, drehte sie sich um und sah gleichfalls dem Spiel zu. «Spielen Sie das auch?» Ihre Kinderstimme drang hell durch den rauchgeschwängerten Bierdunst.

«Psst», machte jemand, denn Clive konzentrierte sich gerade auf einen schwierigen Bandenstoß.

In diesem Moment wurde die Hintertür aufgerissen, ein eisiger Wind fegte eine dichte Schneewolke herein und mit ihr zwei Gestalten in Skimützen.

Clive landete einen Fehlstoß und fluchte.

Jury war im Vorteil gegenüber Melrose Plant. Der riß beim unverhofften Anblick seines Freundes in sprachlosem Erstaunen Mund und Augen auf.

«Was ist das?» fragte Jury und sah von Melrose zu Tom. «Die Olympia-Auswahl von Spinneyton?»

«Ich frage am besten gar nicht erst, was das zu bedeuten hat», sagte Jury.

«Ich bitte darum», sagte Melrose. «Aber wir sind tatsächlich auf Skiern gekommen.»

«Was Sie nicht sagen.»

Melrose beobachtete Tommy, der sich mit den anderen Spielern unterhielt, als wäre er hier zu Hause. «Sie, äh... sind wohl mit dem Auto hier?»

«Ja. So ist das eben mit uns Stadtmenschen. Wenn Sie bei Seaingham zu Gast sind, kennen Sie wahrscheinlich den Mann, nach dem ich suche – Frederick Parmenger.»

«Parmenger? Was wollen Sie denn ausgerechnet von dem?»

«Vorgestern wurde im Schlafzimmer von Old Hall eine Frau tot aufgefunden...»

«Old Hall? Sagt mir nichts.»

«Das Herrenhaus in Washington. Es gehört der Gesellschaft für Denkmalschutz... lesen Sie denn keine Zeitungen?»

«Zeitungen. Wie denn? Spinney Abbey ist seit drei Tagen eingeschneit. Wir sind mehr oder weniger von der Welt abgeschnitten.» Melrose hielt seine Skimütze hoch. «Sie glauben doch nicht etwa, daß ich jeden Tag mit dieser Polarausrüstung durch die Gegend streife, oder?»

«Ich hoffe es jedenfalls nicht. Parmenger ist der Cousin der Frau, die gefunden wurde. Ihr Name ist Helen Minton.»

«Wie wurde sie gefunden?»

«Tot.»

Melrose zündete sich eine Zigarre an. «Das habe ich mir beinahe gedacht. Ich wollte eigentlich wissen, wie sie gestorben ist. Wer hat sie gefunden? Die Denkmalschützer?»

«Touristen», sagte Jury knapp.

«Sie wurde also ermordet. Ansonsten hätte man Sie wohl kaum hierhergeschickt.»

«Man hat mich nicht geschickt, ich war schon hier.»

«In dieser Einöde? Wieso denn das?»

Jury erzählte ihm von seinem vorzeitig abgebrochenen Besuch in Newcastle und seiner Begegnung mit Helen Minton.

Melrose schwieg eine Weile, blies auf die Glut seiner Zigarre und sagte dann: «Das tut mir leid.»

Jury zuckte die Achseln und trank einen Schluck Bier. «Es

muß Ihnen nicht leid tun. Ich kannte sie kaum.» Ein schreckliches Gefühl, sie verraten zu haben, überkam ihn, während seine Augen abwesend das Spiel verfolgten, das gerade zu Ende ging. Clive hatte haushoch gewonnen; sein Gegner gab enttäuscht auf.

«Was ist mit Parmenger?»

«Er ist Helen Mintons Cousin. Wir haben zwei Tage gebraucht, um ihn ausfindig zu machen. Anscheinend ist er nicht gerade der gesellige Typ.»

«Ha! Darauf trink ich einen, wenn Sie mich einladen. Übrigens ist Parmenger der einzige, der seine Sinne noch alle beisammen hat: Er ist nicht zu seinem Vergnügen in der Abtei, sondern beruflich. Er hat Grace Seaingham porträtiert. Allerdings finde ich es ziemlich erstaunlich, daß er dafür die lange Reise in den kalten Norden in Kauf genommen hat. Parmenger ist nämlich ganz und gar nicht der Typ, der anderen Gefälligkeiten erweist. Und außerdem würden Sie bei diesem Sauwetter nicht extra nach Spinney Abbey fahren, wenn Sie Parmenger lediglich bitten wollten, die Leiche seiner Cousine zu identifizieren. Was ist also los?»

Jury sah Clive dabei zu, wie er die Kugeln für ein neues Spiel zurechtlegte. «Sie wurde vergiftet.» Er starrte auf die drei Kugeln, die Clive auf die Feldlinie gelegt hatte – gelb, braun, grün. «Was trinken Sie?»

Melrose sah ihn einen Moment lang schweigend an. «Das Übliche.»

Während Hornsby ein Old Peculier und ein Newcastle Ale zapfte, bemerkte Jury, daß die in Lumpen eingewickelte Puppe inzwischen wieder in die Krippe gelegt worden war. Der Anblick machte ihn unsagbar traurig; er dachte an Mrs. Wasserman und Pater Rourke.

«Kann man die Abtei nur auf Skiern erreichen?» fragte er und reichte Melrose das Bier.

«Lustig wär's ja. Nein, man kommt auch mit dem Geländewagen durch, aber auf Skiern geht's am schnellsten. Und es ist die einzige Fluchtmöglichkeit, wenn man» – er deutete auf Tommy Whittaker – «sich einem so lasterhaften Zeitvertreib wie Pool nur heimlich hingeben darf.»

«Snooker», wies Jury ihn zurecht.

«Für mich ist das ein und dasselbe.»

«Snooker ist komplizierter, soviel ich weiß.» Er sah, daß Clive sein Queue neu einkreidete. Wenn ihn nicht alles täuschte, würde Clive jetzt gegen den Jungen spielen, der mit Melrose gekommen war. Er wollte sich gerade nach Whittaker erkundigen, als er Plant sagen hörte: «...die Straße wird bestimmt bald wieder frei sein; ich werde also demnächst mein Auto startklar machen und Agatha und Viv...» Melrose verstummte und begutachtete wieder die Spitze seiner Zigarre.

«Was tut Vivian denn hier? Ich dachte, sie hätte diesen italienischen Herzog geheiratet.»

«Er ist ein Graf. Und gondelt nach wie vor als Junggeselle durch Venedig. Ich habe den Verdacht, Vivian hat kalte Füße bekommen. Oder besser: nasse Füße.»

Jury sagte nur: «Aha.» Seine letzte flüchtige Begegnung mit Vivian hatte in Stratford-upon-Avon stattgefunden. Sie war damals mit dem anderen, diesem Italiener, zusammengewesen. Als er nun von der veränderten Situation erfuhr, wallten alte Gefühle mit einer Heftigkeit in ihm hoch, die ihn überraschte. Zum Teufel, warum konnte er nicht in Ruhe seinen Angelegenheiten nachgehen, statt andauernd über Leute zu stolpern, die dann doch bloß wieder aus seinem Leben verschwanden? Er beschloß, nicht weiter darüber nachzudenken, und deutete auf den zweiten Tisch. «Wird der Junge jetzt gegen Clive spielen?»

«Welchen Clive?»

«Den Sieger der letzten Runde. Wieso begleiten Sie ihn eigentlich auf seinen Skiwanderungen? Und was sollte das Geflachse von wegen ‹Herr Marquis› vorhin, bevor er Sie ans Schienbein getreten hat?»

«Ihnen entgeht aber auch nichts, was? Ich will den Jungen nur ein wenig aufmuntern.» Melrose seufzte schicksalsergeben. «Er tut mir leid, obwohl ich mir eigentlich eher selbst leid tun sollte. Es ist wahrlich kein Vergnügen, in diesem kalten Gemäuer festzusitzen und sich anhören zu müssen, wie Tom auf Klavier und Oboe dilettiert. Aber es ist nicht seine Schuld. Es ist die Tante...»

«Jetzt verstehe ich.»

«Tja. Ich muß allerdings sagen, daß *seine* Tante ihn wirklich gern hat. Das Dumme ist nur, daß sie ihn nicht nach seiner Fasson selig werden läßt: sie hat Angst, daß er so wird wie seine Eltern – ein Playboy, der sich ständig in Kenia rumtreibt, seine Frau betrügt, Orgien feiert, und was solche Typen sonst noch so anstellen. Der Kleine ist der Marquis von Meares, und sie will, daß er seinem Namen Ehre macht.»

«Armer Kerl, er ist doch noch viel zu jung für einen Marquis.»

«Nicht hier», flüsterte Melrose mit einem Blick auf Tommy, der gerade einen Schluck aus seinem Bierglas nahm. Die Kugeln waren aufgelegt, das Spiel konnte beginnen. «Dummerweise ist Großtantchen wiederum zu nachsichtig, was seine musikalischen Darbietungen betrifft. Er spielt einfach grauenhaft – was zum Teufel will er hier eigentlich mit diesem verfluchten Oboenkasten? Den hat er sich vorhin also über die Schulter geschnallt.»

In der Tat hatte Tommy Whittaker seinen Oboenkasten mitgebracht. Er entnahm ihm zwei dünne Rundhölzer, schraubte sie behende zusammen und kreidete die Spitze ein.

«Ein Queue! Du hattest ja ein Queue in deinem Oboenkasten», rief Melrose.

Tommy sah von Plant zu Jury. Mit unbewegter Miene entgegnete er: «Haben Sie schon mal versucht, mit 'ner Oboe Snooker zu spielen?»

FÜNFTER TEIL

SICHERHEITS-SPIEL

16

MIT DEM QUEUE KONNTE ER EINDEUTIG BESSER UMGEHEN als mit der Oboe.

Clives Nerven begannen bereits zu flattern, bevor Tommy auch nur einen Stoß gemacht hatte. Nach einer Serie von 24 Punkten verpatzte Clive einen einfachen Direktstoß. Allein auf Rot und Schwarz spielend schaffte Tommy eine Serie von 40, wozu ein erstaunliches Repertoire an Stößen notwendig war. Ein Stoß auf die letzte rote Kugel führte dazu, daß der Spielball zur Feldlinie und in eine günstige Position zu den farbigen rollte. Er versenkte die gelbe mit einem Rückläufer, desgleichen die grüne und die braune und machte dann einen Sicherheitsstoß über zwei Banden.

Als Clive wieder an den Tisch trat, hatte Tommy eine Serie von 54 Punkten hingelegt, ein Ergebnis, auf das selbst ein professioneller Spieler hätte stolz sein können. Aber es war nicht die Präzision, die Jury erstaunte, es war die Geschwindigkeit. Tom schien es nicht nötig zu haben, erst lange über einen Stoß nachzudenken, und doch war es klar, daß er nach einem bestimmten Plan spielte wie ein Schachspieler, der mehrere Züge vorausdenkt.

«Wo hast du gelernt, so zu spielen?» Melrose bot ihm eine Zigarre an.

«Übung», sagte Tommy schlicht, dankte Melrose für die Zigarre und ging zurück an den Tisch. Clive hatte den Spielball ungünstig an die Bande gespielt und konnte nicht an seine farbige herankommen. Er versuchte, Tommy den Zugang zur blauen zu verbauen, aber es gelang ihm nicht, und Tommy versenkte sie und gleich darauf die rosa Kugel. Die schwarze einzulochen war danach nur noch Routine, und dann war das Spiel zu Ende.

«Übung ist gut! Du mußt schon in der Wiege damit angefangen haben.»

Tommy lächelte. «Mit fünf, um genau zu sein. Wissen Sie, mein Vater spielte gern Billard. Ich mußte mich immer auf eine Kiste stellen, damit ich über den Tisch reichen konnte.»

«Ich habe noch nie jemanden so schnell spielen sehen», sagte Jury.

«Dann haben Sie noch nie Hurricane Higgins gesehen.»

«WAS SOLL DAS HEISSEN, ich kann nicht mitfahren?» Melrose dachte schaudernd an die Skier.

Hornsby hatte schon vor einer halben Stunde die Sperrstunde verkündet, aber da ein paar Stammgäste auf ihren Ohren zu sitzen schienen, mußte er sich nun lautstark wiederholen.

«Es wäre besser, wenn wir nicht zusammen in Spinney Abbey auftauchten. Außerdem sollten Sie den Jungen nicht alleine durch dieses Schneegestöber...»

«Der liefe sogar bis zur Antarktis, wenn es dort einen Snooker-Tisch gäbe. Und überhaupt: Glauben Sie etwa, daß unsere Freundschaft ein Geheimnis bleibt, wenn Agatha Sie erst einmal gesehen hat? Unsere gemeinsamen Erlebnisse werden in ähnlich epischer Breite dargestellt werden wie die von Euryalus und Nisos.» Er kannte Jurys Vorliebe für Antike und Klassik.

«Ich weiß, daß wir kein Geheimnis daraus machen können. Trotzdem werden Sie mir eine größere Hilfe sein, wenn gar nicht erst der Eindruck entsteht, daß wir zusammen an diesem Fall arbeiten.»

«Dann sagen Sie mir wenigstens, an was für einem Fall wir arbeiten. Was hoffen Sie in der Abtei zu finden?»

«Zunächst einmal Frederick Parmenger. Also los, rauf auf die Skier. Sie werden wahrscheinlich vor mir dort sein. Bis zum Ortsausgang und dann nach rechts, stimmt's?»

«Ja. Sie können die Abtei gar nicht verfehlen. Außenrum ist nichts als Dunkelheit; halten Sie einfach auf den einzigen beleuchteten Punkt zu. Aber ist es nicht selbst für Scotland Yard schon ein bißchen zu spät, um harmlose Leute in einer dienstlichen Angelegenheit aufzusuchen?»

«Schon möglich. Aber manchmal ist mir der Überraschungseffekt wichtiger als meine gute Erziehung.» Lächelnd steckte Jury seine Zigaretten ein. «Hoffentlich komme ich mit dem Wagen durch. Sie werden schon hübsch warm in den Betten liegen.»

«Wahrscheinlich. Hier auf dem Lande ist eben nicht viel los.»

«Täuschen Sie sich da nur nicht», sagte Jury.

ER HÄTTE ES TOM GEGENÜBER mit keinem Wort zugegeben, aber trotz des eisigen Windes fand Melrose Vergnügen daran, lautlos durch Schnee und Dunkelheit zu gleiten. Vielleicht schlummerte in einem verborgenen Winkel seines Herzens ein Rest Jack London-Romantik, denn er sah sich schon als Held von *Auf Skiern*. Aber während in seiner Phantasie noch Bilder von Alaska und Goldgräberlagern herumspukten, schweiften seine Gedanken allmählich zurück zu Ardry End, zu seinem bequemen Sessel vor dem Kamin und einem Glas Port, und er kam zu dem Schluß, daß ihn von MacQuades Held doch einiges unterschied.

Tommy dachte ebenfalls an das Buch. «Es ist wirklich spannend», sagte er. «In dem ganzen Buch tritt nur eine einzige Figur auf, und trotzdem wird es nie langweilig. Es muß schwierig sein, so etwas zu schreiben.»

«Ein großer Wurf, das Buch», sagte Melrose. «Kein Wunder, daß er den Booker-Preis dafür bekommen hat. Und er selber ist auch ganz in Ordnung.»

Der fahle Mond verschwand hinter einer Wolkenbank, einzig Toms fluoreszierender Kompaß schimmerte in der Dunkelheit. «Die Richtung stimmt. Es ist nur noch eine halbe Meile bis zur Abtei. Ich erkenne die Mauer dort drüben. Ich glaube, es ist ein altes Bauernhaus oder so was.»

Melrose sah nur eine schwarze Silhouette. «Apropos Mauer – wie schaffst du es, auch in St. Jude's zu trainieren? Denn um so spielen zu können wie du, muß man doch bestimmt wie ein Verrückter üben. Da bleibt dir doch wenig Zeit zum Lernen.»

«Das Lernen hab ich mir abgewöhnt. Die Pauker wundern sich zwar manchmal, wo ich abgeblieben bin – aber nur ein bißchen, als hätten sie ihre Pfeife oder Brille verlegt. Ich glaube, die würden keinen vermissen, der nicht gerade ein Cricket-As ist. Ich klettere immer so früh ich kann über die Mauer und gehe in die Spielhalle unten im Dorf. Und natürlich lese ich viel abends, nachdem die Lichter gelöscht werden, damit ich nicht ganz den Anschluß verpasse. Mein Spezialgebiet ist Mesopotamien, da bin ich inzwischen eine echte Autorität, und deswegen denkt jeder, daß ich über alles andere auch eine Menge weiß. Es ist schon komisch: wenn man sich gut mit einer Sache auskennt, die keinen besonders interessiert, halten die Leute einen gleich für hochgebildet. Nein, in St. Jude's hab ich genug Gelegenheit zum Trainieren; schwierig wird es erst, wenn ich in den Ferien nach Hause komme.» Melrose hörte jemanden seufzen; vielleicht war es Tom, vielleicht aber auch nur der Wind, der ihm um die Ohren blies. «Tante Betsy ist strikt dagegen, daß ich spiele. Ich glaube, es erinnert sie an Vater. Außer am Billardtisch hat er sich nie viel um mich gekümmert. Sie hat schon recht, er war wirklich so eine Art Playboy. Hat nie gearbeitet und das Geld mit beiden Händen ausgegeben. ‹Leichtfertig›, so nennt sie ihn. Ihn und meine Mutter. Ich will aber nicht sagen, daß sie schlecht von meinen Eltern spricht, das bestimmt nicht. Jedenfalls muß ich mir in den Ferien alle möglichen Tricks ausdenken, um nicht aus der Form zu kommen. Die Klavierstunden nehm ich zum Beispiel, damit meine Finger geschmeidig bleiben. Ich bin ein ziemlich miserabler Klavierspieler, oder?» Er schien auf seinen Mangel an Talent fast stolz zu sein.

«Einem miserableren bin ich noch nicht begegnet.»

Tom lachte. «Na ja, und dann die Oboe. An der interessiert mich eigentlich nur der Kasten. Ich meine, es ist nicht ganz einfach, mit einem Queue durch die Gegend zu laufen, ohne daß jemand dumme Fragen stellt. Außerdem schieße ich ziemlich gut.»

Melrose blieb stehen. «Du schießt? Womit?»

Tom blieb ebenfalls stehen. «Mit dem Gewehr natürlich. Oder mit Pistolen. Wir haben einen Schießstand. Vater hat ihn bauen lassen, um üben zu können. Aber seit Tante Betsy ihre Tierliebe entdeckt hat, darf auf unserem Land nicht mehr geschossen werden. Mr. Seaingham versucht sie manchmal umzustimmen, weil er ganz verrückt auf die Vogeljagd ist. Denn hier gibt's jede Menge Fasanen, Rebhühner und Wachteln. Jedesmal wenn die Seainghams zu Besuch kommen, sieht er große Vogelschwärme aus dem Unterholz auffliegen...»

«Aber was hat Schießen denn mit Snooker zu tun?» fragte Melrose, während er sich eine sanfte Steigung hocharbeitete.

Vor ihnen lag ein Abhang. Sie stießen sich mit ihren Skistöcken ab und fuhren Schuß. Über ihnen glänzten ein paar Sterne so kalt wie Stahl. «Der linke Arm wird dabei genauso benutzt wie beim Schießen», rief Tom. «Mit dem Gewehr trainiere ich ganz einfach eine ruhige Armhaltung. Wenn man bei einem Schuß auch nur das kleinste bißchen zittert, kann die Kugel das Ziel schon weit verfehlen.»

«Deine Snooker-Leidenschaft hält dich ja ganz schön auf Trab.»

«Der ganze Aufwand wäre nicht nötig, wenn ich jeden Tag spielen dürfte. Aber wenn man nicht tun kann, was man will, muß man eben versuchen, auf Umwegen ans Ziel zu kommen.»

Tante Betsy hatte einen Neffen, der seiner Berufung ebenso ergeben war wie nur irgendein Maler oder Schriftsteller, aber sie war blind für sein Talent. Der Gedanke stimmte Melrose traurig.

Tommy begann von dem Pub in der Nähe seiner Schule zu erzählen. «Natürlich weiß dort keiner, daß ich von St. Jude's komme und diesen verdammten Titel trage.»

Sie glitten eine Weile schweigend dahin, bis Tom plötzlich fragte: «War Ihre Familie böse, als Sie auf Ihren Titel verzichteten?»

«Meine Eltern waren schon tot. Lady Ardry ist meine einzige Verwandte.»

«Meine Eltern sind gestorben, als ich zehn war.»

«Erinnerst du dich noch gut an sie?»

«Ja. Mutter war wunderschön. Ich glaube, ich bin ihr manchmal ziemlich auf die Nerven gegangen. Besonders zärtlich war sie jedenfalls nie. Mit Vater war es oft lustig, vor allem am Billardtisch.» Er lachte. «Mann, hatten wir einen Spaß! Aber ich habe sie selten gesehen; sie trieben sich meistens in der Weltgeschichte herum.» Nach einem kurzen, wehmütigen Schweigen fuhr er fort: «Sie hätten mich ruhig mal mitnehmen können. Aber ich mußte immer bei Tante Betsy bleiben.» Als hätte er eben einen Verrat an seiner Großtante begangen, fügte er schnell hinzu: «Das heißt nicht, daß ich sie nicht liebe. Mal abgesehen vom Snooker ist sie schwer in Ordnung. Für Tante Betsy würde ich alles tun», sagte er mehr zu sich selbst, bevor er sich wieder an Melrose wandte. «Sie waren wahrscheinlich schon ziemlich alt, als Sie Ihren Titel abgelegt haben.»

«Ich finde nicht, daß man mit Ende Dreißig *alt* ist.»

Tom ging nicht weiter darauf ein. «Ich würde meinen Titel auch gerne loswerden, aber ich will Tante Betsy nicht weh tun. Sie lebt für die Familienehre – was immer die damit zu tun hat.»

«Aber es ist *dein* Leben; kein anderer kann dir die Verantwortung dafür abnehmen.»

Als hätte Melrose ihm damit einen Ausweg aus der Misere gezeigt, legte Tommy zu einem Spurt los. Spinney Abbey lag immer noch eine Viertelmeile entfernt.

Melrose fühlte sich wie ein Walroß auf Schlittschuhen, als er zehn Minuten später keuchend das kleine Tor in der Klostermauer erreichte. Er kam gerade noch rechtzeitig, um den Schrei zu hören und zu sehen, wie Tommy Whittaker der Länge nach hinschlug, als hätte ihn jemand von hinten niedergeschossen.

DIE SKIER RAGTEN SCHRÄG NACH OBEN, und Tommy lag bäuchlings im Schnee, als Melrose sich endlich bis zu ihm vorgearbeitet hatte.

«Verdammt noch mal!» rief Tom. «Helfen Sie mir doch hoch!»

Zu Melroses unendlicher Erleichterung schien er quicklebendig zu sein.

Es war kein leichtes Stück, jemandem aufzuhelfen, der Skier an den Füßen hatte, zumal wenn man selber auf Skiern stand, aber schließlich brachte Melrose den Jungen wieder auf die Beine. Tommy zerrte sich die Skimütze vom Kopf und wischte sich den Schnee aus dem Gesicht. «Was zum Teufel war denn *das*? Hat sich angefühlt wie ein Baumstumpf.» Er stellte die Skier parallel, ging in die Hocke und tastete im Schnee herum. «Haben Sie denn keine Taschenlampe dabei?» fragte er Melrose.

«Nein. Ich bin schließlich noch Anfänger im Überlebenstraining.»

«Es scheint ein Tierkadaver zu sein oder so was – o Gott...»

«Was ist los?»

«Das ist doch Mrs. Seainghams Hermelincape –»

«Laß es liegen», sagte Melrose rasch. Er hatte es endlich geschafft, die Bindungen seiner Skier zu öffnen. Hier, in der Nähe des überdachten Fußwegs, lag der Schnee nur knöcheltief.

«Wieso?»

Melrose kniete nieder und betastete vorsichtig das Cape. Das weiche Fell war schnee- und eisverkrustet. Der Körper darunter lag mit dem Gesicht im Schnee. «Weil», sagte er langsam, «weil du nicht über ein Cape gestürzt bist, alter Junge.»

Er fragte sich, wer in aller Welt den Wunsch gehabt haben konnte, Grace Seaingham zu ermorden.

DER ZWEITE SCHOCK ließ nicht lange auf sich warten, denn die erste, die in weißen Satin gehüllt auf der Treppe der Vorhalle erschien, nachdem Marchbanks und Ruthven Alarm geschlagen hatten, war Grace Seaingham.

Warum sie denn so dreinstarrten, wollte sie wissen. Ob irgend etwas nicht in Ordnung sei?

Melrose wählte seine Worte vorsichtig. «Ich denke, Mrs. Seaingham, Sie werden feststellen, daß einer Ihrer Gäste... fehlt.»

Lady Ardry war es jedenfalls nicht.

Sie kam in Morgenmantel und Schlafhaube die Treppe heruntergestürzt und überschüttete sie mit einem Schwall von Fragen. Warum hatte man sie aus dem Schlaf gerissen? Wieso lief Melrose in dieser komischen Aufmachung herum? Warum, wieso, weshalb?

Lady St. Leger, die mit großen Augen ihren Neffen anstarrte, verlangte ebenfalls nach einer Erklärung. «Wo in aller Welt kommst du jetzt her, Tom?»

«Ich war Ski laufen», sagte Tommy. Beim Anblick seines schuldbewußten Gesichtsausdrucks brach MacQuade in Gelächter aus.

Erst als Melrose Vivian sah, bemerkte er, wie groß seine innere Anspannung gewesen war. Ihr Haar war völlig zerzaust, ihr Morgenmantel einige Nummern zu groß; sie gehörte zweifellos nicht zu jenen Frauen, die kurz nach dem Erwachen am schönsten aussehen. Zudem war sie ziemlich benebelt. Zuviel Martini, vermutete er. Als sie ihn gähnend fragte, ob er vorhabe, eine Art Gesellschaftsspiel zu veranstalten, sagte er kein Wort.

Alle Bewohner des Hauses, Gastgeber und Gäste, hatten sich inzwischen im Salon eingefunden. Die meisten steuerten unverzüglich auf den Tisch mit den Getränken zu.

Melrose sah von einem zum anderen und sagte dann ohne Umschweife: «Beatrice Sleight ist ermordet worden.»

Außer Susan Assington, die erschrocken ihren Drink verschüttete – und selbst das schien in Zeitlupe zu passieren –, erstarrten alle in verschiedenen Posen der Verblüffung und des Unglaubens.

Es war Frederick Parmenger, der mit einem gezwungenen Gelächter die Anspannung löste. «Wirklich ein verdammt origineller Scherz – was immer Sie auch damit bezwecken mögen.»

Es kam wieder Bewegung in die Anwesenden; die einen lachten nervös mit, andere ließen sich erleichtert in die Sessel fallen. Agatha seufzte und steckte einen Lockenwickler unter die Schlafhaube, die ihrem Kopf das Aussehen eines riesigen Pilzes verlieh. «Achten Sie am besten gar nicht auf Melrose. Er liebt seltsame Scherze.»

Nur Charles Seaingham hatte seine Sinne so weit beisammen, daß er Beatrice Sleights Abwesenheit bemerkte. Er warf Melrose einen prüfenden Blick zu und erbleichte. «Das ist kein Scherz. Aber, mein Gott, was… wo…?» Er sah sich suchend um.

«Draußen», sagte Melrose. «Tom und ich haben sie gefunden. In der Nähe des Wegs, der zur Kapelle führt.»

Wieder erstarrten alle. «Treiben Sie bitte nicht solche makabren…» begann Grace Seaingham, doch als sie sah, daß Melrose und Tommy keineswegs zu Scherzen aufgelegt waren, griff sie haltsuchend nach dem Arm ihres Mannes.

«Sind Sie sicher, daß sie tot ist?» fragte Sir George Assington.

«Ja.»

«Bitte – schauen Sie nach, George», bat Seaingham.

Melrose hielt ihn auf. «Es wäre vielleicht besser, auf die Polizei zu warten.»

«Die braucht doch Stunden, um herzukommen», sagte Seaingham.

«Das glaube ich eigentlich nicht», entgegnete Melrose.

17

JEMAND POCHTE MIT DEM RIESIGEN MESSINGRING an der Tür zweimal gegen das Holz. Das Geräusch ließ alle auffahren.

Als Ruthven – der in seinem alten gestreiften Morgenrock so würdevoll einherschritt, als trüge er einen Cut – Jury in den Salon führte, wünschte Melrose, er hätte etwas mehr Zeit gehabt, seine Gedanken zu ordnen.

Die arme Lady Ardry stellte Jurys Erscheinen offensichtlich vor ganz andere Probleme: Sie riß den Mund auf, hievte sich aus dem Rosenholzsofa, achtete nicht mehr auf die Lockenwickler, die unter ihrer Haube hervorsprossen, und machte mit einem Schrei ihrer Verwunderung Luft: «Großer Gott! Inspektor Jury!» Bei ihrer letzten Begegnung war er noch «Herr Oberinspektor» gewesen. Und obgleich Melrose ihr mehr als einmal erzählt hatte, daß Jury jetzt Superintendent sei, kaufte sie ihm das nicht ab, weil sie von der Beförderung nicht persönlich unterrichtet worden war. Jury schüttelte ihr die Hand, und Agatha, die offenbar schon vergessen hatte, daß draußen im Schnee eine Tote lag, begann ihn den anderen vorzustellen.

Bei Vivian Rivingtons Anblick leuchteten Jurys Augen auf. Vivian schenkte ihm ein so nervöses, gekünsteltes Lächeln, daß man hätte glauben können, sie habe etwas zu verbergen. Sie entfernte sich schnell wieder und trat hastig aus dem Feuerschein in einen dunkleren Winkel des Raums.

Melrose beschloß, Agathas unaufhörlichem Geplapper ein Ende zu bereiten: «Sie sollten sich einmal anschauen, was da draußen im Schnee liegt, Superintendent.»

Jury richtete sich auf, warf einen letzten Blick auf die Tote und klopfte den Schnee von seiner Hose. «Der Schuß kam aus einer Schrotflinte.» Er ließ den Strahl der Taschenlampe, die Marchbanks ihm besorgt hatte, über den Boden um die Leiche herumkreisen. «Schöne Sauerei.»

«Tut mir leid, daß wir den Schnee zertrampelt haben. Wir wußten ja nicht, daß hier eine Leiche liegt.»

«Ich mache Ihnen doch keine Vorwürfe. Wo mag nur die Waffe geblieben sein?»

«Ich würde mal in Seainghams Gewehrständer nachsehen. Die Waffenkammer – dort bewahrt er seine gesamte Sportausrüstung auf – liegt dort drüben; es ist das erste Zimmer hinter der Galerie.» Er sah wieder auf die Leiche hinab. «Wie lange ist sie wohl schon tot?»

Jury schüttelte den Kopf. «Noch nicht lange. Gesicht und Nacken sind trotz des Frostes noch nicht erstarrt. Eigentlich müßten aber Sie doch den Zeitpunkt des Todes besser abschätzen können.» Er knipste die Taschenlampe aus. «Wann haben Sie sie zuletzt gesehen?»

«Gegen neun. Tom und ich sind gleich nach dem Dinner aufgebrochen. Die anderen gingen alle in den Salon, um ihren Schlummertrunk zu nehmen.»

Jury zuckte die Achseln. «Man kann wohl noch eine weitere Stunde dazurechnen. Ich denke, daß der Täter gewartet hat, bis die anderen ins Bett gegangen sind. Wahrscheinlich ist sie nicht länger als eine Stunde tot. Was wissen Sie über die Frau?»

«Daß sie nicht sehr beliebt war.»

«Das», sagte Jury, «ist mir auch schon aufgefallen.»

Von Charles Seainghams Arbeitszimmer aus rief Jury das Northumbria-Revier an. Cullen hatte Nachtdienst und setzte zu einer bitteren Klage über eine Horde Rabauken an, die eben aus einem Pub im Einkaufszentrum Kleinholz gemacht hatten. Jury brachte ihm schonend bei, daß die Nacht für ihn noch nicht zu Ende war.

«Herrgott! Passieren solche Sachen immer, wenn Sie irgendwo auftauchen?»

«*Ich* habe sie nicht erschossen.»

Einen Moment lang schien Cullen diese Möglichkeit in Erwägung zu ziehen, aber dann sagte er: «Na schön. Ich benachrichtige Durham und sage, sie sollen ein paar Leute zu Ihnen rausschicken. Wahrscheinlich werden sie früher da sein als ich. Ist die verfluchte Straße zu diesem gottverlassenen Ort geräumt?»

«Ja.»

«Mist.» Cullen legte auf.

Als Melrose erfuhr, daß sie auf Cullen warten mußten, runzelte er die Stirn. «Wieso? Wir haben doch einen ausgezeichneten Polizisten hier.»

«Niemand hat mich um meine Hilfe gebeten», entgegnete Jury. «Wir warten auf Cullen. Und in der Zwischenzeit… wer von den Anwesenden ist Parmenger?»

Melrose machte Jury mit Gastgebern und Gästen bekannt. Susan Assington versuchte, seine Aufmerksamkeit auf sich zu lenken, indem sie sich so geschickt vor ihm aufbaute, daß ihm die Sicht auf die anderen versperrt war. Sie reichte ihm ein Glas Brandy. «Das können Sie jetzt brauchen», sagte sie und senkte dann ihre affektierte Kleinmädchenstimme zu einem kehligen Gurren. «Einfach grauenvoll, was hier geschehen ist.» Ein anmutiger Schauder überlief ihren Körper und ließ ihr dünnes Satinnegligé noch ein Stück weiter über die Schultern hinabrutschen. Susan stand im vollen Schein des Feuers, an eben jenem Platz, den Vivian vor kurzem geräumt hatte.

Aber Jury lächelte ihr nur flüchtig zu, nahm weder ihr Negligé noch ihr schimmerndes Haar zur Kenntnis, sondern starrte an ihr vorbei auf Vivian, die ihrerseits betrübt an ihrem schäbigen Morgenrock hinunterschaute wie ein Kind, das in den Matsch gefallen ist.

«Wie geht es Ihnen, Miss Rivington? Es ist lange her, seit wir uns das letzte Mal gesehen haben.»

Melrose stieß einen Seufzer aus. *Miss Rivington*, Allmächtiger! Und vermutlich würde sie ihn *Superintendent* nennen…

«Superintendent Jury», sagte sie mit leiser, gepreßter Stimme, während sie verlegen in ihrem Haar herumnestelte. «Es ist Jahre her. Na ja, genaugenommen ein Jahr. Wenn man das überhaupt mitzählen kann… ich meine, es waren ja höchstens ein paar Minuten…»

Melrose kippte seinen Brandy hinunter. Die beiden würden sich vermutlich noch als Greise so aufführen. Manchmal kamen sie ihm vor wie eine Gleichung mit zwei Unbekannten, die beim besten Willen nicht zu lösen ist. Welches Klischee würden sie wohl als nächstes abhaken? Ach ja.

«…darf ich überhaupt noch *Miss* zu Ihnen sagen…?»

Die hilfreiche Agatha nahm Vivian die Antwort ab: «Ja, Sie dürfen. Und ob Sie das dürfen. Noch ist sie nicht mit diesem gräßlichen Italiener verheiratet!»

Melrose befreite Jury aus Agathas Klauen und machte ihn mit Frederick Parmenger bekannt, der, allein mit seinem Whisky-Soda, sich mit dem Rücken gegen ein Bücherregal lehnte und düster vor sich hinstarrte.

«Könnte ich mich kurz mit Ihnen unterhalten, Mr. Parmenger?» fragte Jury.

«Mit mir? Wieso? Sehe ich denn heute besonders mordlüstern aus? Zugegeben, ich konnte das Weib nicht ausstehen, aber…»

«Es geht nicht um Miss Sleight.»

Parmenger war sichtlich verblüfft. «Nicht? Ja, was zum Teufel wollen Sie denn dann von mir?»

Jury empfand eine heftige Abneigung dagegen, Parmenger über Helens Tod aufzuklären. Das lag zum Teil daran, daß er den Tatsachen nicht noch ein weiteres Mal ins Auge blicken wollte.

Sie hatten sich in Seainghams Arbeitszimmer zurückgezogen. Es war ein ziemlich kleiner Raum, ein Zufluchtsort, der um einiges behaglicher war als Grace Seainghams Kapelle. Die Wände waren mit glänzendem dunklen Holz getäfelt; in den Bücherschränken standen seltene Ausgaben geschützt hinter Glas; auf dem Schreibtisch stapelten sich Zeitungsausschnitte und Zeitschriften neben einer großen Karaffe Whisky und einer Apothekerlampe; den offenen Kamin schmückten wunderschöne Kacheln; die Couch war mit hellbraunem Leder, der Lehnstuhl mit abgewetztem dunkelbraunen Samt bezogen. Abgesehen von ein paar holzgeschnitzten Enten und Fasanen fehlte jeder überflüssige Zierat. Nichts sah hier nach künstlichem Arrangement aus; die Möbel, die Bücher, die Bilder – sie paßten wie zufällig perfekt zusammen und zeugten von Charles Seainghams selbstverständlicher Sicherheit in Geschmacksfragen.

Allein die Bilder waren schon ein kleines Vermögen wert. Ein Manet, ein Druck von Picasso, ein Munch. Und ein Parmenger. Das Bild stand auf einer Staffelei in der Mitte des Raums. Offenbar hatte Parmenger in diesem Zimmer daran gearbeitet.

«Es geht um Helen Minton», begann er zurückhaltend.

«Um *Helen*? Was ist mit ihr?»

Jury war nicht ganz sicher, ob das Zittern in Parmengers Stimme echt oder nur gespielt war. Aber er scheute sich immer noch, mit der Wahrheit herauszurücken, und fragte ausweichend: «Haben Sie nicht die Zeitungen gelesen?»

«Welche Zeitungen? Wir waren hier eingeschneit. Was ist denn mit Helen?»

«Ich muß Ihnen leider eine traurige Mitteilung machen. Es hat einen Unfall gegeben. Helen ist tot.» Parmenger rutschte tiefer in seinen Sessel. Er erinnerte Jury an einen Menschen, der in einer Taucherglocke gefangen ist. Einen Moment lang hatte er den Eindruck, Parmenger würde gleich in Ohnmacht fallen.

Statt dessen erhob er sich, griff nach der Karaffe auf dem Tisch, füllte sein Glas mit Whisky, stürzte ihn hinunter und schenkte sich sofort einen neuen ein. Er hielt das Glas so fest umklammert, daß das Blut aus seinen Knöcheln wich.

«Unmöglich. Wie kann Helen tot sein?»

Jury betrachtete dies als rhetorische Frage. «Wann haben Sie sie zuletzt gesehen?»

«Vor zwei Monaten.» Parmenger sah Jury aus tränenfeuchten Augen an. «Wie kann Helen tot sein?»

«Sie war Ihre Cousine?»

Als könnte ihn die Nähe seiner Arbeit von der allzu bedrükkenden Anwesenheit des Todes und der Polizei befreien, trat Parmenger vor sein Gemälde. «Ja», sagte er.

Jury wartete ab.

Nach einer Weile drehte Parmenger sich um. «Was zum Teufel hat das alles zu bedeuten? Wieso kommt ein Mann von Scotland Yard hierher und will mit mir über Helen reden?»

«Ich kannte sie. Leider nur sehr flüchtig. Sie war eine... charmante Frau.» Er beobachtete Parmengers Gesicht, als erwartete er, es im nächsten Moment zersplittern zu sehen wie eine Windschutzscheibe.

Parmenger schien ein wenig zurückzuweichen, aber darüber hinaus zeigte er keinerlei Gefühlsregung. «Charmant. Ganz recht.» Er starrte Jury an, als wollte er nach altrömischer Sitte den Überbringer der schlechten Nachricht mit eigenen Händen erwürgen. Sein schönes scharfgeschnittenes Gesicht hätte sicher gut auf die Rückseite einer alten Münze gepaßt.

Sie musterten einander stumm. Schließlich brach Jury das Schweigen: «Sie haben mich noch gar nicht gefragt, wie sie gestorben ist.»

«Ihr Herz?»

«Nein. Sie wurde vergiftet.»

Frederick Parmenger wandte ihm abrupt den Rücken zu und studierte erneut sein Gemälde. Nach einer Weile sagte er leise: «Ich kann das einfach nicht glauben.»

Jury warf einen Blick auf seine Uhr. Zwanzig Minuten waren vergangen, seit er Cullen angerufen hatte. Es würde noch einmal so lange dauern, bis Cullen eintraf. Er hatte viel Zeit, Parmenger aus der Reserve zu locken. Er konnte warten.

Das Porträt zeigte Grace Seaingham in einem langärmeligen elfenbeinfarbenen Kleid, dessen schlichter Schnitt in reizvollem Kontrast zu dem kostbaren Stoff stand. Parmenger hatte die Textur der Moiréseide wunderbar wiedergegeben und mit gleicher Meisterschaft das Wintersonnenlicht eingefangen, das durch die Fenster strömte und in Streifen auf den chinesischen Teppich zu ihren Füßen fiel. Das Licht verlieh ihr ein überirdisches, schemenhaftes Aussehen. Jury glaubte fast, den dunklen Umriß des Bücherschranks durch ihre Gestalt hindurch sehen zu können.

Parmenger stand zigarrerauchend vor dem Bild und betrachtete es unverwandt, als gelte ihm beider ausschließliches Interesse. «Meine letzte Herzogin. Ist das nicht von Robert Browning? Jedenfalls ist dies hier hoffentlich mein letztes Porträt.»

«Sehen Sie sich in der Rolle des Herzogs von Ferrara?»

Es schien Parmenger zu überraschen, daß ein Polizist Browning kannte. «Nein. Ich glaube, Herzog Ferdinand liegt mir eher. Ich meine den, der in der *Herzogin von Malfi* verrückt wird, weil er glaubt, er würde sich in einen Wolf verwandeln. Seltsames Stück.»

«Der Tod von Beatrice Sleight scheint Ihnen ja nicht allzu nahezugehen.»

«Ehrlich gesagt, nein. Im Gegenteil, ich war unglaublich erleichtert, daß es nicht Grace getroffen hat. Grace ist wirklich ein guter Mensch. Ihre Bigotterie kann einem zwar auf die Nerven gehn, aber schließlich ist niemand vollkommen.» Er stürzte seinen Drink hinunter. «Dagegen war Beatrice Sleight ein Miststück. Ich kann mir keinen vorstellen, der es auch nur eine Stunde mit ihr allein ausgehalten hätte, ohne daß er Lust bekam, sie in Stücke zu reißen. Und wir waren ganze drei Tage zusammen mit ihr eingeschneit – Mann, mich wundert's, daß erst jetzt einer auf die Idee gekommen ist, ihr den Garaus zu machen.»

«Wer hätte Ihrer Meinung nach einen handfesten Grund gehabt, sie zu töten?»

«Alle.» Er trank den Whisky aus und goß sich einen neuen ein.

«Aber einer ganz besonders.»

«Ich jedenfalls nicht. Werden Sie jetzt wissen wollen, wo ich zur fraglichen Zeit war und so weiter?» Er ließ sich wieder in den Sessel fallen, neigte den Kopf zur Seite, wie um das Porträt schärfer ins Auge fassen zu können, und beantwortete seine Frage gleich selbst. «Ich war auf meinem Zimmer.» Seine Augen, die unverwandt auf das Bild gerichtet waren, verengten sich zu Schlitzen. «Irgendwas stimmt da doch nicht.» Künstlerische Probleme interessierten ihn scheinbar über alles. «Ich war auf meinem Zimmer, genau wie alle anderen. Wir sind früh nach oben gegangen. Hatten wohl alle genug davon, Abend für Abend in die gleichen langweiligen Gesichter zu starren.»

«Haben Sie nichts gehört? Keinen Schuß, nichts?» fragte Jury. Parmenger schüttelte den Kopf, stand auf, trat ohne sein Glas abzusetzen an das Bild, nahm einen Pinsel aus einem Glastopf, mischte ein wenig Ocker mit einer Idee Schieferweiß und zog eine Linie, die so hauchdünn war, daß Jury sie kaum wahrnahm. Dann tat er den Pinsel zurück in den Topf und setzte sich wieder.

«Gar nichts. Die Schlafzimmer liegen alle auf der von der Kapelle abgewandten Seite des Hauses. Außerdem hat's ziemlich gestürmt. Bei dem Wind hätte man nicht mal eine Kanone gehört.»

«Sie waren aber noch nicht zu Bett gegangen», sagte Jury mit einem Blick auf Parmengers Anzug.

«Natürlich nicht. Ich mußte ja angezogen bleiben, damit ich mich nicht erkältete, während ich Bea Sleight auflauerte.» Er betrachtete Jury mit dem gleichen ungeduldigen Blick, mit dem er sein Bild begutachtet hatte.

«Ist es denkbar, daß jemand hier im Haus auch Helen Minton den Tod gewünscht haben könnte?»

«Hier im Haus?» Er lachte verächtlich. «Großer Gott, nein. Keiner von denen kannte sie.»

«Könnte vielleicht sonst jemand in Frage kommen?»

Parmenger schüttelte nachdenklich den Kopf. «Helen war zu anständig; sie hatte mit Sicherheit keine Feinde.»

«Mit einer Ausnahme», sagte Jury und erhob sich. In der Ferne hörte er das gedämpfte Geräusch eines Automotors.

18

DETECTIVE SERGEANT ROY CULLEN war in Sunderland geboren und aufgewachsen. Darum hatte er grundsätzlich nichts gegen Gewalt, wenn er sie auch nicht unbedingt begrüßte. Bei den zahlreichen handgreiflichen Auseinandersetzungen im Fußballstadion von Newcastle fühlte er sich jedenfalls durchaus in seinem Element. Aber mit einem Mordfall, in den Angehörige der Oberschicht verwickelt waren, gab er sich nur äußerst widerwillig ab. In Cullens Augen konnte man die in Spinney Abbey Versammelten größtenteils als Arbeitslose (oder, nach anderen Maßstäben, als Asoziale) bezeichnen, die auf eine Art zu Geld gekommen waren, die ihn mehr oder weniger an Falschmünzerei erinnerte. Daß jemand mit Bücherschreiben Geld verdiente (und zwar nicht zu knapp), war eine Sache, die er nicht ganz mit seinem eigenen undankbaren und schlechtbezahlten Job in Einklang bringen konnte.

Zu diesem Unbehagen gesellte sich nun auch noch der verdammte Schnee, der ihm in die Schuhe gedrungen war; die Tote, die er sich gerade angeschaut hatte; das Fußballspiel, das am Samstag wahrscheinlich wegen des schlechten Wetters ausfallen würde; und nicht zuletzt war da der Mord in Old Hall aufzuklären. Es war also durchaus verständlich, daß es mit Sergeant Cullens Laune nicht gerade zum besten stand. Er war ohnehin selten gut gelaunt, und der Butler, der ihm hochnäsig und mit spitzen Fingern Hut und Mantel abgenommen hatte, als gehörten sie erst einmal gründlich entlaust, hatte seine Stimmung bestimmt nicht gebessert.

Was die Hausgäste betraf, die im Salon versammelt waren, so brachte er ihnen in etwa die gleichen freundlichen Gefühle entgegen wie den Fußballrowdies in der Fankurve des Stadions von Newcastle. Charles Seaingham verdiente mit seiner Schreiberei wahrscheinlich in einer einzigen Woche mehr als er selbst in einem ganzen Jahr; der Doktor – sicherlich mit Praxis in der feinen Londoner Harley Street – trug einen seidenen Morgenmantel; der jüngere Mann, der so interessiert dreinschaute, sah aus wie ein Landadeliger und Rennstallbesitzer; der Intellektuelle (jeder, der eine Hornbrille trug, wurde so von ihm klassifiziert) schrieb vermutlich zugkräftige Stücke mit viel Sex oder ging sonst einer unnützen, aber gut bezahlten Beschäftigung nach. Ein Sechzehn- oder Siebzehnjähriger war ebenfalls mit von der Partie. Der sah ganz erträglich aus, war aber eindeutig nicht der Typ des Fußballfans und bestimmt ein verzogener Schnösel. Und um dem Ganzen die Krone aufzusetzen, war da noch der Kerl von Scotland Yard. Nicht, daß Cullen sein Revier verteidigen wollte – es ging ihm einfach zutiefst gegen den Strich, daß Scotland Yard vor ihm am Tatort eingetroffen war. Diese vornehmen Pinkel schienen zu denken, daß für sie das Feinste gerade gut genug war: Gemüse kaufen bei Fortnum's, bei Todesfällen Scotland Yard.

All das ging Roy Cullen durch den Kopf, während er einen nach dem anderen musterte. Nachdem er sie lange genug in Augenschein genommen hatte, sagte er: «Und das ist Constable Trimm.»

Cullen schätzte Trimm. Er schätzte ihn wegen seiner kleinen Statur und seines offenen, arglosen Gesichtsausdrucks. Doch dieser Eindruck kindlicher Harmlosigkeit war trügerisch und wurde von Cullen gern bei Verhören ausgenutzt, um den Verdächtigen in Sicherheit zu wiegen. Denn Trimm konnte wesentlich brutaler werden als Cullen, wenn es Ärger mit dem «Gelump» gab, wie sie die Schlägerbanden von Sunderland und Newcastle nannten. Er griff dann zu Methoden, die nicht immer ganz den Dienstvorschriften entsprachen, aber dafür blitzschnell das gewünschte Resultat erbrachten. Bei den Leuten hier in der Abtei würden sie etwas behutsamer vorgehen und sich mehr an die Regeln der Kunst halten müssen.

«Tut mir leid, aber wir müssen Ihre Zeit noch ein wenig in Anspruch nehmen», sagte er schadenfroh. Er konnte nichts dagegen tun; sie sahen einfach so verdammt... *privilegiert* aus. «Die Polizei von Durham sucht inzwischen die Umgebung ab. Wer hat die Tote gefunden?»

«Ich, oder besser gesagt wir.»

Der Rennstallbesitzer. Und der Junge. Mit dem Jungen würden sie keine Probleme haben, aber dem anderen war möglicherweise nicht so leicht beizukommen. «Darf ich um Ihren Namen bitten, Sir?» fragte Cullen übertrieben höflich.

«Melrose Plant.»

«Earl of Caverness», raunzte die Alte mit der Schlafhaube.

Ein Earl. Er hatte mit dem Rennstall wohl richtig getippt.

«Melrose Plant», berichtigte der Earl.

Cullen steckte sich einen Streifen Kaugummi in den Mund und sagte mit falscher Liebenswürdigkeit: «Was denn nun? Könnten Sie sich bitte einmal einigen?»

«Sie dürfen mir ruhig glauben, daß ich meinen eigenen Namen kenne», sagte der Rennstallbesitzer.

Cullen zuckte die Achseln. Wenn die ihre Titel nach Belieben trugen oder ablegten wie ein altes Hemd, so war das nicht sein Problem. «Sie und der Junge da haben sie also gefunden?»

«Jawohl», sagte Tommy Whittaker und buchstabierte ungefragt seinen Namen. Trimm zückte seinen Notizblock.

Das wiederum alarmierte die andere Alte – die um einiges vornehmer wirkte als die erste. «Er ist der *Marquis von Meares*!»

Mein Gott, dachte Cullen. Noch feucht hinter den Ohren, aber schon Marquis.

«Auf *Skiern*?» Cullen schob die Notizen beiseite, die der Mann von der Spurensicherung auf den Tisch in Seainghams Arbeitszimmer gelegt hatte, und starrte Melrose ungläubig an. «Wollen Sie mir erzählen, Mr. Plant, daß Sie und der junge Whittaker auf Skiern unterwegs waren?»

Plant hielt ihnen sein Zigarrenetui hin, bekam von beiden einen Korb und zündete sich dann selbst eine an. «Ganz recht. Wir kamen zurück aus dieser Kneipe; ‹Jerusalem Inn› heißt sie…»

«Kenn ich. Am Ortsrand von Spinneyton. Aber könnten Sie mir bitte erst mal erklären, warum Sie sich überhaupt veranlaßt fühlten, diese Spelunke aufzusuchen?»

«Im ‹Jerusalem Inn› fand ein Snooker-Match statt, das wir uns ansehen wollten. Auf dem Rückweg sind wir dann über die Leiche gestolpert.» Cullen fixierte ihn mit zusammengekniffenen Augen. «Als wir die Abtei verließen, lag sie noch *nicht* da, Sergeant.»

«Woher wissen Sie das?»

«Wir haben zurück die gleiche Route genommen wie auf dem Hinweg. Tommy kannte sich ja aus…» Melrose verstummte. Es hatte keinen Sinn, ihnen mehr zu erzählen als unbedingt nötig.

Aber die beiden Polizisten waren nicht auf den Kopf gefallen. Trimm sah auf und wandte Melrose sein rosiges Puttengesicht zu. «Er kannte sich aus? Was soll das heißen?»

«Ach nichts. Er hatte sich nur die Route gut eingeprägt, um sicherzugehen, daß wir uns auf dem Rückweg nicht verirren würden.»

«Um welche Zeit sind Sie aufgebrochen?»

«Gegen neun. Nach dem Dinner.»

«Und wann haben Sie sich wieder auf den Heimweg gemacht?»

«Als der Pub schloß. Um elf war Feierabend, und wir sind dann noch etwa zehn Minuten geblieben. Für den Rückweg haben wir ungefähr zwanzig Minuten gebraucht, es war also –»

«Elf Uhr dreißig», soufflierte Trimm zuvorkommend.

«Sie sagen es.»

«Was geschah dann?» fragte Cullen.

«Der Junge ist mit seinen Skiern über die Leiche gestolpert und gestürzt. Ich bin ihm zu Hilfe gekommen.»

Cullen schüttelte beinahe traurig den Kopf, als hätte er Melrose eine bessere Lügengeschichte zugetraut. «Fangen wir noch mal von vorne an. Sie sagen, Sie und der junge Whittaker bekamen ganz plötzlich Lust, sich Skier anzuschnallen» (erneutes Kopfschütteln) «und querfeldein zum ‹Jerusalem› zu laufen. Aber warum kam Ihnen dieser spontane Einfall ausgerechnet heute nacht?»

«Ich fand die Idee nicht schlecht. Es war mal eine Abwechslung.»

«Eine Abwechslung, so so.» Cullen blickte von seinen Papieren auf. «Sie und der Junge stecken mittendrin, ist Ihnen das klar? Sie waren zur fraglichen Zeit als einzige in der Nähe des Tatorts. Keiner der anderen war jedenfalls auf Skiern unterwegs.» Er lächelte mit schneidendem Charme.

«Dann wissen Sie mehr als ich, Sergeant. Wollen Sie nicht erst einmal abwarten, bis der Arzt den Zeitpunkt des Todes bestimmt hat? Und haben Sie sich schon einmal gefragt, was Beatrice Sleight dort draußen eigentlich wollte, noch dazu um diese Zeit?»

«Ich stelle hier die Fragen, wenn Sie erlauben.»

Das gleiche hätte auch der Inspektor in *Die dritte Taube* gesagt. Melrose seufzte.

«Sie wurde mit einer Schrotflinte, Kaliber .041, in den Rücken geschossen. Und nun raten Sie mal, wo wir die Waffe gefunden haben. Na?»

Die Frage war zweifellos rhetorisch. «In der Waffenkammer.»

«An der Sie zweimal vorbeikamen: als Sie die Abtei verließen und dann wieder bei Ihrer Rückkehr.»

«Sie glauben doch nicht etwa, daß wir eine Schrotflinte ins ‹Jerusalem› mitgeschleppt haben?»

«Warum sollte ich diese Möglichkeit ausschließen?» Cullen

stopfte sich grinsend einen neuen Kaugummi in den Mund. Dann studierte er wieder die Notizen auf dem Schreibtisch. «Sie sind der Earl of Caverness?»

«Nicht mehr. Mein Familienname lautet Plant.»

«Warum führen Sie Ihren Titel nicht mehr?»

«Weil ich nicht will.»

Das schien diesen Verächtern der Aristokratie gar nicht zu schmecken: Ein Aristokrat hatte gefälligst dem Kodex seiner Kaste zu gehorchen. Aber vielleicht dachten sie auch, sie seien mit ihrer Frage auf irgendein dunkles Geheimnis in Plants Vergangenheit gestoßen, das mit den gegenwärtigen Vorgängen eng zusammenhing. «Tut mir leid, daß Sie damit nicht einverstanden sind.»

«Aus politischen Gründen wohl? Wollen Sie sich etwa ins Unterhaus wählen lassen oder so was?»

«Nein. Im übrigen verstehe ich nicht ganz, warum Sie sich so brennend für meinen Titel interessieren, während dort draußen eine Tote liegt, Sergeant.»

«Können Sie gut mit Schußwaffen umgehen, Mr. Plant? Als Earl haben Sie doch sicherlich einen Landsitz und gehen viel auf die Jagd?»

«Nein.»

Es war ihnen deutlich anzusehen, daß sie ihm nicht glaubten. Wieviel würden sie wohl auf die Worte des Marquis von Meares geben, wenn sie erfuhren, daß er ein geübter Schütze war?

Tommy kam jedoch bester Laune von seiner Vernehmung zurück. «Ich glaube, ich war ihnen sympathisch, besonders dem Pausbäckigen.»

«Wie bitte? *Sympathisch*? Mein lieber Junge, es geht hier nicht um Sympathie oder Antipathie. Die sind bestimmt nicht gekommen, um herauszufinden, wer von uns der Netteste ist. Wie kommst du überhaupt darauf?» Melrose fühlte ein Ziehen in seinen Beinen. Er war sicher, daß er am nächsten Morgen mit Muskelkater erwachen würde – falls man ihn überhaupt noch einmal ins Bett gehen ließ.

«Ich hab ihnen erklärt, daß ich in meinem Oboenkasten kein Gewehr versteckt hatte, sondern nur ein Queue. Constable Trimm war ganz hingerissen. Sie sind beide Snooker-Fans. Ich hab allerdings das Gefühl, daß sie nicht so sehr auf Leute wie Hurricane Higgins stehn, sondern mehr auf die reinen Techniker. Ray Reardon zum Beispiel. Natürlich hab ich sie gebeten, die Sache mit dem ‹Jerusalem› für sich zu behalten.»

«Natürlich», sagte Melrose.

«Hoffentlich halten Sie mich nicht für gefühllos, weil ich hier über Snooker rede, während die arme alte Beatrice Sleight…»

«Hauptsache, Cullen und Trimm finden nichts dabei», sagte Melrose. «Meinetwegen brauchst du dir keine Gedanken zu machen.»

SCHON NACH FÜNF MINUTEN mit Charles Seaingham war Jury froh, daß er weder Schriftsteller noch Maler war. Seaingham war ein Mann, der aus tiefster Überzeugung heraus handelte und es einem durch seine unbestechliche Art, den Dingen gnadenlos auf den Grund zu gehen, fast unmöglich machte, seinen Urteilen zu widersprechen. Er war offenbar der Auffassung, daß man ein Kunstwerk erst jeglichen schmückenden Beiwerks entkleiden müsse, um dann das nackte Gerüst in Augenschein zu nehmen. Falls dabei nichts übrigblieb als ein klappriges Konstrukt, so konnte der Künstler nicht mit Seainghams Mitleid rechnen.

Ohne Umschweife kam er darauf zu sprechen, daß er ein Verhältnis mit Beatrice Sleight gehabt hatte. «Es war eine Dummheit. Ich habe schon eine Menge Dummheiten begangen, aber noch nie wegen einer Frau. Das Ganze ist unentschuldbar. Ich kann nur hoffen, daß Grace es nie herausfindet. Sie wäre schrecklich verletzt. Tja, jetzt wissen Sie's.» Er hob kraftlos die Arme, als wollte er den Himmel um Hilfe anflehen, und ließ sich dann in seinen Ledersessel fallen.

Eine Dummheit, vielleicht. Aber Jury konnte durchaus nachvollziehen, warum Seaingham ausgerechnet auf Beatrice Sleight verfallen war. Er war ziemlich sicher, daß ihn weniger ihr reizvoller Körper in Bann geschlagen hatte als vielmehr ihre Gewöhnlichkeit.

Sie saßen in dem kleinen Arbeitszimmer vor dem Porträt seiner Frau. Jurys Blick fiel auf ein Buch, das auf dem Tisch neben Seainghams Sessel lag. «*Auf Skiern*», sagte Seaingham. «Es ist das beste Erstlingswerk seit langem. Ich hoffe, MacQuades unerwiderte Liebe wird seiner Arbeit nicht schaden.»

Jury lächelte. «Was wollen Sie damit ausdrücken?»

«Er ist in Grace verliebt. Und er ist nicht der erste. Manchmal denke ich, sie hätte in den zwanziger Jahren leben sollen. Sie hätte dann einen Salon geführt und den Literaten als Muse gedient. Grace versteht es, Menschen Mut zu machen. Im Gegensatz zu mir. Zigarette?» Er hielt Jury ein schwarzes Lederetui hin. «Nein, ich fürchte, ich entmutige die Leute eher. Manchmal hasse ich meine Arbeit. Ich bilde mir längst nicht mehr ein, daß ich derjenige bin, der Künstler ‹entdeckt›. Ein echter Künstler schafft es früher oder später auch ohne meine Hilfe.»

«Ich habe auch ein wenig in MacQuades Buch gelesen. Es ist ausgezeichnet. Was halten Sie von ihm als Mensch?»

«Sympathischer Bursche. Und gutmütig, jedenfalls nach meinem Eindruck.»

«Verzeihen Sie, aber der Mord an Beatrice Sleight scheint Sie nicht sonderlich erschüttert zu haben –»

Seaingham fiel ihm ins Wort. «Der *Mord* schon. Ihr Tod weniger. Sie wurde allmählich... nun ja, lästig. Das klingt schrecklich, aber es ist nun mal so. Sie fing an, Ärger zu machen.»

«Ärger? Inwiefern?»

«Sie dachte anscheinend, sie könnte mich unter Druck setzen oder zumindest meine Meinung über ihre Schundromane beeinflussen. Sie drohte, Grace alles über uns zu erzählen.»

«Und hätten Sie das um jeden Preis verhindert?»

«Sie wollen wissen, ob ich sie umgebracht habe? Wahrscheinlich wäre ich dazu in der Lage gewesen. Aber ich hab's nicht getan.»

Die nächste Frage schien Seaingham zu überraschen. «Kommt Ihnen der Name Helen Minton bekannt vor?»

Seaingham stand auf und schenkte sich einen Whisky ein. «Darf ich Ihnen einen Drink anbieten?»

Jury vermutete, daß er Zeit gewinnen wollte. «Nein danke.»

«Wie war der Name noch…?»

«Helen Minton.»

«Nein, tut mir leid.»

«Haben Sie heute Zeitung gelesen?»

«Ich habe seit Tagen keine Zeitung mehr gelesen. Wir waren eingeschneit. Wieso?»

«Helen Minton stammte aus London und lebte in Washington. Vor zwei Tagen wurde im Schlafzimmer von Washington Old Hall ihre Leiche gefunden.»

«Schrecklich.» Seaingham sah ihn verdutzt an. «Aber warum erzählen Sie mir das? Besteht denn irgendein Zusammenhang zwischen dem Tod dieser Frau und dem Mord an Beatrice Sleight?»

«Helen Minton war Frederick Parmengers Cousine.»

Jury hatte zum erstenmal den Eindruck, daß Seaingham Mühe hatte, eine Information zu verarbeiten: er schüttelte nur ratlos den Kopf.

«Hat Parmenger sie nie erwähnt?»

«Nein, nicht daß ich wüßte. Parmenger redet wenig über sich. Haben Sie Grace schon gefragt? Ihr vertrauen die Leute sich eher an als mir.»

Jury ließ diese Frage unbeantwortet. «Ich bin nicht etwa rein zufällig hier vorbeigekommen, wie Sergeant Cullen Ihnen sicherlich bestätigen wird. Ich wollte Frederick Parmenger ein paar Fragen stellen. Und seltsamerweise finde ich eine Leiche vor Ihrer Haustür.»

Als Seaingham aufstand, um sich einen neuen Drink einzuschenken, bemerkte Jury, daß seine Hand zitterte. Es mußte wohl einiges zusammenkommen, bevor Charles Seaingham nervös wurde.

MacQuade dagegen war wesentlich leichter zu verunsichern – zumindest gewann Jury diesen Eindruck. Bei den einfachsten Fragen geriet der Schriftsteller bereits ins Stottern. Nein, er habe nichts gehört, jedenfalls keinen Schuß oder dergleichen.

Jury deutete auf Seainghams Exemplar von *Auf Skiern*. «Ich habe ein bißchen in dem Buch gelesen und kenne ein paar Rezensionen. Soviel ich weiß, ist es inzwischen für zwei weitere Preise nominiert worden. Sie scheinen im Aufwind zu sein.»

«Und die Kritiker warten darauf, daß ich mit meinem nächsten Buch eine Bauchlandung mache.» Er lehnte sich zurück und entspannte sich ein wenig. «Sie scheinen sich in der Literaturszene auszukennen, Superintendent. Seaingham hätte Sie zu seiner Party einladen sollen.»

«Das hat er nun ja.» Jury lächelte. «Von Beatrice Sleights Arbeit halten Sie gewiß nicht sonderlich viel, habe ich recht?»

«Ja.» MacQuade rieb ein Streichholz an, und im Licht der Flamme glühten seine dunklen Augen wie Kohlen. «Haben Sie schon mal etwas von ihrem billigen Geschmier gelesen? Jeder Schriftsteller, der etwas auf sich hält, hätte sie dafür niederschießen müssen – schon weil sie damit unseren Beruf verunglimpfte.»

Clevere Antwort, dachte Jury.

«Aber», fuhr MacQuade fort, «wenn Bea Sleight ein Verhältnis mit Charlie hatte, dann wäre ich doch der letzte gewesen, der...» Er merkte, daß er zu weit gegangen war, und verstummte, um seine Gefühle gegenüber Grace Seaingham nicht zu verraten. Bemüht, wieder den Gleichgültigen zu spielen, fuhr er fort: «Und warum hätte ich sie auch umbringen sollen? Weil sie miese Groschenromane schrieb? Wohl kaum. Ich will Ihnen nichts vormachen, Superintendent: Ich könnte Ihnen aus dreißig

Metern Entfernung das Auge ausschießen, und ich bin ein guter Skilangläufer. Ich habe mir dieses verdammte Buch hier nicht einfach aus den Fingern gesogen» – er gab dem Buch einen wütenden Stoß, daß es quer über den Tisch schlitterte und zu Boden fiel –, «und eine nächtliche Skifahrt nach Washington und wieder zurück wäre ein Kinderspiel für mich. Falls jemand diese Theorie verfolgt, komme also nur ich in Frage. Ich und vielleicht noch Tommy Whittaker – aber nicht einmal ein Dummkopf käme auf diesen Verdacht…» Er legte eine Pause ein, die Jury reichlich dramatisch vorkam. Es ging hier schließlich nicht darum, Leser bei der Stange zu halten. «…nein, nicht einmal der größte Dummkopf wäre so hirnverbrannt, den Jungen zu verdächtigen. Zudem hat seine Tante etwas gegen Schußwaffen – wahrscheinlich hat er noch nie ein Gewehr in der Hand gehabt.»

«Wahrscheinlich», sagte Jury.

EINE WEILE SPÄTER betrat Jury wieder das Arbeitszimmer, in dem Cullen gerade Sir George Assington vernahm, und setzte sich nach einem zustimmenden Nicken von Cullen auf einen Stuhl, der abseits an der Wand stand.

Er hatte das Gefühl, in eine Theateraufführung geraten zu sein. Nicht, daß Cullen oder gar Trimm in irgendeiner Weise theatralisch agiert hätten. Aber Sir George liebte es, zu monologisieren. Er war offenbar nicht ganz frei von beruflich bedingter Eitelkeit, und sein ausführlicher Vortrag über Hämatologie und Blutgruppen wäre gewiß noch um einiges länger ausgefallen, wenn Trimm ihn nicht unsanft unterbrochen hätte. «Sie sind doch hier, um zu schießen, oder?»

«Aber doch nur auf Fasanen und Rebhühner, nicht auf Menschen. Und falls Sie wissen wollen, ob ich mit einem Gewehr umgehen kann, so lautet die Antwort: Ja, *Constable*.» Sir George betonte das letzte Wort gerade genug, um Constable Trimm wissen zu lassen, daß Welten sie voneinander trennten.

Cullen hielt es nun für geraten, selbst die Befragung zu übernehmen, und Trimm lehnte sich gegen den Bücherschrank. «Sie sind Mrs. Seainghams Arzt, ist das richtig?» Als Sir George nickte, fuhr Cullen fort: «Und was fehlt der Dame, wenn ich fragen darf?»

«Sie dürfen nicht», sagte Sir George. «Über den Gesundheitszustand meiner Patienten diskutiere ich nicht mit Außenstehenden.»

Jury sah zu, wie Cullen sich einen neuen Streifen Kaugummi in den Mund steckte und eine Engelsmiene aufsetzte. «Nicht einmal mit der Polizei?»

«Wollen Sie meine Akten beschlagnahmen?» fragte Sir George scharf.

«Nicht unbedingt. Ich meine, es wäre doch viel unkomplizierter, wenn Sie einfach meine Frage beantworteten.»

Da war er bei Sir George an den Falschen geraten. «Sergeant, ich habe morgen eine wichtige Besprechung im Royal Hospital – besser gesagt heute. Kann ich jetzt gehen? Oder stehen wir unter Arrest?»

«Wer weiß», sagte Cullen, knüllte das Kaugummipapier zusammen und warf es zielsicher in den Papierkorb. «Es ist nur so: Als ihr Arzt wollen Sie doch sicher, daß sie am Leben bleibt. Ich meine, das ist doch Ihre Aufgabe, nicht?»

Sir George stieß einen Seufzer aus. «Mrs. Seainghams Gesundheitszustand ist zugegebenermaßen nicht gut.»

«Tja, aber er könnte sich noch um einiges verschlechtern, wenn nämlich noch einmal jemand auf sie schießt.»

«Ich bin ein wenig verwirrt, Sergeant. Ich dachte, es sei auf Miss *Sleight* geschossen worden.»

Cullen lehnte sich zurück und legte die Füße auf Charles Seainghams blankpolierten Schreibtisch. «Oh, aber das war doch nur ein Versehen. Der Schuß galt eigentlich Mrs. Seaingham. Das ist der entscheidende Punkt an der ganzen Sache.» Er konzentrierte sich auf seinen Kaugummi.

Jury wippte im Gleichtakt mit Cullens Kinnladen auf seinem Stuhl und lächelte versonnen in sich hinein. Einen Moment lang herrschte Schweigen. Dann räusperte sich Sir George und sagte mit trockener Kehle: «Grace? Warum in aller Welt sollte jemand Grace Seaingham ermorden wollen?»

«Das frage ich Sie. Nach allem, was ich über Mrs. Sleight gehört habe, war sie nicht gerade der Typ, der nachts zum Beten in die Kirche geht. Und sie trug Grace Seainghams Cape. Ein Schuß, im Dunkeln abgegeben... Wenn Sie also etwas über Mrs. Seaingham wissen, das für uns interessant sein könnte, dann raus mit der Sprache. Sie könnten uns damit eine Menge Scherereien ersparen. Stimmt's, Superintendent?»

«Stimmt. Aber ich würde Sir George lieber eine ganz andere Frage stellen. Erinnern Sie sich an einen gewissen Doktor Lamson? Er lebte im 19. Jahrhundert.»

Sir George lachte gekünstelt. «Ganz so alt bin ich nun auch wieder nicht, Superintendent.»

Jury lächelte ihm mit entwaffnender Freundlichkeit zu. «Gewiß nicht, Sir George. Hat dieser Lamson damals nicht einen jungen Burschen vergiftet...?»

«Ja, richtig», fiel ihm Sir George ins Wort. «Mit Akonit. *Aconitum napellus*», fügte er hinzu, als seine Verblüffung über die Belesenheit dieses Polizisten sich gelegt hatte. «Damals war es fast unmöglich, eine Akonitvergiftung nachzuweisen. Lamson erzählte seinem Opfer, es sei ein Medi...» Sir George verstummte erschrocken.

«Ein Medikament, ganz recht. Ein berühmt-berüchtigter Fall. Das Gift wurde in einer Gelatinekapsel verabreicht, nicht wahr?»

Sir George bedachte Jury mit einem wütenden Blick und erhob sich langsam. «Sie wollen doch nicht etwa andeuten, die Medikamente, die ich Mrs. Seaingham verabreiche...» Er wurde puterrot, ballte die Fäuste und beugte sich zu Jury hinab. «Was erlauben Sie sich! Mrs. Seaingham fühlt sich seit ein paar Monaten nicht wohl. Sie hat in dieser Zeit zusehends abgenommen, und ich hatte zunächst den Verdacht, es handele sich um Magersucht. Diese Diagnose hätte allerdings völlig dem Bild widersprochen, das ich mir in der Zeit unserer Bekanntschaft von Grace gemacht habe.»

«Sie leidet also unter Appetitlosigkeit?» fragte Jury.

Sir George warf ihm einen scharfen Blick zu. «Richtig. Ansonsten ist ihr nur zu entlocken, daß sie sich irgendwie krank fühlt.»

«Sicherlich würde eine Blutuntersuchung...»

Sir George stemmte die Arme in die Hüften. In dieser Feldwebelhaltung machte er einen imposanten Eindruck. «Grace will sich nicht untersuchen lassen. Obwohl ich mit allem Nachdruck darauf bestanden habe. Sie meint, mit Gottes Hilfe wird es schon wieder gut.» Er steckte sich erregt die Pfeife in den Mund, sichtlich erzürnt darüber, daß Grace sich lieber auf Gottes Ratschluß verließ als auf seinen.

«Sicher, Gott wird's schon richten. Alles hat ja mal ein Ende», bemerkte Cullen ironisch.

19

GRACE SEAINGHAM war ihm ein Rätsel.

Sie saßen vor ihrem Porträt im Arbeitszimmer. Parmenger war es gelungen, die kühle, glatte Oberfläche zu durchdringen und die so gegensätzlichen Eigenschaften dieser Frau in seinem Bild festzuhalten: ihre frostige Schönheit und ihre warme Ausstrahlung, ihre Empfindsamkeit und ihre innere Stärke, ihre schwärmerische Ader und ihre nüchterne Art, die Dinge zu sehen.

Zum Beispiel schien sie keineswegs erschüttert, als Jury sie auf das Verhältnis ihres Mannes mit Beatrice Sleight ansprach. «Ich weiß schon seit einiger Zeit davon.»

Ihre Direktheit war verwirrend. Es war, als verschlösse sie alle wirklich wichtigen Geheimnisse so tief und unantastbar in ihrem Inneren, daß es keine Rolle spielte, wie offen sie in bezug auf unbedeutende Dinge war.

In ihrer sanften Art fuhr sie fort: «Eigentlich konnte ich's ihm nicht mal verdenken. Nachdem der erste Schmerz vorbei war und ich mich damit abgefunden hatte.» Es klang, als schäme sie sich dafür, etwas so Kindisches wie Eifersucht empfunden zu haben.

«Warum haben Sie sich überhaupt damit abgefunden? Warum haben Sie nichts dagegen unternommen?» Jury hatte sein Notizbuch gezückt, machte sich aber keine Aufzeichnungen. Er kritzelte nur darin herum. Das half beim Denken.

Grace Seaingham neigte den Kopf zur Seite und lächelte nachsichtig. «Glauben Sie nicht auch, daß wir unser Schicksal gelassen hinnehmen sollten?»

Er lächelte zurück. «Sie meinen, wir sollten unser Kreuz tragen und alles verzeihen, weil Gott es so will?»

Sie lächelte noch immer. «Ja. Weil Gott es so will.»

«Ich kenne Gottes Gedanken nicht.»

Sie senkte den Blick auf ihre Hände, die gefaltet in ihrem Schoß lagen. Ihr eleganter weißer Morgenmantel aus Satin paßte gut zu ihrem blonden Engelshaar. Er fragte sich, ob sie immer Weiß trug.

«Es war bestimmt nicht leicht für Sie, Miss Sleight hier im Haus zu haben. Ehrlich gesagt bin ich auch ziemlich überrascht, daß Sie sich so kurz vor Weihnachten noch Gäste eingeladen haben, Mrs. Seaingham.»

«Es war mir im Grunde nicht recht. Aber Charles ist an London gewöhnt. Ich liebe die Einsamkeit hier, mein Mann nicht. Er hat gerne viele Leute um sich. Man kann einen Mann wie Charles nicht... einsperren.»

Beim Gedanken an die hohen Steinmauern der Abtei kam Jury der Verdacht, daß sie eben dies gerne getan hätte. Sie hatte ihm erzählt, daß sie das Haus entdeckt und gekauft hatte. Ihr verstorbener Vater, ein wohlhabender Geschäftsmann, wie sie sagte, hatte ihr offensichtlich ein recht ansehnliches Vermögen hinterlassen.

«Mrs. Seaingham, können Sie sich erklären, warum Miss Sleight in Ihrem Cape zur Kapelle wollte? Soviel ich gehört habe, war sie nicht besonders fromm.»

«Ich habe keine Ahnung. Ich weiß nur, daß sie mich um dieses Cape sehr beneidet hat. Glauben Sie, daß der – der Mörder es über sie geworfen hat, um ihre Leiche im Schnee zu verbergen?» Grace Seaingham sah ihn unsicher an. «Ich kann mir einfach nicht vorstellen, warum sie ermordet wurde.»

«Sie war anscheinend nicht sehr beliebt... aber das ist nicht der Punkt. Ich will Ihnen bestimmt keinen Schrecken einjagen, aber es war doch *Ihre* Gewohnheit, spätabends noch in die Kapelle zu gehen, nicht wahr?»

Nun kam ihre Selbstbeherrschung ins Wanken. «Sie wollen doch nicht etwa andeuten, daß *ich* diejenige war, die...?»

Jury nickte. «Ihr Gedanke, daß der Pelz zur Tarnung über die Leiche geworfen wurde, wäre gar nicht so schlecht, wenn der Schuß nicht durch das Cape hindurchgegangen wäre. Sie muß es folglich getragen haben. Wie Sie schon sagten, wird die Galerie im Winter kaum betreten. Es war also dunkel. Nehmen wir an, jemand hat in der Dunkelheit gewartet, bis die Person, auf die er oder sie es abgesehen hatte, auftauchte, um die Schultern ein langes weißes Cape mit Kapuze: Sie. Nur waren Sie es nicht.»

«Ich habe keine Feinde, Superintendent. Und gewiß nicht unter unseren Gästen. Das ist ganz ausgeschlossen.»

«Was wissen Sie über Ihre Gäste? Kennen Sie sie schon lange?»

«Einige ja, andere noch nicht so lange. Die Assingtons zum Beispiel habe ich erst vor kurzem kennengelernt. Und Bill MacQuade ist eigentlich weniger mein Freund als der meines Mannes.» Ein leichter Anflug von Röte auf ihrem Gesicht strafte sie

Lügen. Jury fragte sich, ob sie bewußt gelogen oder die Wahrheit nur ihren Wünschen angepaßt hatte. Grace Seaingham machte auf ihn nicht den Eindruck einer Frau, die sich einen Liebhaber nahm – schon gar nicht unter den Augen ihres Mannes. «Er ist ein großartiger Schriftsteller», fuhr sie fort. «Charles lobt ihn in den höchsten Tönen. Und Charles ist unbestechlich. Keine Macht der Welt könnte ihn dazu bewegen, etwas gegen seinen Willen für gut zu befinden.»

«Nicht einmal Ihre Majestät?» Jury lächelte und kritzelte vor sich hin.

Sie sah ihn verdutzt an. «Entschuldigung, ich verstehe nicht.»

«Ich habe gerüchteweise gehört, er soll zum Ritter geschlagen werden.»

Grace lächelte. «Ihre Königliche Hoheit hat sich meines Wissens noch nie als Malerin oder Autorin versucht; deshalb dürfte sie kein berufliches Interesse an der Meinung meines Mannes haben.»

Jury betrachtete sie amüsiert. Sie ließ sich nicht so leicht aufs Glatteis führen. «Ich meinte nur, daß jeder irgendeinen wunden Punkt hat. Und wenn man den Finger drauflegt – wer weiß, was dann passiert?»

Sie schwieg.

«Wie war MacQuades Verhältnis zu Beatrice Sleight?» fuhr Jury fort.

«Verhältnis? Von einem Verhältnis kann man da wohl kaum sprechen. Ich glaube nicht, daß er ihr vor unserer Party schon einmal begegnet ist. Bill ist ziemlich» – sie schien nach dem richtigen Wort zu suchen – «introvertiert.»

«Aha. Und die Assingtons? Kannten die sie vorher?»

«Höchstens ganz flüchtig. Es kann sein, daß sie ihr bei einer ihrer Signierstunden begegnet sind. Wie vermutlich jeder, der sich in Literatenkreisen bewegt – falls man Bea als Literatin bezeichnen kann», fügte sie wegwerfend hinzu. «Über die Assingtons weiß ich nicht viel mehr, als daß Sir George ein ziemlich bekannter Arzt und Susan seine dritte Frau ist.»

«Und die anderen – mal abgesehen von Mr. Plant und seiner Begleitung – sind vermutlich gute Freunde von Ihnen?»

«Ja. Charles hat Vivian Rivington auf einer kleinen Party ihres Verlegers kennengelernt. Ihre Gedichte haben großen Eindruck auf ihn gemacht. Als sie fragte, ob sie ein paar Freunde mitbringen dürfe, war er natürlich hocherfreut. Je voller das Haus, desto wohler fühlt sich Charles. Lady Ardry ist, soviel ich weiß, eine alte Freundin von Betsy – von Lady St. Leger.»

Jury schmunzelte. Er hatte da seine Zweifel.

«Betsy kennen wir seit Jahren. Noch aus der Zeit, bevor sie Meares Hall übernommen hat.»

«Übernommen?»

«Nun, als Tommys Eltern – Irene und Richard – starben, war Betsy die einzige, die sich um den Jungen kümmerte. Sie übernahm seine Erziehung und die Leitung von Meares Hall. Sie tat das beileibe nicht aus Geld- oder Prestigegründen. Das hätte sie gar nicht nötig. Die St. Legers haben einen Stammbaum, der so lang ist wie Ihr Arm. Betsy ist die Schwester von Tommys Großvater. Er war der elfte Marquis von Meares.»

«Eine alte Familie.»

Sie nickte. «Und Betsy ist ganz vernarrt in den Jungen. Sie hat keine eigenen Kinder. Ihr Mann, Rudy, ist vor ein paar Jahren gestorben. Er war auch Maler. Obgleich Freddie da wohl anderer Meinung wäre.»

«Wie lange ist denn Parmenger schon hier?»

«Seit mehreren Wochen. Ich habe mich von ihm porträtieren lassen, wie Sie sehen.» Sie errötete ein wenig, als fürchtete sie, daß Jury sie nun für eitel hielte. «Charles hat darauf bestanden.»

«Das Bild ist wundervoll.»

«Freddie hat als Künstler einen ziemlich guten Namen.»

«Kennen Sie irgend jemanden aus seiner Verwandtschaft?»

Sie schüttelte verwundert den Kopf. «Warum sollte ich? Außerdem spricht er nie über seine Familie.»

«Auch nicht über seine Cousine? Ihr Name war Helen Minton.»

«Nein, er hat nie etwas von einer Cousine erzählt. Sie sagten, ihr Name ‹war› Helen Minton. Ist sie gestorben?»

Jury bemerkte, daß er unbewußt Pater Rourkes Viereck in sein Notizbuch gezeichnet hatte. «Ja. Die Polizei fand sie vor zwei Tagen in Washington Old Hall. Sie wurde vergiftet.»

Grace Seaingham wurde so blaß wie ihr Morgenrock. Sie erhob sich langsam aus ihrem Sessel. Die Nachricht vom Tod dieser Fremden schien sie mehr aufzuwühlen als die Gefahr, in der sie selbst möglicherweise schwebte. «Das ist ja schrecklich. Der arme Freddie... weiß er es schon?»

«Ja. Ich habe es ihm gesagt. Hat Mr. Parmenger Spinney Abbey während seines Aufenthalts irgendwann einmal verlassen?»

Sie runzelte die Stirn. «Natürlich ist er manchmal nach Newcastle oder Durham gefahren wie wir alle, bevor wir einschneiten. Warum?»

«Ich habe mich gerade gefragt, ob er auch einmal in Washington war. Es ist ja nicht weit.»

«Sie meinen, um seine Cousine zu besuchen. Wenn er das getan hätte, hätte er uns doch sicherlich davon erzählt.»

Vielleicht auch nicht, dachte Jury.

«Es hat ja lange gedauert, bis Sie endlich zu uns gefunden haben, Inspektor», sagte Lady Ardry und deutete mit einer weitausholenden Handbewegung auf Lady St. Leger und Vivian, die ihren Morgenrock enger um sich zog und sich nach Kräften bemühte, Jury nicht in die Augen sehen zu müssen. «Ich stehe Ihnen aber gerne als Zeugin zur Verfügung, und –»

«Vielen Dank, Lady Ardry. Ich bin sicher, daß Sie Augen und Ohren offengehalten haben. Aber zunächst einmal möchte ich mich mit Lady St. Leger unterhalten.»

Agatha war schon halb aufgestanden und ließ sich nun wieder

in den Sessel plumpsen, sichtlich betrübt, daß sie die zweite Geige spielen mußte.

Elizabeth St. Leger brachte offenbar weniger Enthusiasmus für die Kriminalistik auf; sie wollte die Sache so schnell wie möglich hinter sich bringen. «Ich beantworte natürlich gerne Ihre Fragen, Superintendent. Ich fürchte nur, daß ich Ihnen nicht viel zu erzählen haben werde.»

Sie wollte sich erheben, aber Agatha hielt sie mit ihrer plumpen Hand zurück. «Mr. Jury kann uns doch beide zusammen befragen. Schließlich kennt er mich seit Jahren und weiß, daß *ich* mit diesem schrecklichen Vorfall nichts zu tun habe.»

Lady St. Leger schüttelte ihre Hand ab und stand auf. «Das mag auf Sie zutreffen, Agatha, aber ich habe leider keine langjährigen Beziehungen zu Scotland Yard aufzuweisen.» Sie zwinkerte Jury schelmisch zu.

«Es tut mir leid, wenn es den Anschein hat, daß ich diese Angelegenheit auf die leichte Schulter nehme», sagte Lady St. Leger, als sie Jury in Seainghams Arbeitszimmer gegenübersaß. «Offen gestanden bereitet mir Beatrice Sleights Tod weit weniger Kopfzerbrechen als die Tatsache, daß mein Neffe in den Fall verwickelt ist. Wie sagt man so schön: Ich weine ihr keine Träne nach.» Sie klopfte mit ihrem Stock auf den Boden. Er hatte einen Silberknauf und ähnelte auch sonst dem von Melrose Plant. Jury bezweifelte allerdings, daß er einen Degen enthielt.

«Sie konnten Miss Sleight nicht besonders gut leiden?»

«Ich konnte sie nicht ausstehen. Wenn Sie also nach einem Motiv suchen, hier haben Sie's.»

Jury lächelte zuvorkommend. «Wenn Abneigung ein hinreichendes Motiv wäre, lägen an jeder Straßenecke Leichen herum. Da müssen Sie sich schon etwas Besseres einfallen lassen. Falls Sie sich aber Sorgen um Ihren Neffen machen, so kann sich Sie beruhigen. Es spricht einiges dagegen, daß er der Täter ist. Er war ja zur fraglichen Zeit mit Mr. Plant zusammen. Und ich kenne Mr. Plant. Schon seit Jahren.»

Sie musterte ihn von oben bis unten, als sei seiner beruflichen Qualifikation nicht mehr ganz zu trauen, nun da er zugegeben hatte, mit diesem abtrünnigen Adeligen befreundet zu sein, von dem man anscheinend nichts anderes erwarten konnte, als daß er Leichen aufstöberte und überhaupt Ärger ins Haus brachte. «Mr. Plant ist ein netter, aber ausgesprochen ketzerischer junger Mann.»

«Das mag durchaus sein. Aber er versorgt Tom mit einem Alibi. Beurteilen Sie ihn also nicht zu streng.»

Sie lächelte. «Ja, da haben Sie recht. Kommen wir also zu mir: Ich bin kurz nach dem Dinner mit den anderen nach oben gegangen.»

Jury zückte sein Notizbuch. «Wann war das ungefähr?»

«Gegen zehn, halb elf. Halb elf, richtig. Ich erinnere mich, daß ich die Uhr schlagen hörte. Wir hatten alle keine Lust, lange aufzubleiben, und ich darf sowieso nicht allzu spät zu Bett gehen.» Sie tippte sich gegen die Brust. «Das Herz. Die Ärzte meinen, ich bräuchte meinen Schlaf. Sonst wär's bald ganz vorbei mit dem Wachbleiben», fügte sie mit makabrem Humor hinzu. «Mein Schlafzimmer liegt am anderen Ende des Hauses. Wie alle Schlafzimmer übrigens.»

«Haben Sie irgendwelche Geräusche gehört? Ich meine Schritte oder das Auf- und Zugehen von Türen.»

«Ja, natürlich. Wir haben nicht alle unsere eigenen Badezimmer. Die Abtei ist nicht vollständig modernisiert. Ab und zu ist jemand über den Flur gelaufen. Aber ich habe nicht darauf geachtet. Ich bin sogar selbst einmal nach unten gegangen, um mir ein Buch zu holen. Meine Ärzte hätten das bestimmt nicht gerne gesehen. Das Treppensteigen soll ich nämlich möglichst auch vermeiden, sagen sie. Jedenfalls ging ich in die Bibliothek.»

Die Bibliothek lag hinter der großen Eingangshalle neben dem Eßzimmer.

«Wann war das?»

«Kurz nachdem ich mich zurückgezogen hatte. Fünfzehn Minuten später vielleicht.»

«Haben Sie da jemanden gesehen? Jemanden aus der Dienerschaft vielleicht?»

«Keine Seele, Superintendent.» Sie breitete die Arme aus. «Nichts zu machen, kein Alibi. Aber Tom…» Sie machte ein besorgtes Gesicht.

«Der hat eins.»

«Ich würde zu gerne wissen, was er dort draußen im Schnee eigentlich getrieben hat – mit Ihrem Freund Mr. Plant.»

Er grinste. «Sieht ganz nach Wintersport aus. Wie lange kennen Sie die Seainghams schon?»

«Seit Ewigkeiten. Ich kannte sie schon, als Toms Eltern noch lebten. Die Seainghams waren mit ihnen befreundet; die Männer sind oft zusammen auf die Jagd gegangen.»

«Und Sie? Waren Sie manchmal mit von der Partie?»

«Wie raffiniert, Superintendent! Ja, ich kann schießen, falls Sie das wissen wollten.»

Jury fiel auf, daß sie offenbar versuchte, ihren Stock so zu halten, daß man die Gichtknoten an ihren Fingern nicht sah. Mit ihren Schießkünsten war es wahrscheinlich nicht mehr weit her. Dennoch imponierte ihm Lady St. Leger. Nicht nur wegen ihrer Selbstbeherrschung und ihres inneren Feuers, sondern vor allem wegen ihrer Entschlossenheit, sich schützend vor den Marquis von Meares zu stellen, falls sein Alibi ins Wanken geraten sollte.

Ihre grauen Augen funkelten ihn an. Sie erinnerten ihn ein wenig an Helen Mintons Augen. Er fragte sich, ob eine Frau ihn jemals so lieben würde, wie Tommy Whittaker von seiner Tante geliebt wurde.

«Wären Sie so freundlich, Miss Rivington zu mir zu bitten, wenn Sie auf Ihr Zimmer gehen?»

SAH MAN EINMAL DAVON AB, daß sie einen viel zu großen Flanellmorgenrock trug und ihr Haar völlig zerzaust war, hatte sich Vivian Rivington seit ihrer allerersten Begegnung vor etlichen Jahren, die unter ganz ähnlichen Umständen stattgefunden hatte, überhaupt nicht verändert. Es kam ihm mit einemmal vor, als habe er sich ihr letztes Zusammentreffen, das wegen des italienischen Verlobten an Vivians Seite kurz und peinlich ausgefallen war, nur erträumt. Damals war sie wie ein Model von de la Renta einherstolziert. Jetzt sah sie eher aus wie eine Vogelscheuche.

Im Kamin zerbarst funkensprühend ein Scheit. Aus irgendeinem unerfindlichen Grund erinnerte er sich plötzlich an sein Lieblingsbuch aus der Kindheit, in dem Maulwurf und Dachs zusammen in einem hohlen Baum saßen. Kein sehr schmeichelhafter Vergleich für sie beide, dachte er lächelnd. Fehlte nur noch Melrose Plant als Ratz, und das Trio wäre komplett. Er malte ein Herz und einen Pfeil, der es durchbohrte, in sein Notizbuch, und plötzlich war ihm nicht mehr nach Lächeln zumute. Er spürte eine unerträgliche Sehnsucht nach einer Geborgenheit, die er nie gekannt hatte.

Sie sah so verdammt menschlich aus, wie sie in ihrem schäbigen Morgenrock und den alten Pantoffeln da stand, daß er sie am liebsten umarmt und geküßt hätte. Und wahrscheinlich nicht nur das.

«Hallo, Vivian.»

«Hallo. Falls Sie sich wundern: das Ding gehört Agatha.»

«Welches Ding?» fragte er verdutzt.

«Dieser Morgenrock», sagte sie, und ihre Augen wurden schmal. «Sie starren ihn so komisch an. Ich habe meinen vergessen und mir deshalb einen von Agatha geliehen. Sie hat immer genug Kleidung für drei dabei.» Zum erstenmal in den vergangenen Stunden sah sie ihm nun offen ins Gesicht.

«Er steht Ihnen. Aber bitte, setzen Sie sich doch.»

Er nahm sein Notizbuch vom Schreibtisch und bemerkte aus den Augenwinkeln, daß sie verstohlen ihr Haar ordnete. Als er aufsah, ließ sie schnell die Hände sinken. Ihre persönliche Form der Eitelkeit bestand in der steten Sorge, sie könne eitel erscheinen. «Ich weiß nicht, warum Sie ausgerechnet mich verhören wollen. Die ganze Sache ist natürlich schrecklich. Aber Sie wissen doch genau, daß ich nichts damit zu tun habe.» Sie legte in einer anmutigen Bewegung den Arm auf die kunstvoll geschnitzte Lehne.

«Sind Sie nervös?» Jury malte ein weiteres großes dickbauchiges Herz und durchbohrte es mit einem Pfeil.

«Ach, Unsinn. Wir sind erst seit gestern hier, oder besser gesagt seit vorgestern. Die Leute hier waren uns bis dahin vollkommen fremd. Charles Seaingham war der einzige, den ich kannte.» Er sah interessiert auf, und sie sagte hastig: «Aber nur ganz flüchtig. Wir sind uns nur ein einziges Mal vorher begegnet.»

«Aha. Ich habe Sie auch nicht zu einem Verhör hergebeten. Was mich vor allem interessiert, ist Ihr Eindruck von den Leuten. Genauer gesagt: Wer hat es *Ihrer* Meinung nach getan?»

Sie kratzte sich am Kopf. «Ich bin ganz... ich kann es einfach nicht fassen. Gestern beim Dinner saß sie mir noch gegenüber. Und jetzt ist sie tot.»

Der traurige, verlorene Ausdruck, den Jury so gut kannte, trat wieder in ihr Gesicht. Er senkte den Blick und starrte auf eine leere Seite in seinem Notizbuch. «Ich kenne das. Ein schreckliches Gefühl. Tut mir leid.» Er klappte das Notizbuch zu.

Ihre Anspannung ließ wieder ein wenig nach; sie lehnte sich zurück und schlug die Beine übereinander. Ihre Pantoffeln waren ebenfalls einige Nummern zu groß. «Sie war nicht besonders sympathisch. Na ja, warum soll ich's nicht unumwunden sagen? Sie war einfach ein Ekel.»

«Beatrice Sleight?»

«Wer sonst? Ist noch jemand ermordet worden?»

«Nein. Aber sie trug Grace Seainghams Cape.»

Vivian fuhr hoch. «Sie wollen doch nicht etwa sagen, daß jemand *Grace Seaingham* ermorden wollte?»

«Es sieht so aus. Beatrice Sleight wurde in den Rücken geschossen, als sie in Grace Seainghams Hermelincape zur Kapelle ging.»

«Mein Gott», sagte Vivian leise. «Aber Grace ist doch so... so gut. Fast wie eine Heilige.»

«Mag sein. Sie haben also nichts gehört? Keinen Schuß, keinen Schrei, nichts?»

Vivian schüttelte den Kopf. «Die Schlafzimmer liegen ziemlich weit entfernt auf der anderen Seite des Hauses. Ich kann mir Beatrice gar nicht draußen im Schnee vorstellen. Sie war absolut keine Frischluftfanatikerin.»

«Sie sind alle ungefähr zur gleichen Zeit zu Bett gegangen?»

«Ja.» Sie spielte mit dem troddelverzierten Gürtel des Morgenrocks. «Ich kann das alles nicht begreifen. Ich hatte nie das Gefühl, daß irgend jemand Grace nicht mochte. Ich hätte eher das Gegenteil angenommen.»

«Ja, es ist tragisch. Nun denn, danke, Vivian. Sie sind sicher müde und wollen ins Bett.»

Aber sie blieb sitzen. «Wollen Sie's nicht wissen?»

«Was?» Er durchbohrte ein neues Herz mit einem neuen Pfeil.

«Warum ich nicht geheiratet habe.» Sie wandte sich wieder den Troddeln zu.

«Steht das in irgendeinem Zusammenhang mit dem Mord?» fragte Jury mit Unschuldsmiene. Warum er diesen Drang verspürte, sich für etwas zu rächen, das sie ihm in Wirklichkeit nie angetan hatte, wußte er selber nicht. Sadist, dachte er. Und zugleich fügte er hinzu: «Er schien doch ein ganz netter Bursche zu sein. Natürlich, ich habe ihn nur dieses eine Mal gesehen...»

Doch da fiel schon die Tür hinter ihr ins Schloß.

DIE ANDEREN WAREN ZU BETT GEGANGEN. Das Team aus Durham hatte die Leiche abtransportiert. Cullen, Trimm und Jury saßen im Arbeitszimmer. «Mann, bin ich fertig.» Cullen gähnte und ließ sich in einen der Sessel fallen. «Was haben wir in der Hand, Trimm?» Er drehte sich träge zu seinem Constable um.

Trimm untersuchte die Schrotflinte, die sie in dem kleinen Raum gefunden hatten, wo die Waffen und Sportgeräte aufbewahrt wurden.

«Das da zum Beispiel.» Er kippte den Lauf des Gewehrs ab und linste hinein, als wären dort möglicherweise weitere Indizien zu finden. Dann ließ er ihn wieder einschnappen und legte die Flinte auf den Schreibtisch.

«Geben Sie die Knarre in die Ballistik.»

«'n andere kann's gar nicht sein», sagte Trimm. «Sonst gibt's hier keine .041. Nur ein paar Elefantenbüchsen und Kleinkalibergewehre.»

«Machen Sie hier keine weisen Sprüche, was sein kann und was nicht, sondern geben Sie die Knarre –»

Jury unterbrach den kleinen Familienstreit. «Aus welcher Entfernung wurde der Schuß ungefähr abgegeben?»

«Nach der Streuung der Schrotkugeln war es mindestens ein Meter.» Er nahm die Aufzeichnungen des Sachverständigen zur Hand. «Wohl eher anderthalb oder zwei. Die Wunde war ziemlich groß. Außenrum ein paar kleinere Einschußlöcher. Aber das Cape war ja auch dick.» Cullen zuckte die Achseln.

«Führte der Schuß sofort zum Tod?»

«Darauf können Sie Gift nehmen.»

«Der Mörder könnte in der Tür des Wintergartens gestanden haben», sagte Jury. «Aber keiner hat den Schuß gehört. Die Schlafzimmer liegen zwar auf der anderen Seite, trotzdem...»

«Schalldämpfer», sagte Trimm mit gewohnter Einsilbigkeit.

«Was? Wie zum Teufel sollen diese Herrschaften hier zu einem Schalldämpfer für eine Schrotflinte kommen?» meinte Jury.

«Seaingham behauptet, er hätte des öfteren Ärger mit Wilderern. Sein Jagdaufseher hat das Ding mal gefunden.» Cullen deutete auf den kurzen Stahlzylinder, der auf dem Schreibtisch lag. «Irgend jemand hat ihn wohl verloren.» Er widmete sich wieder seinem Kaugummi. «Keiner von ihnen hat ein Alibi. Und das Motiv ist auch noch unklar...» Er schloß schläfrig die Augen.

«Jedenfalls scheiden Plant, Lady Ardry und Miss Rivington aus...»

Cullen schlug die Augen wieder auf. «Ach ja? Und wieso, Mann?»

«Weil ich sie schon seit vielen Jahren kenne.» Er erwähnte nicht, daß Plant ihm bei mehreren Fällen geholfen hatte. Cullen war vermutlich kein großer Freund von hergelaufenen Amateurschnüfflern.

«Wen kennt man schon wirklich?» Wieder fielen ihm die Lider zu.

Jury ging nicht auf diese Bemerkung ein. «Der junge Whittaker scheidet ebenfalls aus... Warum schütteln Sie den Kopf?»

«Weil in seinem Alibi zehn Minuten fehlen. Nämlich die zehn Minuten, die er vor Ihrem Freund am Tatort war.»

«Gut, Roy, wenn Sie mir erklären können, wie ein Mann auf Skiern es in zehn Minuten geschafft haben soll, in die Waffenkammer zu marschieren, dafür zu sorgen, daß sein Opfer ihm noch rechtzeitig und mit dem richtigen Mantel bekleidet vor die Flinte läuft, zu schießen, die Waffe wieder an ihren Platz zu legen, und dann, immer noch auf Skiern, über die Leiche zu stolpern...» Er ließ den Satz unvollendet.

«Das heißt gar nichts», sagte Trimm.

Es war fast sechs, aber er wußte, daß er keinen Schlaf mehr finden würde. Jury stand im geheimnisvollen Purpurlicht der Morgendämmerung des Wintergartens und sah hinab auf die Stelle, an der vor kurzem noch Beatrice Sleight gelegen hatte. Nur die tiefen Fußspuren, die Cullens Männer im Schnee hinterlassen hatten, deuteten darauf hin, daß hier etwas vorgefallen war. Er machte sich auf den kurzen Weg zur Kapelle und stieß die schwere Tür auf.

Die Zugluft brachte die Kerzenflammen zum Flackern, und eine oder zwei verloschen. Er dachte an Grace Seaingham, die Morgen für Morgen und Abend für Abend hierher kam wie jemand, der eine regelmäßige Verabredung einhält.

Er setzte sich und betrachtete die Gipsstatue der Jungfrau Maria. Irgendwie hatte Grace Seaingham deren ätherisches Aussehen angenommen, so wie man das Aussehen von Menschen annimmt, mit denen man lange zusammengelebt hat.

Er dachte an Pater Rourkes paradigmatisches Viereck. Was der Priester beschrieben hatte, war ein Glaubenssystem von solcher Komplexität, daß Jury es auch nicht annähernd verstehen konnte. Mußte denn alles so rätselhaft sein? Lag die Weisheit nicht vielmehr im Einfachen? *Widersprüche*, hatte der Priester gesagt, *Gegensätze*. Aus seiner Gesäßtasche zog er den Zeitschriftenumschlag, auf den Pater Rourke sein Viereck gezeichnet hatte, jenes Viereck, das umfassend genug war, um für alles ein Erklärungsmuster abzugeben. Er betrachtete das H in der einen Ecke. Dann zeichnete er in zwei andere Ecken ein D und ein R. Helen, Robin, Danny. Er dachte an die kecke junge Blondine auf Robbies Foto, die nicht die geringste Ähnlichkeit mit ihrem angeblichen Sohn hatte, und er dachte an die Bonaventura-Schule, die Kinder aufnahm, um die sich sonst niemand kümmerte.

Er betrachtete das Viereck. Seine Gedanken kreisten jetzt um die vierte Ecke, die noch leer war: er dachte an den Mörder.

Wie lange er dort gesessen hatte, wußte er nicht, aber als er die

Kapelle schließlich verließ, war es schon hell. Draußen, jenseits der verfallenen Mauer, lag ein dünner blaßgoldener Sonnenschimmer über dem verschneiten Moor, und der Schnee erstrahlte in einem zarten Violett, während das Licht langsam kräftiger wurde.

«STEHEN SIE AUF», sagte Jury im Feldwebelton und reichte Melrose eine Tasse Tee. Der fuhr hoch und blinzelte schlaftrunken ins Licht.

«Aufstehen? Was reden Sie da? Ich habe mich doch eben erst hingelegt. Mein Gott.» Er warf einen Blick aus dem Fenster. «Verdammt, es ist ja noch nicht mal richtig hell.» Er nippte an dem Tee. «Und diese Brühe ist kalt. Kalter Tee im Morgengrauen. Steht das Erschießungskommando bereit?»

«Ruthven hat Sie mit seinen Rosinenbrötchen und heißen Bädern viel zu sehr verwöhnt. Na los, stehen Sie schon auf! Wir fahren zum ‹Jerusalem Inn›.»

Plant ließ sich wieder in die Kissen sinken. «Sie sind verrückt. Den Verdacht hatte ich ja schon immer. Was haben Sie vor? Ein Snookerspiel im Morgengrauen? Bei Ihnen piept's doch! Haben Sie vergessen, daß Sie und diese beiden spanischen Folterknechte uns bis fünf Uhr morgens auf Trab gehalten haben? Und jetzt ist es höchstens sechs. Und dann bringen Sie mir auch noch kalten Tee. Außerdem kann ich mich vor Müdigkeit kaum rühren.»

«Ihr Mundwerk funktioniert aber schon wieder ganz gut. Also auf. Es ist schon nach sieben.»

«Ohne meinen Tee stehe ich *nicht* auf.» Er reckte sich, beugte sich zum Klingelzug hinüber und läutete nach dem Mädchen. «Erst mal eine schöne heiße Kanne Tee. Und dann überleg ich mir, ob ich aufstehe. Wie können Sie nach der vergangenen

Nacht überhaupt einen klaren Kopf haben? Was hat übrigens unser altes Mädchen, Vivian, erzählt? Hoffentlich gibt's auch Toast zu meinem Tee.»

Jury lächelte. Die scheinbar so beiläufige Frage nach Vivian war natürlich ein Köder. Jury biß bereitwillig an.

«Unser ‹altes› Mädchen? Sie ist gut zehn Jahre jünger als wir.»

«Ich kenne sie jedenfalls seit einer Ewigkeit», gab Plant gereizt zurück. «Wundern Sie sich nicht, daß sie diesen ‹gräßlichen Italiener›, wie Agatha ihn nennt, noch nicht geheiratet hat? Sie sind ihm damals in Stratford begegnet. Der Kerl mit den Fangzähnen.»

«Doch, ich wundere mich.» Es hatte keinen Sinn, Melrose Plant anzutreiben. Der würde wie ein Stein im Bett liegenbleiben, bis man ihm seinen Tee gebracht hatte.

«Sie platzen ja geradezu vor Neugier, wie? *Mir* will sie's jedenfalls nicht erzählen. Aber ich glaube nicht, daß sie ihn jemals heiraten wird.»

Es klopfte an der Tür, und ein hübsches Stubenmädchen trug ein Tablett herein. Als sie sah, daß Melrose nicht alleine war, sagte sie: «Oh, entschuldigen Sie, Sir. Ich hole gleich noch eine Tasse.»

Jury stand von seinem Platz am Fenster auf und nahm ihr das Tablett ab. «Nicht nötig. Mr. Plant braucht keine.»

Das Mädchen sah entsetzt zu ihm hoch – der Größenunterschied war beträchtlich –, und ihre Hand nestelte unsicher an ihrer weißen Haube. Sie lächelte verlegen. «Sehr wohl, Sir. Vielen Dank, Sir.»

Als sie davongeeilt war, sagte Melrose: «Sehr witzig. Geben Sie mir jetzt mein Tablett.»

«Sehr wohl. Und außerdem gebe ich Ihnen zehn Minuten, um Ihren verdammten Tee zu trinken.» Jury nahm eine Scheibe Toast von dem Silberteller und lehnte sich kauend ans Fenster.

Nachdem Plant schweigend seinen Tee getrunken hatte,

stellte er die Tasse ab und sah Jury an. «Ins ‹Jerusalem Inn› wollen Sie? Lieber Freund, der Laden macht doch frühestens um elf auf.»

«Ich weiß. Aber Robbie wird schon da sein. Er macht dort sauber. Außerdem wollte ich später noch nach Durham. Erinnern Sie sich? Heute ist Heiligabend. Und Grace Seaingham wollte zum Gottesdienst in die dortige Kathedrale. Ich möchte noch einmal mit ihr allein sprechen.»

«Aha. Aber wer zum Teufel ist Robbie?»

«Robin Lyte, der Junge, nach dem Helen Minton wahrscheinlich gesucht hat. Ich glaube, er ist ihr Sohn.» Jury sah versonnen über den Schnee auf die Kapelle. Seine Gedanken kreisten immer noch um den vierten Buchstaben.

20

SPINNEYTON LAG NOCH IN TIEFEM SCHLAF. Außer einem schmuddeligen kleinen Kind war weit und breit keine Menschenseele zu sehen. Das Kind baute einen genauso schmuddeligen, traurig dreinblickenden Schneemann, der sich bedrohlich mit dem flachen, halbverfallenen Haus hinter ihm um die Wette zur Seite neigte.

Das Spinney-Moor lag öde und nebelverhangen da; einzelne Nebelfetzen drifteten über die Straße.

Tommy starrte auf diese trostlose Leere und zog fröstelnd die Schultern ein. «Ich bin ja gerne mitgefahren, aber was soll schon dabei herauskommen, wenn *ich* mit Robbie rede?»

«Na, du hast doch gesagt, du würdest ihm das Spiel beibringen. Ich nehme an, er hat Vertrauen zu dir. Vielleicht erinnert er sich doch an mehr als er denkt. Und vielleicht erzählt er dir was», sagte Jury.

«Das bezweifle ich. Armer Robbie…» Er starrte wieder auf

das Moor hinaus. «Sieht aus, als würden da Gespenster umgehen, was?»

«Tun sie wohl auch», sagte Melrose schläfrig vom Rücksitz.

«Eine Grabesstille», sagte Tommy.

«Das Dorf ist wahrscheinlich völlig ausgestorben, weil alle im Torfmoor abgesoffen sind. Aufgedunsene Leichen mit grünlichen Gesichtern werden aus den Sümpfen steigen und uns alle im Schlaf erwürgen. Solange sie auch Agatha den Garaus machen, will ich mich da gar nicht beklagen.»

«Sie schäumen ja geradezu über vor guter Laune, was?» bemerkte Jury, als er den Wagen im Hof des ‹Jerusalem Inn› zum Stehen brachte.

Dach und Regenrinne des Hauses waren wie mit Zuckerguß überzogen. Ein einzelner Sonnenstrahl brachte den unberührten Schnee zum Glitzern und ließ das Eis auf den unterteilten Fensterscheiben wie Sterne aufglänzen. Dahinter erschien Robbies verzerrtes Gesicht. Als Jury klopfte, verschwand es, doch es dauerte eine Weile, bis Robbie ihnen schließlich die Tür öffnete.

«Hallo, Robbie», sagte Jury. «Ich weiß, ihr habt noch nicht auf, aber wir müssen dringend mit den Hornsbys sprechen. Wir sind von der Polizei, verstehst du?» Jury zeigte dem verstört dreinsehenden Jungen seinen Ausweis und sagte beruhigend: «Routine, nichts weiter, Robbie.»

Das braune Haar, das sich der Junge aus der Stirn strich, die hellbraunen Augen, das Gesicht, das ihm anfangs nur leer vorgekommen war, vielleicht weil es so weich und formbar war wie Wachs – in all dem glaubte Jury nun – oder bildete er sich das nur ein? – Spuren einer Ähnlichkeit mit Helen zu entdecken.

Nell Hornsby kam durch den Vorhang, der den kleinen Nebenraum im hinteren Teil der Bar abtrennte. «Oh, hallo! Ist was passiert?»

«Keine Sorge. Es ist nichts passiert. Ich würde mich nur gern ein bißchen mit Ihnen unterhalten.»

«Klar. Ich schau nur schnell nach Chrissies Brei.» Sie verschwand wieder durch den Vorhang.

Der ungelenke, kräftig gebaute Robbie fegte lethargisch den Boden. Robin... ein häufiger Deckname für Kriminelle, Außenseiter, Vogelfreie, dachte Jury. Erst als Tommy etwas von einer Runde Snooker sagte, hellte sich seine Miene auf, und er arbeitete schneller.

Melrose zündete sich eine Zigarre an und fragte leise: «Wo ist da der Zusammenhang? Ich meine, zwischen diesem ungeschlachten Jungen, Ihrer Helen Minton und... allem anderen?»

«Frederick Parmenger ist das Bindeglied.»

«Parmenger? Und wieso?»

«Ich denke, er ist Robbies Vater. Von einer Haushälterin, die jahrelang bei den Parmengers gearbeitet hat, wissen wir, daß Edward Parmenger – das ist Fredericks Vater, der die Pflegschaft für Helen übernommen hatte – Amok lief, als er erfuhr, daß sie schwanger war. Ihm sträubten sich die Haare angesichts der Vorstellung, daß sein Sohn und Helen –»

«Das ist nicht gerade verwunderlich, bedenkt man ihr Alter und die Umstände. Kaum jemand wäre erfreut, wenn er entdeckt, daß sein Mündel guter Hoffnung ist.»

«Vor allem, wenn er noch viktorianische Moralvorstellungen hat. Aber wir leben nicht mehr im neunzehnten Jahrhundert. Und wieso dann nach Jahren diese Gewissensbisse, die Edward dazu veranlaßten, Helen das Haus zu vermachen, statt es seinem eigenen Sohn zu hinterlassen? Zuerst wollte er Helen einfach nur loswerden, und dann holt er sie wieder zurück. Ziemlich merkwürdig, das muß ich schon sagen.»

Nell kam in die Bar zurück. «Nun also. Was wollen Sie von mir?»

«Old Peculier», sagte Melrose und legte eine Pfundnote auf den glänzenden Tresen.

Sie machte einen verwirrten Eindruck. «Es ist noch zu früh für die Bar. Ich fürchte, ich kann Ihnen nichts Alkoholisches ausschenken. Das heißt –» Sie warf Jury einen schnellen Blick zu. «Ich werde ausnahmsweise ein Auge zudrücken.» Sie zapfte Melrose sein dunkles Ale.

«Erzählen Sie uns ein bißchen von Robbie.»

Sie setzte das Glas abrupt ab. «Robbie? Was ist denn mit ihm?»

Jury hielt ihr sein Zigarettenpäckchen hin. «Woher soll ich das wissen? Deshalb frage ich ja.»

Sie fischte eine Zigarette aus dem Päckchen und zündete sie an. «Na ja, er geht uns halt ein bißchen zur Hand. Dafür kriegt er was zu essen und etwas Taschengeld. Armer Junge. Wie gesagt, er kam hierher, als er von der Schule abging. Ein herzensguter Kerl. Wir haben ihn aufgenommen. Er gehört zur Familie.»

«Er ging auf die Bonaventura-Schule?»

«Ja.»

«Auf dem Friedhof der katholischen Kirche in Washington liegt ein Robert Lyte begraben. Könnte das ein Verwandter von ihm gewesen sein?»

Auch wenn es noch etwas zu früh dafür war, so sagte Nell Hornsby doch nicht nein zu einem Drink. Während sie eine Flasche aus dem Regal nahm, meinte sie: «Robert? Möglich wär's. Ich weiß nicht. Aber warum haben Sie's denn so auf Robbie abgesehen? Hat er denn was angestellt? Er doch nicht, das kann ich mir nicht vorstellen.»

«Nein, natürlich nicht.»

Melrose, dessen Laune sich durch den Old Peculier wesentlich gebessert hatte, ließ Jury mit Nell Hornsby plaudern und ging in das kalte Hinterzimmer, um Tommy Whittaker und Robbie beim Spielen zuzuschauen. Robbie hielt das Queue zwar wie seinen Besen, aber doch mit sehr viel mehr Begeisterung. Tommy machte einen Sicherheitsstoß und ermöglichte Robbie einen langen, direkten Stoß auf eine rote Kugel. Nicht zu einfach und nicht zu kompliziert. Der Stoß mißlang.

Doch Tommy war ein zu guter Spieler, um nicht alles um sich herum zu vergessen – auch Robbie, zumindest für den Augenblick. Er versenkte dieselbe rote Kugel mit einem so raffinierten Effetstoß, daß die weiße in günstiger Position zur schwarzen liegenblieb.

Melrose war völlig in das Spiel vertieft, als jemand in Höhe seines Ellbogens sagte: «Er könnte doch einfach gleich die schwarze spielen.»

Er sah sich um, konnte aber niemanden entdecken, bis er den Blick senkte. Die Eigentümerin der Stimme hielt eine Puppe im Arm, die beinahe so groß war wie sie selbst. Ein Kind! Er warf der Kleinen einen Blick zu, der jeden anderen auf der Stelle verscheucht hätte.

Sie aber blieb nicht nur stehen, sondern verteidigte auch noch ihre Meinung. «Warum spielt er nicht einfach mit der schwarzen weiter, statt immer mit der weißen, wenn er sie doch loswerden will?» Sie sah stirnrunzelnd zu Melrose auf, als wäre er verantwortlich für diese lächerlich umständlichen Spielregeln. Melrose überlegte. Sie konnte nicht älter als fünf oder sechs sein, stand einfach da mit dieser übergroßen, blöden Puppe im Arm – und wollte schon neue Spielregeln aufstellen. «Weil», erwiderte Melrose bissig, «es bestimmte Regeln gibt. Und jetzt gehst du wieder schön brav zurück und ziehst deine Puppe an.»

«Sie ist doch angezogen», sagte die Kleine, die seine Bemerkung offensichtlich als Einladung auffaßte, ihm Gesellschaft zu leisten. Sie rutschte neben ihn auf die Bank und fügte vielsagend hinzu: «Oder besser: *er*.» Der Blick, den sie der Puppe zuwarf, ließ Zweifel erkennen.

Er versuchte Tommys Spiel zu verfolgen, und verwünschte sich insgeheim dafür, daß er die Puppe überhaupt erwähnt hatte. Die Kleine hielt seine Bemerkung für ein Zeichen echten Interesses und ließ nun nicht mehr locker.

«Sie hat 'n hübsches Kleid an, oder?»

Ihre einschmeichelnde Stimme und strahlenden Augen ließen Melrose jedoch kalt. Er wandte den Blick nicht von Tommys Queue – Robbie war etwas zurückgetreten und stand vergessen da wie eine einarmige Statue in einem Park – und hütete sich, ihr darauf zu antworten.

«Die Windel drunter macht ihn 'n bißchen dick.»

Wenn er Agathas Geplapper ertragen konnte, dachte Melrose,

warum nicht auch das dieser kleineren und, wie er zugeben mußte, weitaus attraktiveren Ausgabe eines Waschweibes. «Ich bin etwas durcheinander», gab er zu und zündete sich eine Zigarre an in der Hoffnung, das Nikotin würde verhindern, daß sein Gehirn sich im Strudel eines zu früh genossenen Old Peculiers auflöste. «Ich dachte, die Puppe sei ein Mädchen.»

«Ist sie auch», mischte Jury sich ein, der soeben mit einem Glas vom besten Bitter in der Hand hereinspazierte. Er setzte sich auf die harte Bank, so daß die Kleine noch näher an Melrose heranrücken mußte. «Sie heißt Alice.»

«Also schön, Alice, was ist los mit deiner Puppe?»

Die braunen Augen betrachteten ihn mitleidig: «*Ich* doch nicht! *Sie!*» Sie hielt ihm die Puppe unter die Nase und fügte auf ihre kryptische Art hinzu: «Oder er. Ich heiße *Chrissie*.»

Eine Serie von 147 Punkten war gewiß einfacher zu bewerkstelligen als aus Chrissie schlau zu werden. Ihre Mutter hätte ihr den Unterschied zwischen den Geschlechtern erklären sollen, dachte Melrose und lehnte sich zurück, um das Wunderkind dabei zu beobachten, wie es eine Serie von fünfzig Punkten herunterriß und sich erst dann wieder an seinen Freund Robbie erinnerte. Tommy verkorkste absichtlich einen ziemlich einfachen Stoß und trat zurück, um Robbie ans Spiel zu lassen. Robbie verpatzte seinen Stoß ebenfalls. Sie unterbrachen ihr Spiel, und Tommy gab eine Runde Zigaretten aus Jurys Päckchen aus. Dann nahmen sie jenseits des Tisches auf einer Bank Platz und unterhielten sich, das heißt, Tommy führte ein etwas einseitiges Gespräch mit seinem Freund.

«Was hoffen Sie denn hier herauszufinden?» fragte Melrose Jury, während Chrissie ihre Puppe auszuziehen begann.

«Weiß ich selbst noch nicht. Ich habe keine Ahnung, ob er sich überhaupt noch an Danielle Lyte erinnert. Sie ist vor Jahren gestorben, wie mir eine Bekannte von Helen Minton sagte.»

Die Puppe war, wie Melrose bemerkte, in Stoffstreifen gehüllt, die von einem Bettuch zu stammen schienen. Chrissie machte sich daran, sie von neuem einzuwickeln.

«Ich kann immer noch keinen Zusammenhang mit den Morden sehen. Angenommen, er ist der Sohn...» Melrose warf Chrissie einen mißtrauischen Blick zu, da er grundsätzlich von der Annahme ausging, daß Kinder alles hörten und einen im richtigen Augenblick damit erpreßten. Vorsichtig fuhr er fort: «Sie wissen schon, der Sohn dieser beiden. Mußte sie deswegen gleich sterben?»

«Vielleicht war sie einfach nur böse», meinte Chrissie.

Er hatte doch gewußt, daß ihr kein Wort entging. «Wir fragen dich schon, wenn wir deine Meinung hören wollen», sagte Melrose und übersah geflissentlich die rote Zunge, die sie ihm plötzlich entgegenstreckte. Die strahlend braunen Augen auf Jury gerichtet, meinte sie: «Schätze, ich sollte ihn wieder zurücklegen.»

Jury nickte. «Ja, das solltest du. Maria und Joseph vermissen ihn bestimmt schon.»

Maria und Joseph? Melrose gab es auf, den Sinn dieser dunklen Andeutungen ergründen zu wollen. Chrissie griff sich ihre Puppe, zwängte sich an Jury vorbei und rannte hinaus.

«Wenn ich aus Durham zurück bin, muß ich noch nach Newcastle zum Bahnhof, um Wiggins abzuholen.»

«Sergeant Wiggins! In diesen nördlichen Breiten? Weiß er, auf was er sich da eingelassen hat?»

«Ich fürchte, ja.»

In diesem Augenblick kam Tommy zurück und reichte Melrose ein Queue, das er aus der Halterung an der Wand genommen hatte. «Warum versuchen Sie's nicht mal mit Robbie? Vielleicht haben Sie ja Glück.»

«Vielen Dank», sagte Melrose, nahm das Queue und trat an den Tisch.

«Er erinnert sich kaum noch an seine Mutter. Sie ist gestorben, als er noch ziemlich klein war; wie klein, weiß er aber nicht mehr. Er hat ein Foto von ihr», sagte Tommy zu Jury.

«Ja, ich kenne es.»

«Klingt alles ziemlich vage.» Tommy betrachtete traurig sein Queue. «Im Vergleich zu ihm bin ich ein richtiges Glückskind.»

Ganz sicher schien er sich da allerdings nicht zu sein. «Das Problem ist nur, daß ich der letzte Marquis von Meares bin – falls ich nicht heirate und Kinder bekomme. Ich glaube, Tante Betsy hat schon eine der Töchter eines Herzogs ins Auge gefaßt – keine bestimmte, die sehen sowieso alle wie Kobolde aus. Aber ich sollte mich nicht beklagen. Niemand macht mir Vorschriften außer Tante Betsy und vierzehn Anwälten.» Er sagte das ohne jede Ironie. «Man kann also sagen, daß ich genügend Freiheit habe und tun und lassen kann, was ich will.»

«Klingt eigentlich nicht so.»

Tommy verteidigte seine Tante. «Sie ist nicht schuld. Ich versage schon auf St. Jude's Grange in allen Fächern und ziehe den Namen der Familie in den Dreck. Ich weiß doch bloß über Mesopotamien einigermaßen Bescheid, aber das kommt leider nur so selten dran. Ich laß die Nachhilfestunden ausfallen, um Snooker zu spielen, und hoffe im Grunde nur, daß sie mich einfach für blöd halten und in Ruhe lassen. Sonst bin ich erledigt. Das bedeutet, ich lande auf dem Christ Church College – das ist 'ne Art Sammelbecken für Leute wie mich.»

Jury lachte. «Man könnte meinen, du sprichst von dem Hochsicherheitsgefängnis außerhalb von Durham.»

Tom balancierte das Queue auf der Handfläche. Es stand wie eine Eins. «Oxford ist ein ödes Kaff. Da gibt's nur Buchläden und Herrenausstatter, in denen sie Schals in den College-Farben verkaufen. Und von mir würde man wahrscheinlich erwarten, daß ich das Blau des Ruderclubs trage. Ich hasse Rudern. In dem gottverdammten Nest gibt es nicht mal eine Billardhalle. Ich hab's überprüft.»

«Wenn du nicht aufpaßt, fällt dir der Stock noch aus der Hand.» Jury steckte seine Zigaretten ein und sah auf die Uhr.

«Mir? Mir fällt nie was aus der Hand. Wissen Sie, daß Tante Betsy dem Butler befohlen hat, das Billardzimmer abzuschließen? So wie manche Leute die Flaschen wegschließen, wenn sie einen Säufer in der Familie haben.»

«Das ist ein starkes Stück.»

«Na ja, irgendwie kann ich sie auch verstehen. Eine Sucht ist eine Sucht.»

«Aber so verderblich ist deine Sucht nun auch wieder nicht», meinte Jury lächelnd.

Tommy ließ den Stock fallen, fing ihn mit der anderen Hand und legte ihn an wie ein Gewehr. «Wissen Sie, wie ich in das Billardzimmer komme? Während der Führungen. Man kann nämlich das Schloß besichtigen, vor allem auch den Park, der wirklich toll ist. Ich verkleide mich mit einem alten Mantel, Hut und Sonnenbrille. Und bei der letzten Führung bleib ich dann zurück, verstecke mich in einem Wandschrank und warte, bis alle weg sind. So kann ich ungefähr eine Stunde täglich üben. In das Billardzimmer kommt nie jemand. Dann schleich ich mich durch die Verandatür wieder hinaus und geh ums Haus herum. Bis jetzt ist noch niemand draufgekommen, warum die Verandatür morgens manchmal aufsteht.»

«Deine Entschlossenheit ist wirklich erstaunlich!» Jury lachte.

Irgendwie war es Robbie gelungen, den Spielball mit einem Sicherheitsstoß an die Bande zu spielen. Melrose kreidete sein Queue ein. Wenn er nicht danebenstieß – die Wahrscheinlichkeit war allerdings sehr hoch –, konnte er die schwarze Kugel einlochen.

«Nehmen Sie das Kinn runter», sagte Tommy, der hinter ihn getreten war.

Melrose richtete sich seufzend auf. «Ich brauche kein Publikum.»

«Wenn Sie mit einem Champion spielen, müssen Sie sich an so was gewöhnen. Beeilen Sie sich, ich muß noch nach Durham», warf Jury ein.

«Dann stören Sie mich nicht.»

Das hatte ihm gerade noch gefehlt – dieses Paar brauner Augen, das ihn über die Tischkante hinweg anblickte.

«Husch, weg mit dir», sagte Melrose.

Chrissie rührte sich nicht vom Fleck. Sie starrte ihn weiterhin unverwandt an.

Es blieb ihm nichts anderes übrig, als den Versuch zu wagen. Mit der linken Hand machte er auf dem Rand des Tisches eine Brücke.

«Strecken Sie die Finger. Dieser Ansatz ist falsch bei einem Bandenstoß.»

O zum Teufel mit ihnen allen! Er hatte das Gefühl, sein Arm wäre völlig erstarrt, und er schämte sich insgeheim, daß ihm soviel daran lag, Tommy Whittaker zu imponieren, der ihn jetzt noch einmal aufforderte, das Kinn auf die Höhe des Queues zu bringen.

«Und schauen Sie nicht immer auf die Tasche, schauen Sie auf die Kugel.»

Verdammt, woher wußte er, daß Melrose den Blick zur Tasche hatte wandern lassen. Er sah vom Spielball zur schwarzen Kugel – ein prima Stoß, wenn nichts danebenging.

In dem Augenblick, als er das Queue zurückzog und wieder vorschnellen ließ, sagte die Piepsstimme: «Es wäre doch viel einfacher, gleich die schwarze zu spielen.»

Er fluchte. Die Spitze des Queues glitt von der weißen Kugel ab, und Chrissie – ihre Mission war offensichtlich erfüllt; der Stoß war mißlungen – suchte mit Alice im Arm das Weite.

Jury griente. Tommy verlieh seinem Mitgefühl Ausdruck. Melrose starrte die weiße und die schwarze Kugel an. Er richtete sich auf und warf einen wutentbrannten Blick auf die Tür, durch die Chrissie soeben verschwand. «Jede Wette», sagte er, «daß Beatrice Sleight gemeint war und niemand anderes.»

Vielleicht hatte er sich beim Snooker als Niete erwiesen, aber das Grinsen aus Jurys Gesicht verschwinden zu sehen bot ihm Entschädigung genug dafür.

Sie standen draussen neben dem Granada, den die Ortspolizei Jury zur Verfügung gestellt hatte. Melrose zog fröstelnd die Schultern unter seinem dicken Anglerpullover ein. «Er hat das so eingefädelt, damit keiner dachte, daß er es tatsächlich auf Beatrice Sleight abgesehen hatte. Im wahrsten Sinne des Wortes ein Mord unter dem Deckmantel der Verwirrung: unter Grace Seainghams weißem Cape. Der Mörder hat die schwarze Kugel mit der weißen eingelocht. So einfach ist das. Allerdings mußte die gute alte Bea erst mal dazu gebracht werden mitzuspielen.»

Jury lehnte sich gegen die Wagentür und sah zu den Fenstern des Pubs hinüber. «So was ist kinderleicht, wenn man ein Gewehr in der Hand hält.»

«Sie glauben also auch, daß jemand Beatrice in den Wintergarten gelockt und sie gezwungen hat, das Cape umzulegen?»

«Ich könnte mir vorstellen, daß es ein bißchen raffinierter eingefädelt war, aber im großen und ganzen, ja.»

«Sie teilen also meine Meinung?»

«Hundertprozentig. Es ist so viel einsichtiger als jede andere Erklärung für Beatrice Sleights merkwürdiges Verhalten – es wäre ihr doch nicht im Traum eingefallen, diese Kapelle aufzusuchen, und dann noch mit Grace Seainghams Cape. Irgendwer scheint mit aller Gewalt verhindern zu wollen, daß die Polizei gewisse Schlüsse zieht.»

Melrose zog sich die Ärmel seines Pullovers über die Hände. Der Himmel war von einem unglaublich tiefen Blau; der Schnee begann in der Sonne zu schmelzen, und der Wind hatte sich gelegt. «Sie war ja nicht eben beliebt. Und wenn die Dame des Hauses nicht das *Opfer* sein sollte... na ja, Grace Seaingham hatte ein handfestes Motiv, sie umzubringen.»

Jury schüttelte den Kopf.

«Ach, kommen Sie schon! Sie halten sie für einen Engel und übersehen dabei das Nächstliegende.»

«Nein, das ist es nicht», sagte Jury. «Selbst wenn sie Beatrice Sleight lieber tot gesehen hätte, welchen Grund hätte sie gehabt, Helen Minton umzubringen?»

Melrose, der im Schnee auf und ab geschritten war, um sich warm zu halten, blieb stehen. «Wer sagt denn, daß es nicht zwei Mörder gibt?»

Jury warf seine Kippe auf den vereisten Boden. «Ich.» Er blickte zum stahlblauen wolkenlosen Himmel empor. «Viele Gifte sind sehr unzuverlässig – sie machen einen einfach nur krank. Und so wirkt auch Akonit, wenn die Dosis nicht tödlich ist. Der Mörder dachte anscheinend, er könne es dem Zufall überlassen, *wann* Helen Minton die tödliche Dosis bekam. In diesem Fall hätte ein Besucher von Old Hall ihr Medikament mit dem Gift präparieren können, und ihr Tod hätte nach Herzversagen ausgesehen. Dann aber fand Helen Minton etwas über Robin Lyte heraus. Doch das hilft uns auch nicht viel weiter, stimmt's?»

«Wenn er wirklich Parmengers Sohn ist...?»

«Hm. Parmenger bestärkt mich ebenfalls in der Annahme, daß wir es hier nur mit einem Mörder zu tun haben. Parmenger kannte sowohl Helen als auch Beatrice. Er ist das Bindeglied.»

«Hätte Helen Minton seinem Ruf schaden können, wenn sie die Sache publik gemacht hätte?»

«Das scheint mir nicht ihre Art – weder seine noch ihre. Sie hätte so was nicht getan, und ihm hätte es nichts ausgemacht. Wen haben wir denn sonst noch? Lady St. Leger? Eigentlich kaum anzunehmen, daß sie eine Bürgerliche abknallt, nur weil diese den Adel haßt...»

«Da wäre immer noch Tante Agatha», sagte Melrose hoffnungsvoll.

Jury überging diesen Einwand. «William MacQuade? Ein unbeschriebenes Blatt, keiner, der sich leicht unterkriegen läßt, aber ich sehe kein Motiv.»

«Er konnte Beatrice Sleight nicht ausstehen. Sie machte ständig schnippische Bemerkungen über ‹literarische› Autoren. Und was ist mit den Assingtons? Sie scheinen sich nur am Rande des Geschehens zu bewegen. Kein Motiv weit und breit. Er ist der berühmte Arzt, und sie scheint von dem Schund, den Beatrice Sleight schrieb, beeindruckt zu sein. Spatzenhirn. Genau die

Sorte, die Elizabeth Onions in *Die dritte Taube* zum Mörder auserkoren hätte.»

«Wie bitte?»

«Nichts. Ich finde es ziemlich unfair, Unzurechnungsfähige als Mörder auftreten zu lassen. Sie sind ja nicht für ihre Taten verantwortlich zu machen.»

Jury stieg ins Auto. Melrose tat es ihm nach. «Ich fahre jetzt nach Durham und bringe Sie vorher schnell in Spinney Abbey vorbei. Grace für mich, Susan für Sie.» Er ließ den Motor an.

«Danke bestens. Zyankali wär mir lieber.» Der Motor lief, doch Jury machte keinerlei Anstalten, loszufahren, sondern starrte an Melrose vorbei ins Leere.

«Was ist? Haben Sie was entdeckt?» Plant wandte sich um. Chrissie drückte ihr Gesicht gegen die Scheibe eines der winzigen Fenster des Lokals.

«Ein Paar brauner Augen», sagte Jury und winkte ihr zu, bevor er losfuhr.

Melrose sah das Augenpaar schnell unter der Fensterbank verschwinden. Das Schmelzwasser tropfte von den Scheiben.

21

AN EINEM NEBLIGEN TAG WIE DIESEM schien die Kathedrale von Durham aus der Ferne betrachtet über der in einer engen Schleife des Wear gelegenen Halbinsel zu schweben.

Der Gottesdienst war schon seit fünf Minuten zu Ende, doch Grace Seaingham kniete noch immer auf einer der Bänke. Wie lange kann eine Frau es in einer solchen Stellung aushalten? fragte sich Jury. Im Stehen ging's ja noch einigermaßen, aber auf den Knien mußte einem jede Minute wie eine kleine Ewigkeit vorkommen.

Jury betrachtete das geometrische Muster der Steinquader, aus denen die Säulen bestanden, behielt Grace Seaingham aber immer im Auge. Ein Weilchen später erhob sie sich endlich, ging durch das leere Gestühl und trat auf den Mittelgang. Sie hielt den Blick gesenkt und bemerkte Jury erst, als sie vor ihm stand. Bei seinem Anblick schlug sie den Kragen ihres weißen Wollmantels hoch, als hätte sie ein kalter Windstoß getroffen. Sie sah ihn mißtrauisch an.

«Entschuldigen Sie, Mrs. Seaingham. Ich bin nicht hier, weil ich Sie beschatte.» Sein Lächeln kam ihm gezwungen vor, wie immer, wenn er in ihrer Nähe war. «Aber Sie hatten gesagt, Sie würden heute vormittag hier sein; da ist etwas, das ich Ihnen erzählen möchte... Aber wollen wir nicht lieber woanders hingehen?»

«Ich habe nichts gegen diesen Ort einzuwenden. Wenn wir schon über den Tod sprechen müssen» – sie sah ihn achselzuckend an –, «dann am besten hier. Wir können uns ja ein bißchen die Beine vertreten und uns dabei die Kirche ansehen.»

Jury fühlte sich in der Kathedrale irgendwie im Nachteil. Ihm war jedoch nicht ganz klar, warum er Grace Seaingham unbedingt etwas voraus haben wollte. Er wandte sich ihr zu und betrachtete das scharfgeschnittene Profil, das helle Haar. Sie war vor dem Fresko des Heiligen Cuthbert stehengeblieben. «Freddie Parmenger sollte sich das mal anschauen. Er mag nur leider keine Kirchen. Wußten Sie, daß die Mönche im Laufe der Jahrhunderte die Gebeine des Heiligen Cuthbert immer wieder verlegt haben? Zuerst Lindisfarne, dann Chester-le-Street. Das ist nicht weit von hier. Hier ist seine endgültige Ruhestätte.» Immer noch dem Fresko zugewandt, fragte sie ihn: «Was wollten Sie mir denn erzählen?»

«Sie waren nicht gemeint, Mrs. Seaingham. Ich habe mich geirrt. Der Mörder hatte es doch auf Beatrice Sleight abgesehen.»

Ihm war nicht wohl in seiner Haut. Die Nähe dieser Frau, die Fremdheit dieses Orts mit seinen kolossalen Dimensionen – all das verunsicherte ihn. Er fühlte sich klein und schutzlos. Wie lächerlich!

Nichts, was sie sagte oder tat, rechtfertigte jedoch seine Gefühle. Die abrupte Bewegung, mit der sie sich ihm zuwandte, drückte nur Überraschung und Erleichterung aus. «Aber warum um Himmels willen sollte Bea mein Cape genommen haben?»

«Wer immer sie erschossen hat, wollte den Eindruck erwekken, daß Sie...» Er beendete den Satz nicht. «Wie der Killer sie dazu brachte, sich das Cape umzulegen und nach draußen zu gehen, weiß ich allerdings auch nicht. Irgendein plausibler Vorwand, zum Beispiel ein kleines Gespräch unter vier Augen an einem Ort, wo man nicht gesehen würde. In der Kapelle vielleicht...»

Ihre Augen schimmerten feucht; Jury konnte jedoch nicht sagen, ob sie den Tränen nahe oder einfach nur erleichtert war.

«Es war also nicht...» Sie unterbrach sich abrupt und wandte sich wieder dem Bild des Heiligen Cuthbert zu.

«Nicht was? Oder wer?»

Sie schwieg.

«Sie meinen, Ihr Mann? Ich halte Ihren Mann auf keinen Fall für verdächtig.»

«Sie glauben nicht, daß er sie erschossen hat?»

Jury zögerte mit der Antwort. «Sie war doch seine...»

Sie lächelte frostig. «Sprechen Sie es ruhig aus. Geliebte. Er hätte doch beispielsweise Angst haben können, sie würde reden?» Ihre Stimme klang beklommen.

«Erpressung?»

«Charles hatte doch keine Ahnung, daß ich davon wußte.»

Jury bohrte weiter. «Eben waren Sie sehr erleichtert darüber, daß niemand versucht hat, *Sie* umzubringen. Dachten Sie dabei ebenfalls an Ihren Mann?»

«Nein, natürlich nicht.» Die Antwort kam viel zu hastig.

«Mrs. Seaingham, als Sie von dem Mord an Beatrice Sleight erfuhren, nahmen Sie sogleich an, der Anschlag habe in Wirklichkeit Ihnen gegolten. Keiner von den anderen kam auf diese Idee.» Außer Melrose Plant, aber das sagte er ihr nicht.

«Nun, dieses Cape...» Das klang nicht sehr überzeugend.

«Auf den ersten Blick schienen Sie recht zu haben. Aber irgendwie finde ich es seltsam, daß Sie sofort diesen speziellen Verdacht schöpften. Warum tragen Sie eigentlich immer Weiß?»

Sie wirkte verunsichert. «Warum? Ich weiß nicht, ich hab noch nie darüber nachgedacht.» Sie sah an ihrem Mantel herunter.

«Es steht Ihnen nicht sonderlich. Es betont Ihre Blässe; es macht Sie noch durchscheinender. Sie sollten Farben tragen. Pastelltöne zum Beispiel. Offensichtlich wollen Sie nicht, daß man Sie für krank hält. Aber Sie *sind* krank, nicht wahr?»

Sie hatte ihre Fassung wiedergewonnen und meinte kühl: «Todkrank, um genau zu sein.»

«Und was ist das für eine Krankheit?»

An ihrer Wange zuckte ein kleiner Muskel. «Ich weiß es nicht. Selbst Sir George ist ratlos. Er kann nichts feststellen. Die Untersuchungen haben nichts ergeben.»

«Sie lügen, Grace. Es wurden überhaupt keine Untersuchungen durchgeführt. Sie haben sich geweigert.»

Ihre Porzellanhaut bekam etwas Farbe, während sie ihm einen langen prüfenden Blick zuwarf. «Wenn Sie bereits wußten, daß –»

«Weil Sie nämlich befürchten, Ihr Mann könnte dahinterstecken, ist es das? Viele Gifte wirken erst allmählich. Man verabreicht sie in kleinen Dosen, immer nur ein bißchen. Arsen zum Beispiel. Und auch Akonit, nur würden Sie bei Akonit sofort bemerken, daß etwas nicht stimmt. Benommenheit, Kribbeln…»

«O hören Sie auf! Wie kommen Sie nur darauf…» Ihre Stimme zitterte.

Jury nahm ihren Arm. «Sie irren sich, was Charles betrifft. Kommen Sie, lassen Sie uns gehen.»

Der Knoten, der Grace Seainghams in der Sonne schimmerndes Haar im Nacken zusammenhielt, hatte sich gelockert; ein paar Strähnen hatten sich gelöst und umspielten ihre Schläfen. Das zarte Rot ihrer Wangen war echt, und ihre Haut schimmerte beinahe bernsteinfarben in dem schummrigen Licht des Hofes, den auf drei Seiten Gebäude der Universität von Durham umgaben.

Grace schien wie ausgewechselt. Zusammen mit der Angst und der Unsicherheit waren ihr ätherisches Gehabe und ihre manierierten Gesten verschwunden: Sie leckte sich die Lippen, ohne sich Gedanken um ihren hellen Lippenstift zu machen; ihre Augen funkelten lebhaft; sie spielte mit dem Riemen ihrer Tasche. Jury meinte ein junges hübsches Mädchen vor sich zu haben. Und nun erzählte sie ihm von der Übelkeit, die sie immer wieder überkam, von ihrer Weigerung, mehr zu essen als unbedingt notwendig, und von der peinlichen Sorgfalt, mit der sie jede Flüssigkeit untersuchte, die sie zu sich nahm. «Schauen Sie sich gerne alte Filme an?»

«Wenn ich Gelegenheit dazu habe.»

«Erinnern Sie sich an *Verdacht*? Ich kam mir vor wie Joan Fontaine – Sie wissen schon, in der Szene, in der Cary Grant mit einem Glas Milch die Treppe hochkommt.» Ihr Lächeln kam von Herzen; die Tränen, die ihr beim Verlassen der Kathedrale übers Gesicht geströmt waren, hatten befreiend gewirkt. «Man hatte wirklich Angst, ihr Mann könnte es gewesen sein. Aber natürlich glaubte man nicht im Ernst, Cary Grant würde den Bösewicht spielen. Weil er einfach zu charmant ist – und weil er eben Cary Grant ist. Aber mein Mann ist nicht Cary Grant.»

«Nein. Er versucht allerdings genausowenig wie Cary Grant damals, Sie zu vergiften.»

«Wieso sind Sie sich da so sicher?»

«Ganz einfach. Er liebt Sie.»

Sie warf ihm einen schon beinahe koketten Blick zu. «Und woher wollen Sie das nun wieder wissen?»

«Erstens, weil er es selbst gesagt hat. Zweitens, weil er Beatrice Sleight nicht geliebt hat. Drittens, weil er Sie auf eine ganz bestimmte Art und Weise anschaut! Und viertens – ein sehr stichhaltiger Hinweis: Ich kann mir nicht vorstellen, daß ein

Mann wie Ihr Gatte Sie in seinem Arbeitszimmer, seinem ureigensten Territorium, einem Maler Modell sitzen ließe, wenn Sie ihm nicht sehr viel bedeuteten.»

Sie sah ihn bewundernd an. «Sie haben mir eine Last von der Seele genommen. Sie sind entweder ein phantastischer Detektiv oder ein schrecklicher Romantiker.»

Er lächelte. «Oh, beides.» Er nahm wieder ihren Arm. «Kommen Sie, gehen wir etwas essen.»

Das winzige Restaurant mitten in der Altstadt Durhams war brechend voll. Sie bestellten ein wundervolles Menü: mit Käse überbackene Pilze in Weißweinsoße und Kalbsragout; danach Stilton-Käse und Stachelbeerkuchen. Jury paßte auf, daß Grace auch alles aufaß. Beim Essen erzählte sie von sich und Charles: daß sie gehofft habe, die Sache mit Bea sei eine dieser Affären, die Männer in seinem Alter eben brauchten; daß sie sich immer Kinder gewünscht habe, aber dieser Wunsch sei nicht in Erfüllung gegangen. «Und dann gibt es Frauen wie Tommys Mutter, für die Kinder einfach nur lästig sind.» Sie steckte ein Stück Kuchen in den Mund und schwieg einen Augenblick. «Ich habe Tommy oft beobachtet, wenn er mit seiner Mutter zusammen war. Er liebte sie abgöttisch; sie war schön, doch es fehlte ihr an Charakter. Offen gesagt hatten beide nicht viel davon, weder Irene noch Richard waren charakterfest. Sie waren amüsant, charmant und reich, das ja...» Achselzuckend wechselte sie das Thema. «Hier in der Nähe ist übrigens ein alter Trödelladen, in dem ich oft herumstöbere. Dies hier habe ich auch dort gefunden...» Sie hob den Anhänger an ihrer Kette hoch, die sie stets zu tragen schien. «Später fand ich dann heraus, wie wertvoll er wirklich ist. Der arme, alte Kerl in dem Laden hatte keine Ahnung; er wollte ein Pfund dafür haben, dabei ist er ungefähr tausend wert.» Sie ließ den Anhänger wieder fallen. «Wie wär's, wenn wir da mal kurz reinschauen?»

«Einverstanden.» Jury bezahlte, und sie spazierten hinaus auf die Straße.

«Es beruhigt mich, daß Sie nicht ganz so vollkommen sind, wie sie scheinen, Grace.»

«Was meinen Sie?»

«Der Trödler. Seine Unwissenheit hat ihn tausend Pfund gekostet.» Jury lachte.

Sie blieb abrupt stehen. «Also hören Sie, Mr. Jury. Ich bin natürlich zurückgegangen und hab ihm das Geld gegeben.»

«Teufel auch. Und ich dachte schon, Sie wären doch kein ganz hoffnungsloser Fall.»

Sie lächelte verschmitzt. «Das heißt – ich habe das Geld mit ihm geteilt. Also vielleicht besteht noch Hoffnung für mich?»

Wer weiß, ob noch Hoffnung besteht, dachte Jury. Denn wenn ihr Mann sie nicht vergiftet, wer tut es dann? Aber vielleicht bildet sie sich das auch alles bloß ein...

22

«WORAN DENKEN SIE, RUTHVEN?» fragte Melrose. Sein Butler, der gerade dabei war, Melroses Jackett auszubürsten, schien die Rätsel der Schöpfung vor seinem inneren Auge Revue passieren zu lassen.

«Haben Sie bemerkt, Sir, wie Mr. Marchbanks gestern abend den Bordeaux dekantiert hat?»

Jeder andere hätte sich zu den traurigen Ereignissen der letzten Nacht etwas Passenderes einfallen lassen. Doch Melrose kannte ja Ruthvens starrsinnige Haltung in Fragen der Etikette zur Genüge und hätte von seiner Bemerkung eigentlich nicht allzu überrascht sein dürfen. «Hat er ihn nicht atmen lassen, oder was?» Melrose betrachtete sich prüfend in einem Drehspiegel, nicht aus Eitelkeit, sondern weil er nach ersten Anzeichen von Verfall und frühem Tod suchte. In letzter Zeit fragte er sich auffallend häufig, ob er nicht eine widerstrebende Schönheit dazu bringen könnte, Ardry End mit ihm zu teilen, bevor es zu spät war. Er dachte seufzend an Polly Praed und ihren idiotischen Brief (*Euer Gnaden?*). «Ehrlich gesagt beschäftigt mich eher das Ungemach, das Miss Sleight widerfahren ist, und nicht Mr. Marchbanks Ungeschicklichkeit.»

«Schrecklich, wirklich schrecklich, Mylord. Ich hab kaum ein Auge zugetan heute nacht wegen dieser Sache.» Das eilige Zugeständnis ließ vermuten, daß in Ruthvens Augen der Mord an Beatrice Sleight Mr. Marchbanks Frevel sozusagen nur die Krone aufsetzte.

Melrose entfernte eine mikroskopisch kleine Fussel von dem ansonsten untadelig gebürsteten Jackett und zog es an. Wenn sein Butler bloß auf dieses «Mylord» verzichten würde. Er hatte es jedoch schon längst aufgegeben, ihn zu korrigieren: einmal Earl of Caverness, immer Earl of Caverness. Es mußte auch ein harter Brocken für Ruthven sein, daß der Earl in der Rangfolge erst nach dem Marquis kam. Und dazu noch nach diesem minderjährigen Lümmel von einem Marquis.

Ruthven, der die bereits von Seainghams Hausdiener blankpolierten Stiefel noch einmal nachwienerte, seufzte und murmelte undeutlich so etwas wie «Die arme Mrs. Seaingham».

Überrascht wandte Melrose sich nach ihm um; seine Bemühungen, ein widerborstig abstehendes Haarbüschel glattzustreichen, gab er resigniert auf. «Was ist denn mit Mrs. Seaingham?»

«Diese Stiefel waren nicht ordentlich poliert, Mylord.»

Melrose fand, daß sie wie Messing glänzten. Geduldig wiederholte er: «Was ist mit Mrs. Seaingham?»

«Nun ja, sie sieht sehr angegriffen aus, Sir. Ihnen mag noch nicht aufgefallen sein, daß sie ihr Essen kaum anrührt. Ich habe gesehen, daß sie ihren Teller zurückgehen ließ, ohne auch nur einen Bissen zu sich genommen zu haben. Andererseits ist das so verwunderlich nicht, wenn man sich's recht überlegt. Wir, die wir Mrs. Ruthvens Küche gewohnt sind –»

«*Marthas*. Sie kocht für uns, seit ich denken kann. Sie brauchen also nicht so förmlich zu sein.»

«Sehr wohl, Sir. Vielen Dank, Sir. Aber was ich sagen wollte – wenn man weiß, was *haute cuisine* bedeutet, dann braucht man sich über Mrs. Seainghams mangelnden Appetit nicht zu wundern. Alles, was recht ist, Sir. Die Cumberland-Sauce kaschierte doch nur eine ziemlich verkochte Keule.» Ruthvens normalerweise unbewegliches Gesicht verzog sich zu einem fast hämisch zu nennenden Grinsen. «Und die Béarnaise...»

«Mein lieber Ruthven. Ich glaube nicht, daß das, was auf Spinney Abbey geschehen ist, sich auf zwei, drei mehr oder weniger gelungene Soßen zurückführen läßt.»

«Nein, Mylord. Da haben Sie recht», sagte er, ohne sich jedoch von seinem Gedanken abbringen zu lassen. «Es wird wohl eher was mit den Leuten zu tun haben.»

«Das möchte ich auch glauben, Ruthven.» Melrose zündete sich die obligatorische Zigarre vor dem Lunch an und sah zu, wie Ruthven die Stiefel auf den Boden stellte und sie kopfschüttelnd begutachtete, als hätten sie schon weitaus bessere Tage gesehen.

«Sie werden nie wieder so sein wie früher, Sir.»

«Die Stiefel? Oder die Gäste? Ich nehme an, beide erregen Ihr Mißfallen?»

«Das zu äußern stünde mir nicht zu, Mylord. Aber es läßt sich nicht leugnen, daß einige dieser Leute, nun ja, nicht eben gesellschaftsfähig sind. Ich meine, haben Sie gesehen, was Lady Assington mit dem Stilton gemacht hat?»

«Sie hat ihn auf den Boden geworfen, stimmt's?»

Ruthven ließ sich nicht beirren: Sein junger Herr (in Ruthvens Augen würde Melrose immer jung bleiben) nahm wieder einmal Dinge von gravierender Bedeutung auf die leichte Schulter. «Sie hat einen Löffel benutzt, Sir. Wenn irgendwelche Neureichen...»

«Sie werden die Seainghams doch nicht als ‹neureich› bezeichnen wollen, und wenn sie den Käse mit Löffeln servieren – Ruthven, warum, zum Teufel, sprechen wir über Käselöffel? Kommen wir zu wichtigeren Dingen: Was sagt das Personal über die Seainghams?»

Ruthven war schlichtweg schockiert. «Also wirklich, Mylord, ich werde doch nicht den Klatsch der Dienstboten kolportieren.»

In der Ferne läutete es. Es hörte sich wie eine Kuhglocke an. «Lunch, Ruthven. Kommen Sie, geben Sie –» Melrose schneuzte sich in sein Taschentuch.

«Ich hoffe, Sie haben sich bei Ihrem Ausflug gestern abend nicht erkältet. Sie sind nicht in der richtigen Verfassung für diese Art von Wintersport, Mylord.» Ruthven war wirklich ein Meister der Untertreibung.

«Für *jede* Art von Sport. Ich gehöre zu besagter Sorte reicher Müßiggänger.»

«Das stimmt keineswegs. Sie haben doch Ihre Pflichten als Professor an der Universität.»

«Irgend etwas muß Ihnen doch zu Ohren gekommen sein. Sie bewegten sich doch nicht die ganze Zeit zwischen Messern, Gabeln und Branston Pickles, ohne etwas mitzubekommen.»

Während Ruthven ein letztes Mal mit seiner Bürste über Melroses Jackett fuhr, sagte er: «Nur, daß die Seainghams sich ein paarmal heftig gestritten haben und daß er sich scheiden lassen wollte. Aber Mrs. Seaingham, strenggläubig wie sie ist, wollte nichts davon wissen.» Er machte eine nachdenkliche Pause. «Ist Ihnen das mit Mr. MacQuade aufgefallen, Sir? Ich meine, gestern abend beim Dinner?»

«Was soll mir aufgefallen sein? Sein Interesse für Mrs. Seaingham ist ja nicht zu übersehen.»

«Das entzieht sich meiner Kenntnis, aber er hat die Portweinkaraffe nicht angehoben, er hat sie *gekippt*.»

Und mit dieser sensationellen Enthüllung verließ Ruthven den Raum.

MELROSE ENTDECKTE SUSAN ASSINGTON in der Bibliothek; in ihrem flaschengrünen Batistkleid wirkte sie an diesem Ort verloren wie ein vom Baum gefallenes Blatt. Offensichtlich nicht an den Umgang mit Büchern gewöhnt, stand sie vor einem Regal und blätterte mit einem Ausdruck so vagen Erstaunens in einem Band, daß man hätte meinen können, Gutenbergs Erfindung der Buchdruckerkunst läge gerade einen Tag zurück.

«Sie sind auf der Suche nach Lektüre, Lady Assington?»

Er hatte sie anscheinend überrascht, denn sie errötete und stellte das Buch hastig wieder an seinen Platz. «Nur etwas über Gärten.»

Melrose konnte sie sich kaum mit einer Hacke in der Hand vorstellen. Er zeigte ihr *Die Dritte Taube.* «Elizabeth Onions; das Buch kann ich Ihnen empfehlen, falls Sie das Ambiente einer Vogeljagd in Schottland mögen.»

Offensichtlich war das keine Empfehlung für sie. «Ich kann Krimis nicht leiden. Ich kapier auch nicht, wie Sie darüber jetzt Witze reißen können.» Sie schien den Tränen nahe. «Schöne Bescherung.» Hinter der hochvornehmen Lady Assington aus Hampstead Heath kam in kritischen Phasen wie dieser wieder das Ladenmädchen Susan aus Lambeth zum Vorschein.

«Tut mir leid. Ich habe mir nichts dabei gedacht. Möchten Sie eine Zigarette?» Melrose hielt ihr sein goldenes Etui hin und hoffte, sie würde sich in einen der alten Ledersessel setzen und mit ihm plaudern.

«Ja, warum nicht», sagte sie und ließ sich tatsächlich nieder.

Melrose nahm in dem Sessel ihr gegenüber Platz und gab erst ihr, dann sich selbst Feuer. Ihm fiel auf, daß sie nervös mit ihrer Zigarette herumspielte.

«Hier oben festzusitzen... wie im Gefängnis, genauso fühl ich mich. Wann, denken Sie, kommen wir hier je wieder weg? George ist zu einer seiner Versammlungen nach London gefahren und hat mich einfach hier hocken lassen.» Über dem elegant beschuhten Fuß, mit dem Susan Assington nervös auf und ab wippte, glaubte Melrose eines dieser schlichten Laura Ashley-

Kleider zu erkennen, die hundert Pfund und mehr kosten, die Trägerin aber wie ein einfaches Mädchen vom Lande aussehen lassen, das gerade ein goldenes Kalb gemolken hat. Ansonsten aber hatte Susan Assington nichts mit dem Typ jenes schlichten Landmädchens gemeinsam, der in Melroses romantischen Träumen bukolische Idyllen bevölkerte.

«Haben Sie sie gut gekannt?»

«Wen?» Sie schnippte ihre Zigarettenasche auf den Kaminrost.

Die Frau hatte entweder wirklich ein Spatzenhirn oder sie war eine gute Schauspielerin.

«Beatrice Sleight.»

«Oh», sagte sie, als sei ihr die Ermordete so gleichgültig wie Elizabeth Onions Tauben. «Nun, wir sind ihr hin und wieder begegnet. Eine, die mit allen Wassern gewaschen war, wenn Sie mich fragen, obwohl George sie für völlig harmlos hielt. ‹Harmlos›, hab ich zu ihm gesagt. ‹Sieh dir doch bloß mal die Bücher an, die sie schreibt.› Nicht daß ich solchen Schund wirklich lese», beeilte sie sich hinzuzufügen.

Aus dem Musikzimmer drangen die gequälten Klänge einer von Tommy Whittaker malträtierten Klavieretüde.

Susan Assington preßte eine mit Smaragden beladene Hand gegen die Stirn. «Wenn der Junge doch bloß die Finger davon lassen würde. Ist mir ein Rätsel, wie seine Tante dazu kommt, ihn für musikalisch zu halten.» Sie blätterte in einer Modezeitschrift und reichte sie Melrose. «Was halten Sie von dieser Frisur?» Als wäre er ihr Friseur.

Geduldig zog Melrose seine Brille hervor und studierte das Foto. Das Haar des Models stand senkrecht in die Höhe, seine Augenränder waren schwarz nachgezogen. Sie machte auf Melrose den Eindruck, als wäre sie dem Ungeheuer von Spinney Moor begegnet. Oder vielleicht war sie es gar selbst? «Nicht für Sie, Lady Assington. So wie Sie Ihr Haar jetzt tragen, steht es Ihnen bestimmt besser.»

Sie fuhr sich über den glatten, dunklen Helm ihres Haars und

sagte: «Und Sie sollten keine Brille tragen. Sie haben so hinrei-
ßende Augen. Grün», fügte sie hilfsbereit hinzu, falls ihm die
Farbe entfallen sein sollte.

Melrose dankte ihr und steckte seine Brille wieder ein. Die
Haarkreation schien vergessen zu sein. Sie beugte sich auf dem
Sessel vor und ließ Melrose neben dem glänzenden Haar noch
andere ansehnliche Dinge bewundern, während sie ihm tief in
die Augen sah. «Seltsam, daß Sie immer noch Junggeselle sind.»

«So seltsam nun auch wieder nicht. Ich habe einfach noch
nicht die Kurve gekriegt.» Im Hintergrund versuchte Tommy
sich beharrlich an einer Tonleiter und scheiterte immer wieder an
der gleichen Stelle. Um das Gespräch wieder auf den Mord zu
bringen, bemerkte er: «Sie dürften sich eigentlich nicht beklagen.» Sie warf ihm einen verständnislosen Blick zu. «Nun, Sie
sagten doch neulich beim Essen, unsere kleine Gesellschaft biete
sich geradezu an für einen Mord.»

«Schon, aber das war doch nicht ernst gemeint», sagte sie be-
troffen.

«Aber natürlich», beschwichtigte Melrose sie. «Wie haben Sie
denn Beatrice Sleight eigentlich kennengelernt?»

«Sie fragen, als wären Sie bei der Polizei», sagte sie, und Melrose staunte, daß sie der Wahrheit so nahe gekommen war. Doch
sie stand ihm Rede und Antwort. «Bei einer Autogrammstunde
in einer Buchhandlung. George dachte, es würde vielleicht Spaß
machen, hinzugehen und sie eines ihrer Bücher signieren zu lassen. Er kannte sie nur ganz flüchtig.»

«Flüchtig» – das hatte Sir George auch der Polizei von Northumbria gesagt. Lady Assington schien diesen dehnbaren Begriff
nicht in Zweifel zu ziehen. «Aber eigentlich hatte man es doch
auf Grace Seaingham abgesehen, oder?» fragte sie und warf Melrose einen überraschend scharfen Blick zu. «Bei solchen Geschichten denkt man bekanntlich sofort an ... den Ehemann.»

«Ich hatte bei den Seainghams eigentlich den Eindruck, sie
würden ganz gut zueinander passen; ein glückliches Paar.»

«Da kann man sich leicht täuschen», meinte Susan. «Aber was

ich nicht verstehe: Warum tut die Polizei so, als hätte einer von uns das getan? Wo es doch genausogut ein Einbrecher oder vielleicht ein Landstreicher gewesen sein kann. Beatrice wird ihn gesehen haben, und dann…» Sie hatte jedes Kleid und jede Frisur in ihrer Zeitschrift genau studiert. Nun stand sie auf, warf sie auf den Tisch und schickte sich an zu gehen.

Um erwiesene Sachverhalte schien sie sich mit ihrer These nicht zu scheren. Melrose beschloß, sie freundlich darauf hinzuweisen: «Wissen Sie, das kommt mir bei dem Schnee eher unwahrscheinlich vor. Wir waren doch bis heute morgen so gut wie eingeschneit.»

Sie drehte sich im Hinausgehen zu ihm um. «Ach ja?» sagte sie. «Aber es waren doch auch gewisse andere Leute auf Skiern unterwegs.»

«KOMM, SPIEL DEN STROHMANN, MELROSE», sagte Lady Ardry und klatschte eine Karte auf den Tisch, als Melrose das Spielzimmer betrat. Agatha, Lady St. Leger und Vivian spielten, Bridge zu dritt. «Du brauchst überhaupt nichts zu tun. Das Kartenspiel gehörte ja noch nie zu deinen Stärken.»

Er sah den *Debrett's* herumliegen und dachte, sie hätten besser *König, Dame, Bube* spielen sollen. «Deine Einladung, mich zu euch zu gesellen, ist einfach unwiderstehlich, Agatha, aber trotzdem vielen Dank. Wenn ihr zu dritt spielt, habt ihr sowieso keine Verwendung für einen Strohmann.»

«Ich schon», sagte Vivian mit diesem süffisanten Lächeln, das man in letzter Zeit öfter von ihr sah. Sie plante wohl einen Stich.

«Die Damen scheinen die Ereignisse des gestrigen Abends ja mit großer Fassung zu tragen. Ich möchte Ihnen meine Bewunderung ausdrücken.»

Lady St. Leger lief unter der Rouge- und Puderschicht rot an, als wäre sie bei verbotenen Spielen ertappt worden. «Wir versuchen lediglich, uns etwas abzulenken von dieser – dieser unerfreulichen Geschichte.»

Zu diesem Zweck hatte sie auch wohl gerade die Vorzüge der Marqueterien von Miln und Abbisford gegenüber dem Titel eines Earl of Dunleith gerühmt, als Melrose eingetreten war. Seine Tante biß nun bereitwillig auf diesen Köder an.

«Es ist nicht zum Aushalten dort», sagte Agatha, die in der Nähe des Serviertischchens saß. «Die Affen klettern auf den Autos herum... Wenn du nicht mitspielst, Melrose, warum bist du dann immer noch hier, während wir uns zu konzentrieren versuchen?»

Affen? wunderte sich Melrose. «Ich dachte, ich hätte mein Buch hier liegengelassen. Ich warte eigentlich nur auf Superintendent Jury.» Er nahm einen Billardstock aus der Halterung und ging um den Tisch, um einen Blick in Agathas Karten zu werfen. Er hatte schon häufiger mit ihr gespielt.

Sie preßte die Karten wie einen Fächer gegen ihren Busen, und ihr Gesichtsausdruck ließ keinen Zweifel daran, daß sie es vorgezogen hätte, wenn er seine Wartezeit anderswo verbracht hätte. «Es geht mich natürlich nichts an», sagte sie, legte eine Trumpfkarte auf Vivians König und kassierte ihren Stich, «aber was hat Jury eigentlich hier zu suchen? Was kümmert Scotland Yard der Tod von Beatrice Sleight?» Sie verzog das Gesicht zu einer Grimasse, als Elizabeth St. Leger Karo ausspielte. «Schließlich hat ihn die Polizei von Northumbria nicht um Hilfe gebeten, oder?» Vivian legte eine Kreuz Zwei auf den Tisch.

«Was soll das heißen, ‹Affen›?» fragte Melrose.

«Wovon redest du?» Agatha bekam plötzlich einen Hustenanfall und zog ein Taschentuch aus ihrem Ärmel; Melrose ließ den Blick an seinem Billardstock entlangwandern und bemerkte, daß ihr ein Herzkönig in den Schoß gefallen war. Agatha hüstelte erneut, schob das Taschentuch wieder zurück und sagte: «Wir sprachen nur darüber, was sich unser Adel alles einfallen lassen muß, um seinen Besitz zusammenzuhalten.» Sie knallte den

Herzkönig auf die Dame des nicht vorhandenen vierten Spielers. «Natürlich hat man mit einem kleineren Besitz wie Ardry End nicht solche Probleme wie auf einem so riesigen Anwesen wie Meares.»

Melrose hatte sie nie zuvor von Ardry End als einem ‹kleineren Besitz› sprechen hören.

«Also, ich weiß nicht», sagte Melrose, der fasziniert beobachtete, was seine Tante beim Mischen alles mit den Karten anstellte. Mindestens zwei waren schon unauffällig in ihrem Ärmel verschwunden. «Ardry End ist zwar nicht so groß wie Spinney Abbey, aber...»

«Es ist gar kein Vergleich!» Sie fächerte ihre Karten auf, betrachtete sie und spielte einen Karo-Buben aus. Dann schien sie sich wieder daran zu erinnern, daß es sowohl in ihrem eigenen Interesse wie auch in dem ihres Neffen lag, den Stammsitz der Familie ins beste Licht zu rücken. «Von den kleineren ist Ardry End immer noch einer der hübschesten», meinte sie. «Außerdem brauchen wir keine Eintrittskarten an Busladungen von Touristen zu verkaufen, um ihn instand halten zu können, oder uns mit Kindern abzuplagen, die mit ihren schmutzigen Fingern alles anfassen und den Rasen und die Beete zertrampeln.»

Melrose unterdrückte die Bemerkung, daß *sie* gar nichts instand zu halten brauchte, da ihr ja nichts gehörte. Ihn interessierte viel mehr, was mit dem As in ihrem Ärmel geschehen würde.

Elizabeth St. Leger war unbeeindruckt. Sie legte eine Karte auf den Tisch und sagte: «Da haben Sie Glück. Die meisten von uns» – Melrose lächelte; er wußte, daß dieses ‹uns› Agatha auf ewig ausschloß – «müssen sich tatsächlich einiges einfallen lassen, um die Kosten zu decken. Aber mir gefällt das sogar. Es freut mich, wenn die Leute meine Gärten bewundern. Ich habe auch nichts gegen Gartenarbeit... ist das schon *wieder* ein As, Agatha?»

Agatha ignorierte diese Frage geflissentlich. «Oh, wir haben auch sehr hübsche Gärten. Aber wir erfreuen uns selbst daran.

Ein Jammer, daß es mit dem englischen Adel so weit gekommen ist. Denken Sie bloß an Woburn Abbey. Überall Imbißbuden, Antiquitätenstände und was weiß ich nicht alles. Und dann Bath!» Lady St. Leger spielte ihren letzten Trumpf aus – eine Kreuz-Fünf. «Dort sind die Affen», erklärte sie Melrose, «in Longleat. Und Löwen und so weiter. Das Ganze ist ein *Zoo*.» Jäh überkam sie ein weiterer Hustenanfall, und dann stach sie die Fünf mit einem Buben. «Aber ich habe natürlich Verständnis für solche Maßnahmen», fügte sie hinzu.

Das wär das erste Mal, dachte Melrose.

«Es gibt eben Zeiten, in denen man vor nichts zurückschrekken darf, um die Familientradition aufrechtzuerhalten. Melrose wird mir da sicher beipflichten.»

«Gewiß», sagte Melrose und sah sie auch noch den letzten Stich einheimsen, bevor sie sich der Kuchenplatte zuwandte.

Elizabeth St. Leger hatte entweder die Lust am Spiel selbst oder an Agathas speziellen Varianten verloren; sie hatte sich am Kaminfeuer im Salon niedergelassen und widmete sich ihrer Stickerei.

Melrose, der auf Jurys Anruf wartete, war baß erstaunt, als Agatha aus einem Körbchen, das sie wahrscheinlich bei ihrer Gastgeberin abgestaubt hatte, einen Stickrahmen hervorholte.

«Du, Agatha? Ich habe dich noch nie sticken gesehen.»

«Dabei ist das eines meiner liebsten Hobbies. Du hast dich ja auch nie danach erkundigt», sagte sie mit der ihr eigenen Logik und stieß einen tiefen Seufzer aus. «Es ist ein Weihnachtsgeschenk für dich, wenn du's partout wissen willst.»

Das war erst recht erstaunlich. Soweit er sich zurückerinnern konnte, hatte ihm seine Tante noch nie etwas geschenkt. Statt mit Geschenken hatte sie ihn immer nur mit Entschuldigungen überhäuft. Er sah ihr über die Schulter und betrachtete die wenigen Stiche, die man bestenfalls als unbeholfen bezeichnen konnte. «Sieht aus wie eine Maus.»

Sie stieß ihre Nadel energisch durch den cremefarbenen Untergrund. «Unsinn. Es ist ein Einhorn.»

«Ich finde, es sieht aus wie ein Mauseohr.»

«Es ist das Horn eines Einhorns.»

«Aber warum, um Gottes willen, stickst du Einhörner?»

«Wenn du's unbedingt wissen und dir die Überraschung verderben willst…»

Nichts würde sie davon abhalten, ihm diese Überraschung nunmehr ihrerseits zu verderben, denn sie war fest entschlossen – davon war er überzeugt –, Lady St. Leger mit ihrem ehrgeizigen Projekt zu beeindrucken. Sie wollte schon loslegen, doch Melrose kam ihr zuvor.

«Nein, nein, Agatha, mir wäre lieber, es bliebe eine Überraschung», und dann lenkte er das Gespräch auf den nächstbesten Gegenstand, der ihm ins Auge fiel: eine Schale mit Christrosen. «Sehr hübsch, diese Blumen», sagte er und wandte sich an Elisabeth St. Leger, die Gärtnerin unter ihnen. «Es ist schön, zu Weihnachten weiße Blumen zu haben.» Er wußte nicht genau, warum das so sein sollte, aber es lenkte von Agathas Stickerei ab.

«Ja, nicht wahr», sagte Lady St. Leger. Sie betrachtete die Schale mit den Christrosen. «*Helleborus niger*, schwarze Nieswurz. Komischer Name. Wahrscheinlich wird sie wegen ihrer Wurzel so genannt. Die ist schwarz und hochgiftig.» Sie schnitt mit ihrer Schere einen dunkelgrünen Faden ab. «Nett, daß Susan all diese Blumen mitgebracht hat. Wenn ich ganz ehrlich bin, hätte ich ihr das gar nicht zugetraut.»

Nett von Susan, in der Tat. Melrose starrte gedankenverloren die Blumen an, bis Elisabeth St. Leger die Hände vor die Ohren schlug. «Ach, du liebe Güte», stöhnte sie. «Er hat wieder angefangen.» Sie warf Melrose einen hilfesuchenden Blick zu. «Was meinen Sie, Mr. Plant, könnten Sie ihn nicht eine Weile vom Üben abhalten? Alle wären Ihnen unendlich dankbar, glauben Sie mir, mich eingeschlossen.»

Melrose überlegte kurz und sagte dann zuvorkommend: «Jetzt, wo die Straßen wieder frei sind, wäre es mir ein Vergnügen, wenn er mich nach Durham begleiten würde.»

Lady St. Leger fädelte einen neuen Faden ein. «Wohin hat Superintendent Jury ihn denn heute morgen mitgenommen?» fragte sie. «Aus Tom konnte ich nur herauskriegen, daß es eine reine Routineangelegenheit gewesen sei. Dürfen wir denn überhaupt das Haus verlassen? Die Polizei schwirrt doch überall herum...»

Was maßlos übertrieben war. Draußen suchten lediglich zwei Polizeibeamte den Schnee um die Kapelle ab. Er war froh, daß sie ihm gleich noch eine zweite Frage gestellt hatte und er die erste somit nicht zu beantworten brauchte. «Wir stehen nicht unter Hausarrest, Lady St. Leger. Ich bin überzeugt, daß wir uns frei bewegen können.»

«Durham?» warf Agatha ein. «Was willst du denn da?»

Melrose kannte seine Tante zur Genüge und wußte, daß Agatha es vorziehen würde, bei ihrer lieben Freundin am Kamin zu sitzen, statt eine großartige Kathedrale zu besichtigen, und antwortete bereitwillig: «Es ist ein hübsches kleines Städtchen. Ich möchte die Kathedrale besichtigen.»

«Na schön», sagte sie, als erteilte sie ihm gnädig ihre Erlaubnis. «Ich bleibe hier und mache damit weiter. Das ist eine zeitraubende Arbeit.» Sie erwartete zweifellos, daß er sich für dieses Opfer – das ihr größere Ausgaben ersparte – bedankte. Doch er schwieg, und sie fuhr fort: «Wenn du es partout wissen willst: Ich sticke das Wappen der Earls of Caverness.»

Er zwinkerte. «Weihnachten ist bereits morgen, liebste Tante. Meinst du, du schaffst es bis dahin?»

«Bei solch einem komplizierten Unternehmen wirst du wohl etwas Geduld aufbringen können. Zwei Löwen in Hermelin und ein Einhorn in Waffen, das zu der Familie der Ungaluten gehört.»

Elisabeth St. Leger biß sich auf die Lippen.

«Ungulaten, Agatha.»

Er ging ins Musikzimmer, um Tommy zu sagen, er solle aufhören, Chopin zu vergewaltigen, sich etwas überziehen und sich mit den wesentlichen Dingen des Lebens befassen.

Tommy zerquetschte sich beinahe die linke Hand, so schnell ließ er den Klavierdeckel heruntersausen. «‹Jerusalem Inn›? Das ist doch wohl nicht Ihr Ernst? Tante Betsy –»

«Heute nachmittag verlegen wir das ‹Jerusalem Inn› in die Kathedrale von Durham.»

23

EIN CHRIST IM CIRCUS MAXIMUS hätte den ausgehungerten Löwen nicht mutiger ins Gesicht sehen können als Detective Sergeant Wiggins dem Bahnhof von Newcastle. Er war nicht schlimmer und nicht besser als Victoria Station, King's Cross oder St. Pancras, nur kleiner. Architektonisch nicht uninteressant, hatte er doch nicht das Flair von St. Pancras, dem seltsamsten aller Bahnhöfe.

Der Bahnhof von Newcastle bot das übliche Bild von Gleisen, Pennern, Dreck und Würstchenbuden. Wiggins hatte Bahnhöfe schon immer als gigantische Müllcontainer betrachtet, als etwas, das man nach Möglichkeit mied. Das galt ganz besonders für die Londoner U-Bahn, deren Benutzung jedoch leider unumgänglich war, da sie eindeutig die schnellste Verbindung zwischen seiner Wohnung in Lambeth und dem New Scotland Yard darstellte. Jury erinnerte sich, wie erleichtert Wiggins gewesen war, als er etwa ein Jahr zuvor die Entdeckung gemacht hatte, daß ein Spezialwagen die Tunnels regelmäßig reinigte. Wiggins mußte die Bakerloo-Line nehmen und behauptete steif und fest, die Bakerloo und die Northern seien mit Abstand die verdrecktesten. Jurys Schicksal war die Northern, woran ihn sein Sergeant nicht oft genug erinnern konnte.

Da Wiggins ohne seine nachmittägliche Tasse Tee nicht zu gebrauchen war, ließ er sich von Jury dazu überreden, sich an einen der verklebten, papierübersäten Tische des Bahnhofscafés zu stellen. Natürlich nicht ohne ihn vorher mit Papierservietten zu reinigen.

Gewisse Rituale waren einfach unumgänglich, um eine gewisse anfängliche Widerspenstigkeit in ihm zu besänftigen, bevor er dazu aufgefordert werden konnte, sich an die Arbeit zu machen. Und Jury drängte ihn nie, denn das verärgerte seinen Sergeanten nur, der, alles in allem, ein unerschöpflicher Informationsquell war und an Sorgfalt und Gründlichkeit selbst Boswell in den Schatten stellte. Er notierte sich gewissenhaft jedes – auch das nutzloseste – Detail. Doch gewisse Tatsachen waren einfach von unschätzbarem Wert, und Jury hatte gelernt, sie aus dem Schwall von Informationen zu isolieren.

Im Augenblick lag Wiggins' aufgeschlagenes Notizbuch neben einem unappetitlich aussehenden Stück Apfelstrudel mit durchweichtem Boden. «Annie Brown», las er. «Geboren 1925 in Brixton – natürlich lange vor den Unruhen, aber auch damals schon eine ziemlich heruntergekommene Gegend.» Es folgte eine detaillierte Beschreibung Brixtons sowie der Brownschen Wohnung. «Keine nennenswerte Ausbildung – sie hat zwar einen Abschluß, machte aber nicht weiter.» Es schloß sich eine vorbildliche Aufzählung der schulischen Leistungen an, die Annie erbracht hatte. Zum Glück wurde der Rest dann etwas schneller abgehandelt. «Sie bekam eine Assistentenstelle an einer Realschule; danach zog sie nach Dartmouth und unterrichtete die ersten Klassen einer Mädchenschule namens Beedle. Schätze, daß Ellbogeneinsatz einen dort weiterbringt als Geistesblitze. Schließlich landete sie dann an der Laburnum School.» Wiggins wischte sich den Mund mit einer Papierserviette ab. «Die Schulleiterin dort meinte, sie sei in Ordnung gewesen, mehr aber auch nicht. Zumindest hatte ich diesen Eindruck. Eines Tages brach sie dann ihre Zelte ab und kündigte mit der Begründung, sie habe was Besseres gefunden.»

«Wir sollten hier auch unsere Zelte abbrechen und sie den Rest der Geschichte selbst erzählen lassen. Sie haben gute Arbeit geleistet, Wiggins – so viele Informationen auszugraben, während Ihnen der kalte Seewind um die Ohren pfiff.» Jury warf einen bedeutungsschwangeren Blick auf den unappetitlichen Apfelkuchen. «Hoffentlich überleben Sie dieses Zeug hier so lange, daß Sie Maureen noch davon erzählen können.»

In der Bonaventura-Schule wurden sie von dem Jury bereits bekannten schmächtigen Mädchen empfangen. Jury gewann jedoch nicht den Eindruck, daß sie hier besonders willkommen waren.

Schon die Haltung, die Miss Hargreaves-Brown an ihrem Schreibtisch einnahm, signalisierte den Besuchern, daß sie nur ihrer aller Zeit hier vergeudeten. Aber immerhin stand sie auf, als Jury Sergeant Wiggins vorstellte. Die Begrüßung, die Wiggins zuteil wurde, fiel jedoch auch nicht entgegenkommender aus als die Jurys zwei Tage zuvor.

Sie trug dasselbe schwere Wollkleid, aus dessen Ärmel ein Zipfel ihres weißen Taschentuchs hervorragte, dieselben dunklen Strümpfe und altjüngferlichen Schuhe. Ihre Augen waren kalt und ausdruckslos wie zwei auf Hochglanz polierte Pennies. Aber hinter ihrem kühlen, distanzierten Äußeren glaubte Jury die innere Anspannung zu spüren.

Er kam ohne Umschweife zur Sache. «Es geht um Helen Minton, Miss Brown, und Ihr Verhältnis zu ihr. Sie hießen doch einst schlicht und einfach Annie Brown, nicht wahr?»

Sie schien die Hände noch fester ineinander zu verkrampfen, sagte jedoch nichts, sondern starrte nur an ihm vorbei durch das hohe, breite Fenster, das auf den Hof hinausging. Keine Kinderstimmen drangen von draußen herein.

«Die Kinder», sagte Jury, «sind wohl in ihren Klassenzimmern, vermute ich. Was immer Sie hier an Kindern haben.» Langsam wandte sie den Kopf; der ausdruckslose Blick war einem unsteten gewichen. «Ich nehme an, Sie hätten aus dieser Schule am liebsten eine zweite Laburnum School gemacht. Aber hier...» Jury zuckte die Achseln. Sie schwieg noch immer. Jury zog ein Päckchen Zigaretten aus der Tasche, zündete sich eine an und gab Wiggins ein Zeichen.

Mit unbewegter Miene leierte Wiggins aus seinem Notizbuch dieselben Dinge herunter, die er Jury bereits im Bahnhofscafé vorgelesen hatte. «...und Sie verließen Laburnum zur selben Zeit wie Miss Helen Minton. Auf den Tag genau. Parmengers Anwälte haben uns nach sanfter Überredung» – Wiggins lächelte auf seine typische schmallippige Art – «erzählt, daß der Bonaventura-Schule ein paar tausend Pfund überwiesen wurden. Nicht gerade viel für einen Kasten von dieser Größe. Hat wohl kaum die Heizkosten gedeckt.» Wiggins entnahm seiner Taschenapotheke eine Tüte Hustenpastillen und riß den winzigen Plastikstreifen ab, als hätte ihn diese Bemerkung an die Heerscharen von Viren gemahnt, denen er sich in diesem schlecht beheizten Raum aussetzte.

Nun begann Jury wieder zu reden: «Edward Parmenger hat Ihnen den Posten verschafft. Oder vielmehr gekauft. Ich habe den Eindruck, daß ein hübsches Sümmchen in diese Schule gepumpt worden ist. Den Löwenanteil aber bekamen Sie. Damit Sie schwiegen.»

«Ich habe nichts Ungesetzliches getan», sagte sie.

«Das kommt darauf an.»

«Ich weiß nicht, was Sie meinen.»

«Ich dachte an Robin Lyte.»

«Robin? Was ist mit ihm?» Ihr Gesicht erstarrte zu einer ausdruckslosen Maske.

«Er ist doch Helen Mintons Sohn, oder? Sie waren die Lehrerin, der Helen ihr Herz ausgeschüttet hat. Das war Helens Pech. Denn Sie liefen schnurstracks mit der Nachricht zu Edward Parmenger. Parmenger war ein hartgesottener alter Puritaner und hütete seinen Sohn wie seinen Augapfel. Schlimm genug, daß sein Mündel schwanger war. Aber schwanger vom eigenen Cousin...»

Konvulsivisches Gelächter unterbrach ihn. «Cousin!» keuchte Annie Brown, als sie sich von ihrem Lachanfall erholt hatte. «Die Blutsbande waren sehr viel enger, Superintendent. Sie waren Halbgeschwister.» Daß sie ihrerseits mit einer Enthüllung aufwarten konnte, schien ihr enormes Vergnügen zu bereiten. «Anscheinend wissen Sie doch nicht alles.»

«Dann wären wir Ihnen sehr dankbar, wenn Sie uns aufklären könnten.»

Mit gespielter Ruhe studierte sie ihre Fingernägel. «Sie haben recht, was das Geld, die Schule und das Vertrauen betrifft, das beide, sowohl Helen als auch ihr Vater, in mich setzten.»

Wie jemand dieser Frau vertrauen konnte, war Jury ein Rätsel. «Mit ‹ihrem Vater› meinen Sie wohl Edward Parmenger?» fragte er.

«Natürlich. Weder Helen noch der Junge – hieß er nicht Frederick? – wußten etwas von dem Verhältnis, das Edward Parmenger mit seiner Schwägerin gehabt hatte. Sie können sich jetzt vielleicht vorstellen, warum er so außer sich geriet.»

«Hat Parmenger Ihnen das erzählt? Aber warum bloß?»

«Mr. Jury, ich bin auch nicht auf den Kopf gefallen...»

«Daran habe ich keinen Augenblick gezweifelt», sagte Jury eisig.

«Als ich ihm mitteilte, was mit Helen los war...»

«*Sie* teilten es ihm mit?»

«Ja, natürlich. Warum? Das Mädchen konnte ja wohl kaum auf der Schule bleiben, wo denken Sie hin. Die Familie mußte benachrichtigt werden.»

«Aber das wäre doch wohl Aufgabe der Schuldirektorin gewesen, oder?»

Sie schien über seinen Einwand ernsthaft nachzudenken. «Daran hab ich natürlich auch gedacht. Aber schließlich – man möchte einem jungen Mädchen in dieser Situation soviel wie möglich ersparen...»

«Man möchte», sagte Jury, «es auch zu was bringen.» Er kam ihrem Protest mit einer weiteren Frage zuvor: «Und Edward Parmenger hat Ihnen dann erzählt, welche Familienbande zwischen Helen und Frederick bestanden? Das überrascht mich.»

Annie Brown zuckte die Achseln. «Die Sache hat ihn wohl etwas aus dem Gleichgewicht gebracht. Und ich bin eben ein Mensch, dem sich die Leute gern anvertrauen. Helen hat das ja auch getan.»

Das schien die Wahrheit zu sein. Jury hatte auch den Eindruck, daß es sich bei dieser Dame um ein vielseitiges Chamäleon handelte, das es offensichtlich verstand, sich bei allen möglichen Leuten einzuschmeicheln.»

«Mein Eindruck von Mr. Parmenger war, daß er sich die Sache einfach vom Hals schaffen wollte. Gar kein Mann von großer Charakterfestigkeit. Er tobte wie ein Berserker. Ich hatte das Gefühl, daß sein Sohn sehr viel mehr Charakter besaß. Auf seine Art. Zumindest war er fest entschlossen zu kriegen, was er wollte.» Sie lehnte sich auf ihrem alten knarrenden Stuhl zurück. «Sie sehen ja, wie weit er es gebracht hat.»

«Ja, in der Tat, Miss Hargreaves-Brown», sagte Jury diplomatisch. «Es wäre allerdings zwecklos, ihn unter Druck zu setzen. Kein Pfennig würde dabei herausspringen. Er ist der Typ, der sich der Meute stellt.»

Ihre Augen wurden hart. «Was wollen Sie damit sagen?»

«Erzählen Sie lieber weiter von Helen.»

«Nun... ich wollte eben gern Schulleiterin werden. Und ich brauchte Helen nur so lange zu behalten, bis das Kind geboren war, dann sollte ich mich um die Adoption kümmern und Helen wieder nach Hause schicken.»

Wie ein Paket mit dem Stempel ‹Annahme verweigert›, dachte Jury. «Kein Wunder, daß sie hier aufgetaucht ist.»

«Eine unangenehme Situation, das können Sie mir glauben. Wir hatten ausgemacht, daß sie nie wieder hierher zurückkom-

men sollte. Mr. Parmenger hat sie gleich danach auf eine Welt-
reise geschickt.»

«Wenn man unglücklich ist, fühlt man sich überall elend.»

Miss Hargreaves-Brown zuckte die Achseln. «Ein dummes,
unerfahrenes Ding. Sie hätte heiraten, sich irgendwo niederlas-
sen und Kinder kriegen sollen.»

«Sie hatte bereits eins. Sie haben ihr kein Wort gesagt,
stimmt's?»

«Ja. Sie halten mich wohl für ein Ungeheuer, weil ich mich auf
diese Sache eingelassen habe. Mal abgesehen von dem mora-
lischen Aspekt – glauben Sie, sie hätte sich besser gefühlt, wenn
ich ihr erzählt hätte, daß das Kind, na ja, zurückgeblieben ist?
Ein erblich bedingter Defekt. Sie waren zu nahe verwandt.»

«Ammenmärchen.»

«Ammenmärchen enthalten oft sehr viel Wahres», fuhr sie ihn
an.

«Und was war mit Danielle Lyte?»

Sie zuckte zusammen. Jury gewann wieder die Oberhand.
«Eine junge Frau und ihr Mann – ein Alkoholiker, was ich leider
zu spät herausfand – erklärten sich bereit, Robin zu nehmen.
Natürlich nur gegen eine stattliche Summe.»

«Das ist also das Geld, mit dem der Mann abgehauen ist? Und
Sie haben Robin dann wieder zu sich genommen, als Danielle
starb. Die Kinder scheinen hier ja von Hand zu Hand zu gehen!»

Sie hatte das Kinn auf die gefalteten Hände gestützt und lächelte
dünn. «Wie gesagt, ich bin nicht herzlos. Natürlich hat ihn die
Schule wieder aufgenommen. Wer hätte es sonst tun sollen? Aber
als er alt genug war, um selbst für sich zu sorgen, konnten wir ihn
nicht länger behalten. Sechzehn ist unsere Altersgrenze, es sei
denn, es bestehen außergewöhnliche Umstände.»

«Komisch, ich hätte in seinem Fall eigentlich genau das angenommen.»

Sie erhob sich. «Ich habe wirklich sehr viel zu tun. Gibt es
sonst noch etwas zu klären?»

«Im Augenblick nicht», sagte Jury.

«Trinken wir was im ‹Cross Keys›», schlug Jury vor, als sie auf das eiserne Tor zugingen. «Ich brauche was, um die Kälte in den Knochen zu verjagen.»

Es summte, und das Tor öffnete sich; hinter ihnen raschelte es in den Zweigen.

«Leb wohl», sagte der Baum. «Gott segne dich.»

«Was war das?» fragte Wiggins und sah sich nach allen Seiten um.

«Die Bäume hier sind anders als die in London. Sie reden.» Jury zog einen kleinen Beutel aus der Tasche, verschnürte ihn fest und rief dem Baum zu: «Fang!»

Wiggins zog sich fröstelnd seinen Schal um den Hals und betrachtete seinen verrückt gewordenen Vorgesetzten, der zusah, wie der weiße Beutel zwischen den Zweigen verschwand.

«Leb wohl und Gott segne dich.»

Wiggins, der mit sanfter Gewalt zwei junge Frauen von dem gemütlichsten Tisch am Kamin verdrängt hatte, saß nun einigermaßen zufrieden vor einem dicken Sandwich und einem mit Zimt und Butter gebrauten Bier. «Nach allem, was Sie mir erzählt haben», sagte er, «gibt's eigentlich kaum jemanden mit einem besseren Motiv.»

«Um Helen Minton am Reden zu hindern? Ich traue Miss Brown zwar durchaus einen Mord zu, wenn für sie etwas dabei herausspringt. Aber in diesem Fall hätte sie einfach ihre Sieschulden-mir-Methode ausprobieren und Helen unter Druck setzen können. Erpressung vielleicht. Aber wer hätte denn nichts erfahren dürfen?»

«Ausgezeichnet, dieses Sandwich», sagte Wiggins. «Chips auf Brötchen, wer hätte das gedacht. Glauben Sie, es war Frederick Parmenger?»

«Vielleicht hat sie versucht, ihn zu erpressen. Er ist aber bestimmt nicht darauf eingegangen. Ich weiß, daß nicht alles stimmt, was sie uns erzählt hat; Danny Lyte ist nicht einfach zufällig aufgekreuzt. Ich werde noch mal zu Helen Mintons

266

Cottage gehen, und Sie sollten sich auf dem Northumbria-Revier die Unterlagen über diese Frau ansehen. Sie arbeitete für eine Isobel Dunsany. Miss Dunsany meinte, sie wäre sehr tüchtig gewesen und hätte beste Referenzen gehabt. Ich frage mich, ob sie die vielleicht von Edward Parmenger bekommen hat.»

Wiggins notierte sich das und widmete sich dann wieder seinem Sandwich. «Wollen Sie nichts essen, Sir? Würde Ihnen guttun.»

«Ich esse nur Erbsenpüree», sagte Jury und leerte sein Glas.

24

Es wurde langsam dunkel. Durch ein Fenster von Helen Mintons Cottage fiel schwaches Licht, und die Haustür stand offen.

Mit einem Drink in der Hand stand Frederick Parmenger vor dem Bild von Washington Old Hall und betrachtete es. Als Jury eintrat, wandte er sich zu ihm um, als hätte er ihn erwartet oder als wäre es ihm, da Jury nun einmal da war, egal, daß man ihn hier antraf. Er deutete auf die Wand über dem Kaminsims. «Sie hat mein Bild abgenommen.»

«Vielleicht wollte sie nicht ständig mit sich selbst konfrontiert werden.»

Parmenger schwieg einen Augenblick. «Was», fragte er dann dumpf und machte eine weit ausholende Armbewegung, «soll ich nun mit all dem anfangen?»

Jury holte sich ein Glas aus dem Schrank und setzte sich ihm gegenüber in einen Sessel. «Sie könnten noch einen trinken.» Er füllte ihre Gläser. Aber Parmenger war nicht der Typ, den man mit Alkohol zum Sprechen brachte. Die Stille senkte sich über sie wie die Abenddämmerung über den winterlichen Garten, in dem die kahlen Stengel der Dahlien in die Luft ragten und der Frost die Pflanzen mit einer dünnen Eisschicht überzogen hatte. Nur das Ticken der alten Uhr war zu hören. Parmengers Schweigen zehrte stärker an den Nerven, als ein Schwall von Klagen es getan hätte. Eine abrupte Handbewegung ließ erahnen, wie gern er sein Glas gegen das Bild geschleudert hätte, das den Platz des von ihm gemalten eingenommen hatte. Jury hörte förmlich schon das Glas klirrend an der Wand zerschellen, als er das Schweigen mit einer bewußt vorsichtigen Frage brach: «Sie haben sie wohl sehr gemocht?»

«Gemocht? Ja.» Parmengers Stimme klang hölzern. Er leerte sein Glas zur Hälfte und verfiel wieder ins Brüten.

«Sie haben sie aber nicht sehr häufig besucht?»

«Helen lag nicht so viel an meinen Besuchen.» Er griff nach der Flasche und goß sich etwas nach. «Sie hat mich nicht wirklich gemocht.» Um seine Lippen spielte die Andeutung eines Lächelns. «Sie denken wohl, ich bin betrunken – zu Recht, ich bin's oft genug – und werde in diesem berauschten Zustand lauter Katzen aus dem Sack lassen, all die Geheimnisse, die ich so lange gehütet habe?» Er rutschte etwas tiefer in seinen Sessel. «Eines muß ich Ihnen lassen: Ihre Methode ist wesentlich angenehmer als die von Sergeant Cullen.»

Jury schwieg.

Parmenger fixierte ihn. «Die Geduld in Person, stimmt's? Sie warten einfach nur ab.» Er trank einen Schluck.

«Würde ich vielleicht. Wenn ich nur wüßte worauf.»

«Das weiß anscheinend keiner von uns beiden, nicht wahr?» Es war eine einfache Feststellung ohne Groll und ohne seine sonstige Ironie. «Stümperhafte Arbeit.» Er wies mit dem Kopf auf das Gemälde von Old Hall. «Ich habe Helen nie ganz verstanden. Obwohl ich doch derjenige war, der immer alles wußte. Das Genie.» Er hob das Glas, schien aber nicht betrunkener, sondern immer nüchterner zu werden.

«Sie sagen das, als wäre Ihnen das völlig gleichgültig.»

«Ich wiederhole nur, was die Kritiker sagen. Und wenn schon Seaingham nicht weiß, wer eines ist und wer nicht, wie zum Teufel soll dann ich es wissen?»

«Helen Minton schien viel von Ihrer Malerei zu halten.» Jury betrachtete das abstrakte Bild an der gegenüberliegenden Wand. «Komisch, daß jemand, der so gute Porträts malt, vor allem wegen seiner abstrakten Bilder bekannt geworden ist...»

«Sie haben keine Ahnung von der Malerei, Superintendent», sagte Parmenger nüchtern. «Wie übrigens die meisten Leute, die ich kenne, selbst Kollegen...»

«Ihr Vater war mit Rudolph St. Leger befreundet, sagt seine Frau. Haben Sie ihn auch gekannt?»

«Ich erinnere mich an ihn. Er war ein Narr. Hielt sich für den Whistler des 20. Jahrhunderts – düstere Szenen mit Bäumen, Wiesen und Kühen. Sentimentaler Quatsch, Imitationen von irgendwelchen Spätromantikern aus dem 19. Jahrhundert. Er haßte meine Sachen und wollte verhindern, daß ich in die Akademie aufgenommen wurde. Hielt mich wohl für eine Krähe, die zu hoch hinauswollte. Oder für einen Hornochsen. Dabei kriegte er nicht einmal eine richtige Kuh hin. Und er hätte überhaupt nichts hingekriegt, wenn *sie* nicht gewesen wäre. Sie war diejenige, die Kohle und Beziehungen hatte. Sie hat seine Ausstellungen finanziert und die Kritiker so weit gebracht, daß sie kamen und einigermaßen passable Rezensionen schrieben. Nur Charlie hat sich geweigert. Er hüllte sich in Stillschweigen. Ich hielt das damals für sehr taktvoll. Zugegeben, der gute alte Rudy verfügte über eine gewisse Technik, der es zu verdanken war, daß seine Malerei nicht ganz und gar als peinlich empfunden wurde. Ich meine, setzte man ihm eine Pistole auf die Brust, hätte er auch eine Kuh zustande gebracht. Leute wie Sie – nehmen Sie's mir nicht übel – würden sich seine Kühe und Pferde bestimmt ansehen und sie ganz nett finden. Aber Elisabeth St. Leger war überzeugt davon, daß er wirkliches Talent besaß. Ich weiß nicht, ob einem so was guttut. Viele Leute lügen aus Liebe. Vielleicht nicht absichtlich. Sie wissen es einfach nicht besser. Aber warum erzähle ich Ihnen das bloß alles? Ich habe in den vergangenen Jahren nie an den alten Rudy gedacht.»

«Es interessiert mich durchaus.»

Parmenger bedachte Jury mit einem forschenden Blick. «Kann ich mir vorstellen», sagte er. «Der Junge tut mir ja ein bißchen leid. Ich weiß, wie es ist, wenn man ständig unter Aufsicht steht – wollen Sie noch was?» Er hielt die Whiskyflasche hoch und schien überhaupt nicht zu bemerken, daß Jury nur an seinem Glas genippt hatte. Jury hielt es ihm dennoch entgegen. Parmenger fuhr fort: «Mein eigener Vater hat versucht, mich mit allen Mitteln vom Malen abzuhalten. Einmal hat er sogar in blinder Wut meine Farben aus dem Fenster geworfen. Er gab mir auch kein Geld für die Kunsthochschule, aber das hat auch nicht weiter geschadet. Ich sollte in seine Fußstapfen treten und nicht nur – wie er sich ausdrückte – auf der Leinwand herumklecksen.» Parmenger lächelte traurig. «Als er diesen Wutanfall bekam, flog alles zum Fenster raus, sämtliche Farben und Pinsel.»

Jury schmunzelte. «Ich glaube, Tommy Whittaker weiß sich schon zu helfen. Sie haben es ja auch geschafft.»

«Ich mußte. Mein Vater kriegte zwar nicht *mich* unter seine Fuchtel, aber dafür Helen. Womit hätte sie sich denn schon gegen ihn zur Wehr setzen können?»

«Er hat ihr aber ziemlich viel Geld und auch das Haus hinterlassen. Hat ihn vielleicht doch das Gewissen geplagt?»

Parmenger ging nicht darauf ein. «Wer spricht denn von Geld? Helen hatte sehr viel kreative Energie, fand aber keine Ausdrucksform. Ich brachte ihr sämtliche Fertigkeiten bei, die ich selbst beherrschte. Wir versteckten uns auf dem Dachboden, um dort zu malen. Ich war schon immer Maler – schon seit ich überhaupt in der Lage war, einen Stift zu halten.» Er sagte das mehr zu sich selbst als zu Jury. «Selbst wenn ich mich auf etwas anderes verlegt hätte, wäre ich... aber das ist idiotisch. Wunsch und Begabung müssen Hand in Hand gehen. Dieser Dachboden...» Er sah zur Decke hoch, als gäbe es ihn immer noch, ein paar

Stockwerke über ihnen, von der Zeit verschont – hier in Helens kleinem Cottage. «...diesen Dachboden durchflutete an schönen Tagen das Sonnenlicht. Wir saßen direkt am Fenster. Es hatte die Form eines gotischen Kirchenfensters, und ganz oben waren kleine rote Scheiben eingesetzt. Wenn die Sonne da durchfiel, waren unsere Gesichter und Arme rot gesprenkelt. Ich habe Helen oft beobachtet, wie sie sehr konzentriert vor einem Bild saß, das blasse Gesicht voll blutroter Flecken. Wir malten, was wir vom Fenster aus sahen: die Baumwipfel auf dem Eaton Square; die Gärten; die Leute, die unten auf den Parkbänken saßen.» Er hielt inne. «Ist alles schon sehr lange her.»

Jury ließ ihn noch ein Weilchen in der Vergangenheit verweilen, bevor er erwiderte: «Sie sagten doch, Helen hätte Sie nicht besonders gemocht. Den Eindruck habe ich aber nicht.»

Parmenger leerte sein Glas und stellte es neben sich auf den Boden. «Das war später. Wir haben uns zerstritten.»

«Worum ging es?»

«Geht Sie das was an?» Parmenger erhob sich aus seinem Sessel, trat an die Verandatür und starrte in den verschneiten Garten hinaus.

«Allerdings. Ich will Ihnen sagen, worum es ging: Sie hatte etwas herausgefunden. Kennen Sie zufällig Miss Hargreaves-Brown, die Leiterin der Bonaventura-Schule?»

Frederick Parmengers Antwort kam zögernd. «Nein, noch nie von ihr gehört. Worauf wollen Sie hinaus?»

«Helen wollte damals wohl keine direkten Fragen stellen, um niemanden in Verlegenheit zu bringen. Aber ich glaube, sie hat gefunden, wen sie suchte.»

«Wen?»

«Ihren Sohn.»

Parmenger drehte sich langsam um. Er schwankte.

«Es ist Ihr Sohn, Mr. Parmenger. Ich weiß Bescheid. Kommen Sie, setzen Sie sich, bevor Sie mir hier noch umkippen.»

Parmenger ließ sich wieder in den Sessel fallen und verbarg das Gesicht hinter seinen verschränkten Händen. «Ich wußte nichts davon, zumindest damals nicht. Helen war...» Er verstummte, unfähig, es auszusprechen.

«Ihre Halbschwester. Ist mir bekannt.»

Parmenger stand wieder auf und ging zu der Vitrine mit den Getränken. «Sie sind verdammt gut informiert, Superintendent.»

«Miss Hargreaves-Brown – oder schlicht Annie Brown – hat mir das alles erzählt.»

Parmenger erbleichte. «Dieses Miststück. Mein bigotter Vater hat ihr genügend Geld gegeben, damit sie den Mund hält.»

«Sie ist auch nicht gerade mein Fall. Wie haben Sie denn herausgefunden, was zwischen Ihrem Vater und seiner Schwägerin vorgefallen ist?»

«Einer seiner überaus liebenswürdigen Kollegen war damit beauftragt worden, mir nach dem Tod meines Vaters diese freudige Nachricht zu überbringen. Wahrscheinlich damit ich in Zukunft die Finger von Helen lasse –» Er schien mit seinen Blicken den Raum abzusuchen, die immer dunkler werdenden Schatten durchdringen zu wollen, und meinte schließlich fassungslos: «Von meiner Schwester...» Jury meinte, in diesen Worten einen schrillen, hysterischen Ton mitklingen zu hören. Doch Parmenger hatte sich sofort wieder in der Gewalt, wie das wahrscheinlich bei jeder Gefühlsaufwallung der Fall war, die er sich nicht leisten konnte.

«Wie können Sie nur sich die Schuld geben? Sie wußten doch gar nicht –»

«Hören Sie auf, Mann! Ich brauche das Beileid der Polizei nicht. Ich hab ihr Leben ruiniert.»

«Helens Leben ruiniert? Vielleicht hat sie ja Ihres ruiniert?»

Diese Frage und ihre Implikationen schienen ihn zu ernüchtern. «Was soll das heißen?» fragte er herausfordernd.

«Hätten Sie gewollt, daß das an die Öffentlichkeit kommt?»

Er warf Jury einen verächtlichen Blick zu. «Das ist doch absurd. Helen hätte nie etwas gesagt. Außerdem liegt mir nichts an meinem ‹guten Ruf›. Darum sollen sich ruhig die Kritiker kümmern, dann haben sie wenigstens was zu tun.» Mit dem Glas in der Hand wanderte er durch das Zimmer. Ab und zu nahm er von den Dingen, die Helen einmal gehört hatten, etwas in die Hand und stellte es nur widerstrebend auf seinen Platz zurück, als wäre es ein Stück von ihr, von dem er nicht lassen wollte.

«Jemand versucht, Grace Seaingham umzubringen», sagte Jury.

«Stellt sich aber nicht sehr geschickt dabei an.» Parmenger leerte sein Glas.

«Ich spreche nicht von dieser angeblichen Verwechslung, dem Mord an Beatrice Sleight. Was übrigens gar keine Verwechslung war. Nennen Sie es ein Ablenkungsmanöver, wenn Sie wollen. Der Mörder hatte es wirklich auf Beatrice Sleight abgesehen. Und er versucht immer noch, Grace Seaingham aus dem Weg zu räumen.»

Parmenger lachte. «Einfach lächerlich.» Aber dann begriff er, daß es Jury ernst war. «Warum? Sie denken doch nicht etwa an Charles?»

«Und Sie?»

«Nein. Ich weiß nur, daß Grace sich nie von ihm scheiden lassen würde.»

«Es ist also allgemein bekannt, daß Seaingham und Beatrice Sleight ein Verhältnis hatten?»

Parmenger blieb stehen. «Nein. *Ich* weiß es, aber ich bin auch ein guter Beobachter. Wie zum Teufel kommen Sie überhaupt darauf? Bis jetzt ist Grace doch nichts passiert.»

Jury überging die Frage. «Helen Minton, Beatrice Sleight, Grace Seaingham... Helen hat, soviel ich weiß, die anderen beiden Frauen nicht gekannt.»

«‹Helen›? Sie reden sie mit dem Vornamen an?» Seine Miene verfinsterte sich.

Jury dachte an die Bemerkung, die in einem anderen Gespräch gefallen war und sich auf Ferdinand, den bis zum Wahnsinn eifersüchtigen Bruder der Herzogin von Malfi bezogen hatte, der seine Schwester lieber tot als in den Armen eines anderen Mannes gesehen hätte. «Ich kannte sie flüchtig, aber ich stand ihr nahe. Ist das jetzt noch wichtig?»

Parmenger schwieg. Er starrte auf das Bild von Old Hall, als wäre die stümperhafte Ausführung ein unerschöpflicher Quell seelischer Pein für ihn.

«Helen hatte eine Woche bevor sie starb Besuch.» Jury zog sein Notizbuch heraus und blätterte darin. «...‹eine heftige Auseinandersetzung›. So hat es Nellie Pond beschrieben, ihre Nachbarin. Mal hörte sie gar nichts und dann wieder laut erhobene Stimmen... Das waren Sie, nicht wahr? Sie haben sie besucht?»

«Eine sehr scharfsinnige Folgerung. Nein.»

«So scharfsinnig nun auch wieder nicht. Sie haben gefragt, warum sie das Bild abgenommen hat. Woher wußten Sie überhaupt, daß ihr Porträt hier hing? Wo Sie sie doch monatelang nicht gesehen haben?»

Sein Blick blieb an dem Bild hängen. Er seufzte. «Okay, ja, *ich* hab Helen besucht. Und es hat auch eine Auseinandersetzung gegeben. Ich wollte, daß sie damit aufhörte.»

«Womit aufhörte?»

«Mit ihrer Suche. Ich hab gewußt, daß sie hierherkommen würde. Maureen, Helens Haushälterin –»

«Ist mir bekannt.»

Parmenger drehte sich wieder zu ihm um, aber in seinem Gesicht und seiner Stimme lag kein Groll mehr. «Gibt es denn irgend etwas, das Ihnen nicht bekannt ist, Superintendent?»

«Vieles», sagte Jury und zündete sich eine Zigarette an. Parmenger schüttelte den Kopf, als Jury ihm auch eine anbot.

«Erwarten Sie nicht von mir, daß ich Sie aufkläre. Maureen hatte nur gesagt, daß Helen hierherkommen wollte. Das ist Wochen her. Dachten Sie etwa, daß ich die ganze Zeit bei den Seainghams herumhänge, nur um ein Porträt zu malen?»

«Fahren Sie fort.»

«Das ist alles. Helen hatte sich diese Suche in den Kopf gesetzt, und ich wollte sie davon abbringen.»

«Warum?»

Parmenger zögerte. «Ich hatte Angst», sagte er einfach.

«Daß Sie Ihren Teil der Verantwortung übernehmen müßten?»

«Seien Sie doch nicht so verdammt moralisch. Vielleicht hatte ich einfach nur Angst vor dem, was sie vorfinden würde. Ich meine, wie das Kind sein würde.»

Falls Parmenger von Robin Lyte wußte, so würde er bestimmt nicht mit Jury darüber reden wollen. «Sind das nicht Ammenmärchen, Mr. Parmenger? Die engen Blutsbande, das geistig behinderte Kind – Antigone konnte man kaum als geistig behindert bezeichnen.»

Parmenger war überrascht. «Oho, auch noch in der griechischen Mythologie bewandert, was? Superintendent, Sie sind ja ein richtiges Universalgenie.» Aber dann wurde er wieder ernst: «Helen fühlte sich sowieso schon schuldig genug.» Er schüttelte langsam den Kopf und nahm seinen Spaziergang durch das Zimmer wieder auf. Jury sah ihm dabei zu und hing seinen eigenen Gedanken nach. Er dachte an Pater Rourkes theologische Betrachtungen; er dachte an Isobel Dunsany, an Annie Brown und an die Farben, die Edward Parmenger aus dem Fenster geworfen hatte; aber vor allem dachte er an das ‹Jerusalem Inn›.

25

NELL HORNSBY wischte gerade die Flaschenregale ab, als Jury hereinkam. Sie begrüßte ihn freudig, zapfte ihm ein Newcastle und wünschte ihm ein frohes Fest.

«Vielen Dank, Nell. Nicht viel los heute abend. Ich bin überrascht.»

«Wir haben doch eben erst aufgemacht. Die kommen später, keine Sorge. Am Heiligabend geht's hier immer rund.»

Auf den Bänken saßen nur ein paar ältere Dorfbewohner.

«Wo ist Robin?» fragte Jury.

«Robbie? Ich hab ihn eben noch im Hinterzimmer gesehen.» Während sie mit der Hand, in der sie das Wischtuch hielt, nach hinten deutete, sah Jury gerade noch einen Rockzipfel durch die Tür nach oben verschwinden.

«Chrissie!» rief Nell. Keine Antwort. Sie seufzte. «Das verdammte Gör kann die Puppe einfach nicht in Ruhe lassen.»

Jury lächelte. «Sie wird sie schon wieder zurückbringen.»

Nell schüttelte den Kopf und begann die Zapfhähne zu polieren; Jury nahm sein Glas und ging zu dem Tisch am Kamin. Im Augenblick wollte er nichts weiter tun als nachdenken.

Er hatte keine Ahnung, wie lange sie schon dagestanden hatte, mit Alice im Arm, die in eine Decke gewickelt war, an der hier und da noch Strohhalme hingen. «Übermorgen krieg ich sie wieder zurück, sagt Mam.»

«Na wunderbar. Freust du dich denn auf Weihnachten?»

«Ach ja. Ich krieg Smurfs, 'ne Barbie-Puppe, 'n paar Malbücher und 'n neues Kleid.» Sie setzte sich und hüllte Alice noch fester in ihre Decke.

«Du weißt also schon, was du kriegst?»

Sie nickte. «Ich hab geguckt. Es ist alles oben im Schrank. Aber ich hab alles wieder eingepackt. Werden Sie's petzen?»

«Seh ich aus wie jemand, der petzt?»

Sie zuckte die Achseln. «Weiß nicht.» Sie musterte ihn kritisch. «Mam sagt, Sie sind von der Polizei.»

«Stimmt. Wir Polizisten sind verschwiegen wie ein Grab. Aus uns kriegt man nicht so schnell was raus.»

Ihr frisch gewaschenes, noch feuchtes Haar umrahmte ihr Gesicht wie dunkles Laub. Sie starrte ihn aus ihren braunen Augen an. «Ich hab ihn wieder ausgewickelt. Die Windeln waren dreckig. Und hab dafür diese Decke genommen. Denken Sie, das ist okay?»

Chrissie wurde mit all diesen Geschlechtsumwandlungen

spielend fertig. «Ganz sicher», sagte Jury. «Maria und Joseph macht es bestimmt nichts aus, solange du das Baby wieder zurücklegst.»

Sie legte den Kopf schief. «Sind die denn so dumm, daß sie nicht merken, daß es Alice ist?»

Mit dieser gotteslästerlichen Bemerkung rutschte sie von ihrem Stuhl und kroch unter dem Seil durch, um die Puppe in die Krippe zu legen.

Jury blieb einen Augenblick lang sitzen und starrte auf die Krippenszene. Er fragte sich, wie er ein und dieselbe Sache immer wieder hatte hören können, ohne daß ihm etwas aufgefallen war...

Da legte Melrose Plant ihm die Hand auf die Schulter und schüttelte ihn. «Wo haben Sie denn gesteckt? Tommy ist längst dahinten» – Melrose deutete in Richtung Hinterzimmer – «und schlägt sie alle vernichtend. Ich brauche länger für ein Kreuzworträtsel als der Bursche für eine Partie Snooker. Er hat Tattoo ein paarmal schwer in die Klemme gebracht, das hätten Sie sehen sollen. Ich trage mich mit dem Gedanken, sein Manager zu werden. Aber Sie hören ja gar nicht zu... Warum starren Sie denn dauernd auf die Krippenfiguren?»

«Wie konnte ich nur so blöd sein und nicht merken, daß es Alice war?» Er stand auf und ging auf das Telefon neben der Bar zu.

«Ich verstehe kein Wort.»

Jury drehte sich um. «Ich rufe jetzt Grace Seaingham an und bitte sie, mich zum Abendessen einzuladen. Natürlich werde ich vorsichtig sein und mir das Essen vorher genau ansehen.»

Nach dem Telefonat kam Jury mit dem Rest seines Biers und einem frischen Krug Old Peculier für Melrose an den Tisch zurück. Dafür, daß er sich nur zum Abendessen hatte einladen wollen, war er erstaunlich lange weggeblieben.

«Zum Glück gibt's das Old Peculier hier vom Faß», sagte Melrose. «Ist sehr viel stärker. Was trinken Sie da? Lager?»

Jury lächelte. «Newcastle Brown Ale. Ist genauso stark.»

«Ich bin Ihrer Bitte gefolgt und habe ein wenig mit Susan Assington geplaudert. Und ich habe mich über Gifte informiert.»

Jury starrte immer noch auf die ramponierten Krippenfiguren, dachte an Skier, Priester und Malerpinsel. «Und was haben Sie herausgefunden?»

«Ich habe mir Gedanken über das Eingeschneitsein gemacht, wissen Sie, über die These, derzufolge keiner von uns diese Minton getötet haben kann. Und dann dachte ich an Skilanglauf. MacQuade. Wer sonst könnte wochenlang mit einem Gewehr in der Wildnis leben?»

«Sie wollen sagen, sein Held könnte es?»

Melrose zuckte die Achseln und hob sein Glas. «Auf das Leben: Es ist doch nur eine Geschichte.» Er fuhr fort: «Nachdem ich mich mit den Eigenschaften des Akonits vertraut gemacht hatte, war mir eigentlich klar, daß derjenige, der sie vergiften wollte, sich erstens viel Zeit damit ließ und zweitens nicht unbedingt dabeigewesen sein muß, als sie die tödliche Dosis nahm.»

«Ich weiß. Darauf bin ich auch schon gekommen.»

«Eine nicht tödliche Dosis scheidet der Körper schnell wieder aus. Vielleicht kamen davon diese anderen Beschwerden. Es könnte zum Beispiel in ihrer Arznei gewesen sein, oder?»

«Auf diese Weise hat einmal vor langer Zeit ein Kerl namens Lamson sein Opfer getötet. Das fiel mir auch gleich ein. Und weiter?»

Melrose malte mit seinem Bierkrug feuchte Ringe auf den Tisch. «Also gut, streichen wir MacQuade wieder. Die Gelegenheit war für ihn auch nicht günstiger als für die anderen. Und kein Motiv weit und breit.» Er strich die Asche von seiner Zigarre. «Und nun zu Grace Seaingham. Sie meint also, wie Sie sagten, auch sie wolle jemand vergiften?»

«Glauben Sie, sie lügt?»

«Sie will sich partout nicht von Assington untersuchen lassen, was?»

«Richtig. Aber sie ist tatsächlich krank.»

«Es ist ja schon vorgekommen, daß Leute sich selbst kleine Dosen verabreicht haben – auf jeden Fall würde so was den Verdacht ablenken. Aber lassen Sie mich meinen Gedanken weiterspinnen...» Melrose schob sich die Zigarre in den Mund, legte ein Buch auf den Tisch und schlug es auf einer mit einer kleinen weißen Blüte gekennzeichneten Seite auf. «Wie der amerikanische Dichter Robert Frost sagen würde: ‹Was kümmert's diese Blume, daß sie weiß ist?› *Helleborus niger*, die schwarze Nieswurz. Die Christrose mit der tödlichen Wurzel. Äußerst giftig. Von Susan Assington frei Haus geliefert, wie finden Sie das? Etwa nach dem Motto: Gärtnern einmal anders.»

«Meinen Sie damit, daß Akonit auch in Blumengärten zu finden ist?»

«Ich meine nur, was ich *sage*. Vielleicht hatte Sir George auch was mit Beatrice Sleight. Und möglicherweise mit Grace Seaingham? Mord aus Eifersucht, frei nach unserem Gartenbuch. Gift frisch aus dem eigenen Garten.»

«Aber wie bringen Sie Susan Assington mit Helen Minton zusammen?»

«Gar nicht. Aber sie ist genau der Typ, den Polly Praed bevorzugen würde. Dieses ganze dümmliche Verkäuferinnengetue, hinter dem sich ein zutiefst psychopathischer Charakter verbirgt.»

Jury grinste. «Dazu halte ich besser meinen Mund. Polly zuliebe.» Er ergriff sein Glas. «Gehen wir und sehen uns mal an, was Whittaker, der Wirbelwind macht.»

«Ich habe mich lange mit Pater Rourke unterhalten», sagte Jury, während er Tommys Gegner bei einem Stoß zusah, der nicht entschlossen genug ausgeführt wurde und deshalb mißlang. «Das ist der Dorfpfarrer von Washington. Er hat Helen Minton gekannt. Rourke ist Strukturalist...»

«Tatsächlich? Dann schon lieber Manager.»

«...und er hat mir von verschiedenen Auslegungen des Evangeliums erzählt. Absolut faszinierend. Ich wünschte, ich hätte ihm besser zugehört.»

Plant zündete sich eine Zigarre an. «Gott sei Dank haben Sie das nicht getan, sonst säßen wir morgen noch hier. Aber fahren Sie fort.»

«Ich erinnere mich vor allem an etwas, was er über die psychologische Interpretation gesagt hat. Er sprach vom verlorenen Sohn und den ödipalen Hintergründen dieser Geschichte.» Tommys Gegner lochte eine rote Kugel ein, aber es gelang ihm nicht, die weiße günstig zu einer farbigen zu plazieren.

«Der verlorene Sohn. Ach, diese Geschichte, die einen glauben machen will, man wäre besser von zu Hause abgehauen.»

«Es ist weniger das als der Bezug, den er zu Ödipus hergestellt hat.»

«Ödipus wäre wohl besser zu Hause geblieben, der arme Kerl. Er hätte sich nicht von der Stelle rühren sollen.»

«Er wurde aber nicht gefragt, oder?» sagte Jury.

Mit einem Seitenblick auf Robin, der wie alle Anwesenden gespannt dem Spiel zusah, sagte Plant: «Eine traurige Geschichte. Muß schlimm für sie gewesen sein, als sie diese Entdeckung machte – ich meine Helen Minton.»

Sie sahen schweigend zu, wie Tommy mit einem verblüffenden Stoß eine rote Kugel einlochte und die grüne genau da plazierte, wo er sie haben wollte. «Können Sie sich vorstellen, wie gerissen der Kleine sein mußte, um sich diese Geschicklichkeit aneignen zu können?» fragte Jury.

«Gerissen? Gerissen würde ich das nicht nennen», nahm Plant den Jungen in Schutz.

Jury lächelte. «So habe ich das auch nicht gemeint. Er ist eben einfach ein cleverer Bursche. Eigentlich hätte mir das sofort auffallen müssen.»

«Was hätte Ihnen sofort auffallen müssen?»

«Ich dachte wieder an Ödipus: Sie mußten ihn loswerden, oder? Der König von Theben konnte kaum jemanden in seiner Nähe dulden, der ihn eines Tages um die Ecke bringen würde.»

«Erst Alice, jetzt Ödipus. Sie bringen mich ganz durcheinander.»

«Machen Sie sich nichts daraus. Ich habe Wiggins und mich heute abend zum Dinner eingeladen.» Jury sah auf die Uhr. Dann drückte er seine Zigarette in einem der alten, blechernen Aschenbecher aus. Inzwischen waren keine roten Kugeln mehr im Spiel. «Ich glaube, unser Killer wird versuchen – um mit Tommy zu sprechen –, jemanden in eine üble Position zu manövrieren.»

«Und wen?»

«Grace Seaingham.»

«Das habe ich vermutet», sagte Plant.

Jury sah ihn erwartungsvoll an. «Warum?»

«Nun, bei solchen Methoden.»

«Von welcher Methode sprechen Sie?» fragte Jury. «Gift oder Gewehr?»

«Ich halte Gift für das Mittel der Wahl; das Gewehr bemühte der Täter meiner Meinung nach nur, weil Beatrice Sleight auf der Stelle zum Schweigen gebracht werden mußte. Gift ist gewöhnlich nicht so sicher, wenn man nicht gerade Zyankali oder etwas Ähnliches nimmt, was das Opfer sofort außer Gefecht setzt.» Plant schlug das Buch auf einer anderen Seite auf, die mit einem Streichholz markiert war, und zeigte auf eine kleine Abbildung. «Wie das hier zum Beispiel.»

Jury starrte darauf. «Verdammt, bei dem Zeug braucht man allerdings keine Angst zu haben, daß man den gesamten Braten vergiftet und das Haus bis unters Dach mit Leichen füllt. Wirklich verdammt raffiniert, diese Dosierung.» Jury las die beiden Absätze unter der Abbildung und gab Plant kopfschüttelnd das Buch zurück.

Tommy Whittaker versenkte die letzte Kugel, die schwarze, trat bescheiden zurück und zog seine Weste glatt.

«Er hat reinen Tisch gemacht; Sie haben dasselbe mit meinem Kopf bewerkstelligt», sagte Jury. «Heißen Dank.»

«Bitte, bitte. Wollen Sie sich nicht revanchieren und mir sagen, wer es nun auf all diese Frauen abgesehen hat? Auf Helen Minton, Beatrice Sleight und jetzt auch noch, wie Sie sagen, Grace Seaingham? Ein wildgewordener Weiberfeind? In dem Falle würde ich auf Parmenger tippen.»

«Sie nehmen es mir hoffentlich nicht übel, wenn ich mich noch nicht dazu äußere. Warten Sie doch bis zum Abendessen!»

«Doch, das nehme ich Ihnen allerdings übel, aber ich möchte mich nicht mit Ihnen streiten.» Plant nickte in Tommys Richtung. «Ich habe ein Weihnachtsgeschenk für unseren Champion parat. Das zu arrangieren war beinahe so schwierig, wie das Familienwappen zu sticken, an dem sich meine Tante gerade versucht.»

Jury schwieg einen Augenblick. «Gut. Er wird's gebrauchen können. Kommen Sie, lassen Sie uns fahren.»

SECHSTER TEIL

DAS SPIEL
IST AUS

26

ALS GRACE SEAINGHAM IHREN GÄSTEN während des Cock-
tails aus heiterem Himmel ankündigte, daß der Herr von Scotland Yard mit ihnen dinieren würde, goß sich Vivian Rivington
ihren halben Martini über das hochgeschlossene, jadegrüne
Kleid, in dem sie einer Geisha mehr ähnelte als der Anwärterin
auf einen italienischen Adelstitel.

Die anderen hatten sich ebenfalls in Schale geworfen, um Heiligabend zu feiern: Lady St. Leger war ganz in Spitze gehüllt,
Lady Ardry in ein nicht näher definierbares Gewebe; Susan Assington fummelte am losen Saum eines hauchdünnen braunen
Stoffes herum, dessen Farbe Melrose an ein verdorrtes Getreide-
feld erinnerte. Um so kräftiger leuchteten die frischen Frühlings-
farben von Grace Seainghams Kleid. Ja, wirklich: Susan schien
in dem Maße zu welken, wie Grace erblühte.

Die Nachricht bewirkte eine Veränderung in der Haltung und
den Mienen der Anwesenden, als wären sie der Aufforderung
eines imaginären Fotografen gefolgt, sich neu zu gruppieren.
MacQuade sah neugierig drein, Parmenger gelangweilt. Tommy
starrte gebannt die solchermaßen verwandelte Grace an.

Charles Seaingham war offensichtlich verärgert. «Davon hast
du mir ja gar nichts erzählt, mein Liebes.»

«Nein, ich hab's nur dem Koch erzählt», sagte Grace liebens-
würdig. Sie lächelte ihm zu, als wollte sie betonen, daß in diesem
Falle nur einer den Vorrang hatte haben können. Grace trug ein
teerosenfarbenes Kleid, das ihr in weichen Falten um den Körper
fiel und Parmenger zu begeisterten Komplimenten hinriß – wie
sehr es ihrem Teint schmeichelte und die Farbe ihres Haars zur
Geltung brachte –, und er ging um sie herum, als wollte er ihr
Porträt auf der Stelle neu malen. Grace dankte ihm, bemerkte,

daß der Ton ihres Kleids zu dem der Christrosen paßte, nahm eine aus der flachen Kristallschale und steckte sie sich an den Ausschnitt. Sie schenkte Susan Assington ein strahlendes Lächeln. Susan wandte schnell den Blick ab.

Von allen Anwesenden schien Grace Seaingham die einzige zu sein, die völlig gelassen war, einmal abgesehen von Frederick Parmenger und den Damen St. Leger und Ardry. Letztere flankierten mit ihren Stickrahmen den Kamin wie zwei unverrückbare Felsen.

Melroses Vermutung, daß Grace etwas im Schilde führte, hatte sich zur Gewißheit verdichtet, als sie auf das wiederholte *Sie sehen so viel besser aus, meine liebe Grace* antwortete: «Ich fühle mich auch sehr viel besser. Wahrscheinlich verdanke ich das diesem wundervollen Lunch, den ich heute mittag mit Superintendent Jury in Durham eingenommen habe.»

«Wie dem auch sei, meine Liebe», bemerkte Charles, «ich glaube, daß wir alle der Polizei reichlich überdrüssig sind. Diese Bürokraten schwirren noch immer mit ihren verdammten Laternen und Taschenlampen in der Gegend herum. Ich habe sie nun lange genug ertragen und möchte mich nicht auch noch mit einem von ihnen an einen Tisch setzen müssen.»

Als Marchbanks die große Doppeltür aufschob, erhob Grace sich lächelnd und meinte: «Sich an einen Tisch zu setzen, scheint mir in diesem Haus unproblematisch zu sein. Wieder aufzustehen schon eher. Gehen wir hinein!»

Es war schon beschämend genug, sich in einem durch einen großen Fleck verunzierten Kleid an die festliche Tafel setzen zu müssen. Daß aber Superintendent Jury auch noch ihr Tischherr war, brachte Vivian Rivington fast zur Verzweiflung. Jury war nach einer vorzüglichen Consommé mit Verspätung erschienen, und den Blicken der Anwesenden nach zu urteilen, waren sie offenbar einhellig der Meinung, daß ihnen das Dinner ohne Jury weitaus besser bekommen wäre.

Jury trug es mit Fassung. Er entschuldigte sich, auf dem Revier der Polizei von Northumbria aufgehalten worden zu sein, widmete sich ausgiebig dem exzellenten warmen Austernsalat in Weinschaum und äußerte sich beifällig über die köstliche Champagnersoße und den Chardonnay. Danach gab es Lammrücken, und Jurys und Graces amüsiertes Geplänkel über die Schwierigkeit, im Dezember ein Frühlingslamm zu finden, beherrschte das Tischgespräch.

Überhaupt schien Grace Seaingham und Richard Jury die Zeit nicht lang zu werden, während sie sich ausführlich über Essen, Trinken, Fisch und Wildbret verbreiteten: über den Lachs in Pitlochary und die diesjährige Fasanenjagd, die eher enttäuschend ausgefallen war; über den St. Emilion im Vergleich zu dem Chardonnay, Rules im Vergleich zu White's, das Browns im Vergleich zum Ritz, das Boodles im Vergleich zum Turf Club.

Dabei würde Richard Jury, das wußte Melrose nur zu gut, keinen Fuß in diese Clubs setzen, es sei denn aus beruflichen Gründen. Und Melrose bezweifelte, daß sich dort jemals etwas ereignete, was Scotland Yard auf den Plan rufen würde. Allenfalls könnte die Massierung all dieser hinter den Ausgaben des *Punch* oder des *Guardian* zu steifen Posen erstarrten Achtzigjährigen hier und da den Besuch eines Leichenbeschauers erforderlich machen.

Grace Seaingham und Jury machten die anderen offensichtlich reichlich nervös. Niemand schien zu verstehen, warum dieser *bon vivant* von einem Superintendent mit ihnen an einem Tisch saß; außer Agatha, die – allerdings erfolglos – versuchte, dem Gespräch eine andere Wendung zu geben, machten alle einen schuldbewußten Eindruck; insbesondere Vivian, die in den letzten Tagen von einer Rolle in die andere getaumelt war: Würde sie am Trevi-Brunnen vorbeigehen oder würde sie hineinspringen?

Schuldgefühle nagten an ihrem Herzen und kribbelten in den Spitzen ihrer langen, sensiblen Finger.

Nachdem das Obstsorbet serviert und verspeist worden war, legten die Gäste ein für sie völlig uncharakteristisches rüdes Benehmen an den Tag – rüde sogar nach den Maßstäben eines Parmenger, der sich – ohne abzuwarten, bis die Gastgeberin die Tafel aufhob – entschuldigte und sagte, er müsse unbedingt noch einmal einen Blick auf Graces Porträt werfen; Charles Seaingham meinte, er müsse sich um das Dekantieren einer neuen Flasche kostbaren Portweins kümmern; Lady St. Leger schützte Migräne vor und ging ihre Medizin holen; Tommy Whittaker sagte, er wolle sich ins Musikzimmer zurückziehen; Susan Assington, erschöpft von ihrer Fachsimpelei mit Lady Ardry über Gärten und ihre Pflege, wollte sich einen Augenblick auf ihrem Zimmer erholen.

Zurück blieben Vivian, die es tatsächlich fertigbrachte, ein weiteres Weinglas umzuwerfen, Agatha, Melrose, Jury und MacQuade.

«Na also, da haben wir's», sagte Jury zu Grace.

Was hatten sie? wollte Melrose eben fragen, als auch Grace sich erhob und alle anderen den Tisch verließen.

NACH DEM ESSEN nahmen sie wie gewöhnlich, aber mit Verspätung, ihre Drinks im Salon ein; Marchbanks reichte das Tablett herum; Jury rauchte mit Genuß eine von Charles Seainghams exzellenten Zigarren und schlürfte seinen ausgezeichneten Cognac.

Die anderen tranken, wie Melrose bemerkte, was sie immer zu trinken pflegten. Agatha ihre fürchterliche Crème de violette; Parmenger und MacQuade Remy; Vivian ebenfalls Cognac, da sie sich mit dem bauchigen Schwenker wohl sicherer fühlte;

288

Lady Assington und Lady St. Leger Crème de menthe; Grace Seaingham ihren Sambuca con mosca und Tommy wie üblich nichts – bis Grace Seaingham ihm zur größten Überraschung seiner Tante etwas von ihrem Sambuca anbot. «Ach, lassen Sie ihn doch, Betsy», lächelte Grace. «Das bißchen Alkohol wird ihm nicht schaden.»

Doch Elizabeth St. Leger hatte sich bereits des Glases bemächtigt: «Weiß der Himmel, was Tom alles auf der Schule treibt. Aber hier, meine liebe Grace, sollte er besser nicht in Versuchung geführt werden.» Als sie ihrer Gastgeberin das Glas zurückgeben wollte, stieß sie mit der Hand gegen die Schale mit den Christrosen, und der Likör schwappte heraus. «Oh, tut mir furchtbar leid. Heute scheint der Abend zu sein, an dem alle ihre Drinks verschütten.» Doch bevor sie auch nur ihr Spitzentaschentuch zücken konnte, hatte Jury den Likör bereits aufgewischt.

Grace lächelte versöhnlich. «Aber ich bitte Sie, es ist doch nichts passiert.» Sie stellte das leere Glas auf den Tisch zurück. «Tut mir leid, Betsy. Alles meine Schuld. Aber ehrlich gesagt, ich kann mir kaum vorstellen, daß Tommy es in der Schule wirklich so wild treibt.» Sie warf Jury einen verschwörerischen Blick zu. Jury steckte sein Taschentuch wieder ein.

Keiner hatte bemerkt, was sich hier vor aller Augen abspielte, außer den dreien, die es direkt betraf, und Melrose, der alles genau beobachtete. Ihn beeindruckte jedoch weniger der Vorgang selbst, als vielmehr die eiserne Selbstbeherrschung, mit der Lady St. Leger sich erhob und erklärte, sie wolle sich heute früh zur Ruhe begeben.

Diese Floskel drang gar nicht bis in sein Bewußtsein, weil sie hinzufügte, sie wünsche vorher noch mit dem Superintendent zu sprechen.

ELIZABETH ST. LEGER schien nichts dagegen zu haben, daß Melrose Plant ihnen auf einen Wink von Jury hin in Seainghams Arbeitszimmer folgte. Sie schien vielmehr an einem Punkt angelangt, an dem ihr alles gleichgültig geworden war.

Melrose ärgerte sich, weil er so dumm gewesen war und sie nie richtig ernst genommen hatte. Es mußte wohl an Agathas erfolgreichen Verbrüderungsversuchen mit «Betsy» liegen, daß die beiden für Melrose gleichsam eine Einheit bildeten – zwei wakkere alte Damen mit Stickrahmen und Spielkarten, die sich über nichts als den englischen Adel unterhielten.

Er musterte sie eingehend; sie stand vor dem Kamin und lehnte es rigoros ab, sich zu setzen. In ihrer Jugend war sie bestimmt eine Schönheit gewesen. Mit ihren feinen Zügen und ihrem klaren Teint war sie das in gewissem Sinne immer noch. Die streng um den Kopf geflochtenen grauen Haare glänzten, als wären sie stundenlang gebürstet worden; die grauen Augen leuchteten ebenfalls in einem beinahe metallischen Schimmer, den das graue Spitzensatinkleid noch betonte. Wenn sie sich nicht in Agathas Gesellschaft befand, hatte sie bislang den Eindruck einer warmherzigen, mütterlichen Frau auf ihn gemacht; jetzt spürte er auch die Kälte, die von ihr ausging.

«Das war eine interessante kleine Scharade, Superintendent», sagte sie mit sanfter Ironie, als ginge es für sie nicht um alles oder nichts, als sähe nicht auch sie das Buch, das Plant Jury gezeigt hatte, aufgeschlagen auf dem Tisch liegen. Sie würdigte es keines Blickes. «Mein Glück, daß Susan Assington soviel vom Gärtnern versteht», sagte sie zu Melrose gewandt. «Aber Sie haben mich ganz schön nervös gemacht mit Ihrem Exkurs über Christrosen, Mr. Plant. Diese Pflanzen gehören, wie Sie sicher wissen, zu derselben Familie der Hahnenfußgewächse wie der Eisenhut. Sie sind der Sache schon gefährlich nahe gekommen.»

«Ich weiß nicht, ob im Augenblick Komplimente angebracht sind, Lady St. Leger», sagte Melrose, «aber Sie haben sich sehr elegant aus der Affäre gezogen, indem Sie mein Augenmerk auf Lady Assington lenkten.»

Elizabeth St. Leger zuckte die Achseln. «Alle Achtung vor der Guten, sie hat Sie ja ganz schön abblitzen lassen.»

Jury entfaltete sein Taschentuch. «Nun gut. Fangen wir doch hiermit an. *Ricinus communis*. Man braucht nur auf eine einzige Rizinusbohne zu beißen, um einen anaphylaktischen Schock zu bekommen. Das Zeug hat es in sich. Sie sind heute abend ein ziemliches Risiko eingegangen, als Sie versuchten, Grace Seaingham umzubringen.»

«Not macht eben erfinderisch, Mr. Jury. Sie verstehen das, nicht wahr?»

«Grace Seaingham gehört doch zu denen, die lieber sterben als ein Geheimnis preiszugeben. Sie hätte nie jemandem etwas erzählt…»

«Aber sie wußte schon lange Bescheid. Irene, die geschwätzige Nudel, muß es ihr einmal erzählt haben. Sie war immer eine Gefahr mit ihrem religiösen Dünkel, finde ich. Und heute abend plante sie offensichtlich etwas. Sie hat *Sie* hierher zitiert. Und aus irgendeinem Grund hatte sie plötzlich keine Angst mehr, zu essen und zu trinken. Richtig aufgeblüht war sie. Entschuldigen Sie bitte dieses makabre Wortspiel – bei all der Pflanzenkunde…»

«Und da nur *sie* Sambuca mit Kaffeebohnen trinkt, haben Sie die Bohnen ausgewechselt, als Sie Ihre Medizin holen gingen. Sie haben sie einfach auf den Teller gelegt, der auf dem Tablett bereitstand. Dachten Sie denn nicht daran, daß Grace vielleicht schon mit mir darüber gesprochen haben könnte?»

«Diese Möglichkeit bestand natürlich. Aber ich hielt es für unwahrscheinlich. Allerdings dachte ich, daß sie es im Verlauf des Abends noch tun würde.»

«Und woher haben Sie die Rizinusbohnen?»

«Sie kommen sehr häufig vor, in allen möglichen Größen und Formen.»

Das hörte sich an, als spräche sie von Konfektionskleidung.

«Manche sind gesprenkelt, manche grau. Die meisten kann man eigentlich gar nicht mit Kaffeebohnen verwechseln. Aber die aus dem Garten von Meares waren zufällig von der kleinen, dunklen Sorte. Wie sie schmecken, kann ich Ihnen leider nicht sagen», fügte sie sarkastisch hinzu. «Ich weiß nur, daß man sie kauen muß. Schluckt man sie ganz, passiert seltsamerweise gar nichts. Aber Grace mochte den Geschmack von Kaffeebohnen.»

«Schade, daß Beatrice Sleight keinen Sambuca trank!»

Elizabeth St. Leger funkelte ihn zornig an. «Diese unerträgliche Person. Sie war gefährlicher als alle anderen, dabei kannte ich sie nicht einmal.»

«Erpressung also?» fragte Jury.

«Erpressung – meinen Sie *Geld*?» Es klang, als hätte sie sich mit diesem Zeug noch nie die Hände schmutzig gemacht. «Machen Sie sich nicht lächerlich. Es war ihr neuer Schlüsselroman. Sie glauben doch wohl nicht, ich hätte so etwas zugelassen. Nicht, nachdem ich solche Mühe mit Grace und Helen Minton hatte. Und die waren viel ungefährlicher. Reine Unsicherheitsfaktoren. Aber bei Beatrice Sleight sah das anders aus. Ganz anders. Sie hat mir einfach die Pistole auf die Brust gesetzt.»

«Und da Sie und Charles Seaingham gelegentlich zusammen auf die Jagd gegangen sind – Fasane, Moorhühner und so weiter –, wußten Sie genau, wo die Gewehre stehen, und Sie kannten sich mit Feuerwaffen aus. Und da haben Sie Beatrice Sleight zu einem Gespräch unter vier Augen nach unten gelockt...»

Sie nickte steif. Ihr Gesicht wurde aschfahl. Sie tastete nach dem Stuhl, der hinter ihr stand, und setzte sich nun schließlich doch. «Die Polizei durfte natürlich nicht anfangen, nach einem Zusammenhang zwischen Beatrice Sleights Büchern und... und jemandem, der sie möglicherweise am Schreiben hindern wollte, zu suchen. Andererseits gab es nicht den geringsten erkennbaren Grund, warum ich Grace Seaingham aus dem Weg räumen sollte. Kein Motiv.»

Sie holte tief Luft. «Das Kind wurde auf einer von Irenes und Richards Reisen geboren: Kenia. Ach, diese Safaris waren ja keineswegs gefährlich, sie brauchten sich nicht durch den Dschungel zu kämpfen oder vor Nashörnern davonzurennen: Sie hatten einen Führer, alles war im voraus geplant und gut organisiert. Üppige Bankette und so weiter…» Ihre Verachtung für dergleichen Unternehmungen war offenkundig. «Jedenfalls hat Irene mich angerufen, völlig hysterisch, als sie von den Ärzten erfuhr, daß das Kind einen Dachschaden hatte. Sie war schon immer ein flatterhaftes, kopfloses Ding gewesen, unfähig, ihre Probleme selbst in die Hand zu nehmen. Und Richard war auch nicht besser. Ich versprach ihnen, die Sache zu regeln.»

«Sie fackeln nicht lange, Lady St. Leger, wenn es darum geht, das Leben anderer Menschen zu regeln, habe ich recht?»

Das Blut schoß ihr ins Gesicht. «Zufälligerweise liebe ich meinen Neffen. Auch wenn Sie mich vielleicht eines solchen Gefühls nicht für fähig halten – trotzdem ist es so.»

«Wo sind Sie Helen Minton begegnet?» fragte Jury weiter, ohne auf ihre Beteuerungen einzugehen.

«Auf einem Ausflug nach Old Hall. Sie hatte mich noch nie gesehen, ich aber habe sie sofort erkannt an Hand der Fotos, die Edward mir gezeigt hatte. Ich konnte es kaum glauben – ich meine, daß sie es war. Daß sie in Washington wohnte, konnte ich mir nur damit erklären, daß sie Nachforschungen über den Verbleib ihres Kindes anstellte. Ich… ich habe mich mit ihr angefreundet…»

Die Kälte in Jurys Stimme war förmlich mit Händen zu greifen: «Eine seltsame Art, sich mit jemandem anzufreunden. Akonit ist also auch eine Pflanze, die man in jedem Garten findet. Eisenhut, nicht wahr? Die Wurzel, die das Gift enthält, sieht aus wie ein Meerrettich. Oder eine Rübe. Helen aß gern so scharfes Zeug wie Meerrettich.»

«Ich weiß. Ich brachte ihr immer etwas mit, wenn ich sie besuchte.»

«Es war also nicht ihr Medikament?»

«Nein. Auch bei Grace nicht. Akonit schmeckt leicht süßlich, hinterläßt aber einen bitteren Nachgeschmack. Ich habe es in das Saccharinpulver getan, das Grace immer nimmt. Das Problem ist dabei natürlich die Dosierung. Eine ziemlich unsichere Angelegenheit. Aber in Helen Mintons Fall habe ich eine andere Sorte benutzt, die ich auf einer Indienreise entdeckt habe. In Nepal, soweit ich mich erinnere...» Sie ließ ihren Blick schweifen, als gingen ihr vergnügliche Reiseerlebnisse durch den Kopf. «Ja, Nepal. *Nabee* heißt es dort. Es enthält Pseudoaconitin. Eines der tödlichsten Gifte überhaupt. Entschuldigen Sie diesen toxikologischen Exkurs –»

«Schon gut. Man gewöhnt sich an alles, jedenfalls an fast alles. Helen Minton litt an Herzkammerflimmern. Wenn sie nicht gerade in Old Hall gestorben wäre, hätten alle an einen natürlichen Tod geglaubt.»

Elizabeth St. Leger sah ihn verwundert an. «Sie scheinen sie gekannt zu haben?»

Jury schraubte seinen Füllfederhalter auf und zog ein Blatt Papier aus der Tasche. «Ja, ich kannte sie.»

«Tut mir leid», sagte sie vollkommen aufrichtig.

Jury ließ diese Beileidsbezeugung unkommentiert. «Ich mache Ihnen ein Angebot – weil Weihnachten ist.» Er lächelte kühl. «Wenn Sie hier unterschreiben wollen, können wir vielleicht warten, bis die Feiertage vorbei sind. Für Tom wird das ein harter Schlag sein.»

«Ich danke Ihnen.» Genausogut hätte er ihr ein Tablett mit Drinks gereicht haben können. Mit Hilfe ihres Pincenez überflog sie die Schriftstücke, nickte Jury kaum merklich zu und unterschrieb.

Jury schraubte seinen Füllfederhalter wieder zu und sagte: «Einer von unseren Leuten in Northumbria wird leider nach Meares Hall mitkommen müssen, um – Sie verstehen – ein Auge auf Sie zu haben.»

Ihr Lächeln war genauso kühl wie seines. «Ja, ich verstehe.»

«Polizeischutz – falls Tommy fragen sollte.»

«Kann ich mich jetzt zurückziehen? Ich verspreche Ihnen, daß ich nicht aus dem Fenster klettern und mich am Efeu hinunterhangeln werde. Ich kann ohnehin nirgendwo hingehen.» Ihre Stimme klang plötzlich sehr alt.

«Gewiß.»

Sie mußte sich etwas mehr als sonst auf ihren Stock stützen. «Sie sind ein kluger Kopf. Sie sind beide kluge Köpfe. Wollen Sie mir nicht noch erzählen, wie Sie auf Tom gekommen sind?»

«Durch Frederick Parmenger», sagte Jury. «Sein Charakter, sein Enthusiasmus, sein Wille, sich durchzusetzen, als er jung war, und es – genau wie Tommy – mit jedem aufzunehmen. Sie haben seinen Vater ja gekannt.»

«Und ob. Sich Edward gegenüber durchzusetzen, erforderte schon sehr viel Willenskraft.»

«Noch lange nicht soviel, wie es braucht, sich Ihnen gegenüber zu behaupten, Lady St. Leger.»

Mit der Spitze ihres Stocks zeichnete sie das Muster des Teppichs nach. Dann sah sie auf. «Gute Nacht, Superintendent. Mr. Plant.» Sie ging hinaus.

«Da laust mich doch der Affe», sagte Melrose, als die Tür hinter ihr zugefallen war. «Deswegen also die Bemerkungen über Alice. Das richtige Kind hatte einen Dachschaden und wurde durch ein anderes ersetzt.»

«Sie hätten den armen Robin Lyte wohl kaum als zehnten Marquis von Meares gebrauchen können. Das geistig behinderte Kind der Marquise wurde der Kammerzofe Danielle übergeben. Kein Wunder, daß sie bei Isobel Dunsany mit ausgezeichneten Referenzen aufwarten konnte. Ein anderes Kind – der Sohn von Helen und Parmenger – kam dafür als Erbe nach Meares Hall. Edward Parmenger und Elizabeth St. Leger haben diesen Tauschhandel organisiert. Als Vermittler fungierten Danny Lyte und Annie Brown.»

«Eigentlich sollte man annehmen, die Leiterin der Bonaventura-Schule wäre als erste fällig gewesen, wenn dem so war.»

«Aber wußte sie denn, wo Helen Mintons Kind schließlich landete? Sie hat es doch nur als Findelkind in der Bonaventura-Schule aufgenommen. Und als Danny kurz darauf mit einem dicken Batzen Geld auftauchte und ihr ein Angebot machte – nun, da bestand für sie zwischen Danny, den St. Legers, den Parmengers und den Meares' nicht die geringste Verbindung. Miss Hargreaves-Brown ist schon immer sehr zugänglich für gewisse Angebote gewesen», fügte Jury trocken hinzu. «Oh, sie hat bestimmt gewußt, daß an der Sache was faul war – es war ihr absolut klar, daß Robin Lyte nicht Helen Mintons Kind war, aber sie hatte vor Jahren ihre Unterlagen sagen wir mal entsprechend geordnet. Und als Helen Robins Akte las, hielt sie natürlich ihn für ihren Sohn. Im ‹Jerusalem Inn› ist sie ihm dann begegnet. Das Hausmädchen Danny Lyte hatte ein weicheres Herz als ihre Dienstherren – sie ist zurückgekehrt und hat Robin adoptiert. Wie der gute Hirte von Sophokles.»

«Mann, die bedienten sich ja wie im Kaufhaus.» Melrose streckte die Beine aus und hielt Jury die Hand mit dem Whiskyglas entgegen. Jury füllte es nach. «Was nun? Ich meine, was passiert mit Tommy?»

«Nichts. Er ist und bleibt der Marquis von Meares.»

Plant verschluckte sich beinahe. «Nun mal langsam! Was wollen Sie ihm denn sagen, wenn diese siamesischen Zwillinge, Cullen und Trimm, Großtante Betsy abführen?»

Geistesabwesend mischte Jury einen Stoß Karten, der auf dem Tisch gelegen hatte. «Nun, ich glaube, daß es nicht dazu kommt, Sie verstehen?» Er deckte eine Karte auf, eine Dame.

«Nicht dazu kommt? Darum also all das Gerede über ihre Rückkehr nach Meares Hall? *Ich kann ohnehin nirgendwo hingehen, Superintendent.* Glauben Sie wirklich, sie wird sich das Leben nehmen?»

Jury sagte nichts; er mischte langsam die Karten und starrte in die blauen Flammen des erlöschenden Feuers.

«Also hören Sie, ich meine, ist das nicht ein bißchen unmoralisch oder unprofessionell oder unyardgemäß oder so was?»

«Bestimmt», sagte Jury. «Racer würde ausrasten. Wenn er das nicht sowieso schon dauernd täte.»

«Aber was ist mit Tommy? Er muß es doch erfahren.»

Jury blickte von den Karten auf. «Großer Gott, Sie nehmen es aber genau mit der Wahrheit, was? Glauben Sie, es würde ihm was nützen, wenn er wüßte, daß seine Tante zwei Frauen ermordet und es bei einer dritten versucht hat?»

Eine leichte Röte überzog Plants Gesicht. «Gewiß nicht. Aber gibt es nicht eine andere Lösung? Ich meine, er *muß* doch erfahren, daß er nicht der rechtmäßige Erbe ist.»

Tonlos meinte Jury: «Ich wüßte nicht, warum.»

«Ja, zum Teufel, ich aber. Zum einen will er gar kein Marquis sein; der Fortbestand des Hauses liegt ihm keineswegs am Herzen. Er möchte einfach nur Snooker spielen.»

«Dem steht nun nichts mehr im Wege.»

«Meinen Sie? Wenn seiner Tante Betsy etwas... etwas zustieße, hätte er bestimmt schreckliche Gewissensbisse», sagte Plant, den das Gespräch und der Alkohol immer mehr in Fahrt brachten. «Er würde wahrscheinlich für immer die Flinte ins Korn werfen – ich meine, das Queue wegstellen.» Er stand erregt auf und trat an den Kamin.

Jury legte die Karten aufgefächert auf den Tisch und trank einen Schluck. «Übertreiben Sie mal nicht. Er ist genau wie Parmenger. Nichts kann ihn aufhalten. Ziehen Sie eine.»

«Nein.»

«Na machen Sie schon. Sie werden sich gleich viel besser fühlen. Es ist ein Trick.» Jurys Lächeln verschwand, als er an das Tor der Bonaventura-Schule dachte. «Wenn auch kein sehr guter.»

«Ich verstehe einfach nicht, wie Sie den jungen Whittaker in eine solche Lage bringen können.»

«Deswegen hat er seine Partie noch lange nicht verloren. Er doch nicht. Ganz im Gegenteil.»

Plant schwieg; er hatte die Hände um das Glas gefaltet und starrte mit gerunzelter Stirn ins Feuer, als suche er nach neuen

Argumenten. «Ich hätte gedacht, daß Sie – diese Frauen gerne gerächt sehen würden.»

Jurys Hand mit dem Glas darin verharrte mitten in der Bewegung. «Das ist das Dümmste, was ich je aus Ihrem Mund gehört habe. ‹Gerächt.› Wenn ich auf Rache aus wäre, dann hätte mir ein Blick auf Lady St. Leger genügt.»

«Ich spreche von Gerechtigkeit.»

«Sie sprechen von der Gerechtigkeit des Gesetzes.» Jury schnaubte verächtlich. Er hatte den Eindruck, daß sie beide schon ziemlich betrunken waren. Er sollte besser Cullen verständigen. Und Racer. Doch er goß sich lieber einen weiteren Drink ein und schob die Flasche seinem Freund hinüber.

«Vielleicht nicht gerade diese Sleight. Aber was ist mit Helen Minton? Wird ihr Tod einfach ad acta gelegt? Ich hatte eher den Eindruck, daß Sie... ach, schon gut.»

Jury starrte in sein Whiskyglas und schwenkte es, so daß kleine, bernsteinfarbene Wellen entstanden. Er dachte an Isobel Dunsany, die in diesem verlassenen Kaff an der Nordsee von ihren Erinnerungen an glanzvolle alte Zeiten lebte.

«Ihr Tod wurde nicht einfach ad acta gelegt. Ich habe sie doch nur ein paar Stunden gekannt.» Jury hatte das Gefühl, sich verteidigen zu müssen. Als ob die Dauer einer Bekanntschaft das Maß des persönlichen Engagements bestimmen könnte! Er wich Melrose Plants forschendem Blick aus.

Plant bemerkte nur einfühlsam: «Aber Sie mochten sie.»

«Ich habe schon viele Frauen gemocht», sagte Jury lässig und hoffte, damit den Anschein eines knallharten Detektivs aufrechtzuerhalten, der sich seinen Weg durch Scharen von schönen Frauen bahnte. Natürlich vergeblich. «Haben wir das nicht alle?» Er sah Melrose an.

«Lenken Sie nicht ab.»

Jury tat es trotzdem, da ihm dieses Thema widerstrebte. «Ich konnte mir anfangs einfach nicht zusammenreimen, warum der Marquis und die Marquise nicht einfach einen Erben *adoptierten* – statt einen zu klauen, um es mal so lapidar zu formulieren.»

«Weil ein Adelstitel sich so nicht übertragen läßt. Keine Adoptionen, keine zweifelhafte Herkunft.» Melrose starrte auf das glühende Ende seiner Zigarre wie das sprichwörtliche Kaninchen, das hypnotisiert in das Auge der Schlange blickt. «Noch nie was von dem alten Needwood, Graf Dearing, gehört? Er behauptete, das Kind, das die Gräfin zur Welt gebracht hatte, sei nicht von ihm. Versuchte ungefähr drei Dutzend Zeugen beizubringen, die das bestätigen sollten. Da die Gräfin aber eiserne Nerven und versiegelte Lippen besaß, wenn es um Schlafzimmergeschichten ging, entschied das Gericht, daß entweder der Graf der Vater des Kindes sei oder es sich um eine unbefleckte Empfängnis gehandelt haben müsse.» Melrose warf seine Zigarre in den Kamin und legte einen Arm auf den Sims. «Wie Sie sehen, alter Knabe, muß man absolut lupenrein und aus dem echten Holz geschnitzt sein, sonst läßt sich da nichts machen.» Um seine Lippen zuckte ein Lächeln. «Können Sie sich vorstellen, daß jemand einen Namen so durch den Dreck zieht, noch dazu, wenn es sich um die eigene Familie handelt? Ich nicht.»

Jury sah ihn nachdenklich an. «Nein. Wahrscheinlich läuft es eher umgekehrt, stimmt's? Wenn's mal zu einem Ehebruch kommt, wird die Familie dichthalten.»

«Ja, so ist es.» Plant setzte sich wieder und schenkte sich einen neuen Drink ein. «Ich glaube, wir sind dabei, uns zu besaufen.»

«Das glaube ich auch.»

Plant schaute auf seine Uhr. «Wir sollten im Pub weiterzechen, ich muß da noch was erledigen...»

«Was meinen Sie damit?»

«Nichts. Nichts. Sie rufen Cullen an; ich hole Tommy. Ich glaube nicht», sagte er grinsend, «daß es sehr schwierig sein wird, die Erlaubnis seiner Tante einzuholen, um mit ihm einen letzten Ausflug ins ‹Jerusalem Inn› zu machen.» Melrose hob sein Glas. «Frohes Fest, Superintendent.»

Sie stießen an; Plants Glas glitt ab, und der Whisky schwappte auf seine Krawatte. «Schlimmer als Vivian.» Er wischte die Tröpfchen weg. «Ich bin gespannt, was dieses Weib – ich meine

unsere gute, alte Vivian – mit ihrem Graf Dracula zu tun ge-
denkt.» Er rutschte tiefer in seinen Sessel. «Also Polly Praed...»

«Sie sind ein Narr, wissen Sie das?»

Plant runzelte die Stirn. «Was soll das heißen? Ach, was soll's.
Noch mal, frohes Fest!»

«Frohes Fest, mein Freund.»

Und wieder stießen sie an.

SIEBTER TEIL

«JERUSALEM INN»

27

«JA WAS HABEN WIR DENN HIER?» fragte Melrose Plant, als er beim Einsteigen in Jurys Dienstwagen zwei Pakete auf dem Rücksitz entdeckte, ein ziemlich großes und ein etwas kleineres.

«Weihnachtsgeschenke für die Hornsbys», sagte Jury. «Hab ich heute in Durham gekauft.» Er hörte das Papier rascheln. «Es ist nicht für Sie. Finger weg.»

Tommy Whittakers Begeisterung, heute abend auch mit von der Partie zu sein, wurde etwas gedämpft durch seine Sorge um Lady St. Leger. «Was ist eigentlich los mit Tante Betsy? Sie sah richtig angegriffen aus, als sie auf ihr Zimmer ging.»

Einen Augenblick lang herrschte Schweigen, bevor Jury antwortete: «Sie ist eine alte Frau, Tommy. Du weißt, daß es mit ihrer Gesundheit nicht zum besten steht. Nach all dem, was vorgefallen ist...»

«Das wird's wohl sein. Haben Sie denn inzwischen was rausgefunden? Verdächtigt Sergeant Cullen mich immer noch?»

«Du gehörst nicht zu den Verdächtigen.»

Tommy stieß einen erleichterten Seufzer aus.

«Vielleicht», sagte Jury, «ist es einer von diesen Fällen, die ungelöst bleiben.»

«Was? Das ist doch wohl nicht Ihr Ernst?» Tommy hatte sich noch seinen Kinderglauben an die Allmacht von Scotland Yard bewahrt.

«Ist alles schon vorgekommen. Im Augenblick interessiert mich aber vor allem, was Mr. Plant mit dem Paket macht», sagte er in Richtung des leisen Raschelns, das vom Rücksitz kam.

Das grosse Paket war geöffnet und sein Inhalt, eine im Lauf der Jahre etwas verblichene Figur eines der Weisen aus dem Morgenland, neben die beiden anderen gestellt worden. Das kleinere Geschenk war für Chrissie; es enthielt ein ähnlich verblichenes Jesuskind, das sie liebevoll ins Stroh bettete.

Chrissie stand mit Alice im Arm vor der um zwei Figuren angewachsenen Krippe. Ihre schmalen Augenbrauen berührten sich beinahe, so kritisch musterte sie die Szene. «Der neue ist aber kleiner als die beiden andern. Und er bringt auch Gold mit, genau wie der da.» Sie deutete auf den Weisen neben Jurys etwas zu klein geratener Figur. «Ich glaube, es ist der gleiche. Und der Mohr fehlt.» Sie warf Jury einen vorwurfsvollen Blick zu, als hätte er nun wirklich besser über die Weihnachtsgeschichte Bescheid wissen können.

Ohne das Stimmengewirr der zwei Dutzend Jerusalem-Pilger zu beachten, die sich schon seit den späten Nachmittagsstunden in die richtige Stimmung für den Abend brachten, meinte Jury: «Du hast recht. Aber sie hatten nur den. Ich habe ihn und das Jesuskind in einem alten Laden gefunden. Wahrscheinlich sind es Überbleibsel von einer anderen Krippe.» Jury merkte, daß seine Bemühungen, die Krippe Chrissies Wünschen gemäß zu vervollständigen, nicht sehr erfolgreich gewesen waren. Er lächelte. «Ist ja auch nicht einfach, einen Weisen aufzustöbern...»

Chrissie strich Alices Kleid glatt. «Das kann ich mir denken. Ist ja auch sehr nett von Ihnen.» Das klang grimmig. «Nur... das Jesuskind hat keine Windeln an.» Inmitten des allgemeinen Lärms – der aus voller Kehle gesungenen Weihnachtslieder und gebrüllten Bestellungen – war die friedliche Krippenszene eine kleine Oase der Ruhe. «Glauben Sie, Maria und Joseph hat es was ausgemacht, daß es nicht drin lag?»

«Bestimmt. Aber jetzt ist es ja wieder da. Und das ist die Hauptsache.»

Ihrem schmalen Brustkorb entrang sich ein tiefer, resignierter Seufzer. «Na, dann muß ich ihm wohl oder übel ein paar Windeln besorgen.»

Melrose und Tommy hatten sich an den Tresen vorgedrängt und standen nun eingeklemmt zwischen Nutter und einem Fremden mit langen dunklen Ringellocken und einem Ohrring – also ganz offensichtlich nicht Nutters Typ. Hätten Tommy und Melrose sich nicht dazwischengedrängelt, so hätte sich die knisternde Spannung in der Luft wohl bald auf dramatische Weise entladen.

Tommy brüllte Hornsby ihre Bestellung zu und grinste dabei Dickie an, dessen riesige Lauchstange festlich mit einer roten Schleife geschmückt war. Dickie grinste und machte eine Bemerkung, die im allgemeinen Radau unterging. Der Raum war voller Leute: Stammgäste, Laufkundschaft und auch der eine oder andere, der nur zum Weihnachtenfeiern im «Jerusalem Inn» aufgetaucht war.

Der dunkelhaarige Fremde neben Melrose trug ein graues Hemd und eine schwarze Weste, rauchte eine Zigarette und trank ein Lager. Er sah Tommy irgendwie ähnlich – so mochte Tommy in zwanzig Jahren aussehen. Er nickte Melrose freundlich zu, und Melrose nickte zurück.

«Viel los hier, was», sagte der Fremde und strich sich das lockige schwarze Haar aus der hohen Stirn.

«Kann man wohl sagen. Wollen Sie was trinken?»

«Ja, warum nicht. Vielen Dank.» Er schob sein Glas über den Tresen und deutete mit der Zigarette auf den Oboenkasten, den Tommy an den Tresen gelehnt hatte. «Was ist denn da drin? Du hältst ihn ja fest, als würde gleich der Teufel persönlich über den Tresen springen und ihn dir wegnehmen.»

«Das? Da ist nur mein Queue drin.» Tom sah sich den Mann etwas genauer an. «Sie waren schon mal hier, stimmt's?»

«Nein, liegt nicht gerade auf meinem Weg.» Der Mann lachte. «Spielst du Pool? Ich hätte nichts gegen eine Partie.»

«Snooker.»

«Okay, warum nicht. Ist mir gleich.» Der Fremde streckte die Hand aus. «Ich heiße Alex. Du bist also dabei?»

Tommy, dem nie etwas aus der Hand fiel, ließ seinen Queuekasten auf den Boden fallen und bückte sich schnell danach. Er schüttelte den Kopf.

Nutter, der ungern unbeachtet blieb, versetzte Tommy einen Rippenstoß. «Mach schon, Junge, zeig's ihm. Wir wollen hier keine Fremden, die das große Wort führen.»

«Nein danke, keine Lust», sagte Tommy und verdrückte sich mit dem Glas in der Hand und den Kasten gegen die Brust gepreßt in der Menge. Zum erstenmal, dachte Jury, sieht er wie ein Sechzehnjähriger aus, ein bißchen schüchtern und einsam.

«Will sonst vielleicht jemand? Sagen wir einen Fünfziger das Spiel?» bot Alex an.

Von einem Moment zum anderen war Nutters Feindseligkeit verschwunden – er witterte ein gutes Geschäft. «Clive. Für fünfzig Mäuse läßt er sich vielleicht überreden.»

Alex lächelte. «Na schön. Ihr macht aber nicht den Eindruck, als würdet ihr die fünfzig Kröten zusammenbringen, nicht mal, wenn ihr alle zusammenlegt.»

Dickie begann schon in seinen Taschen zu kramen, da zog Melrose gelassen seine Geldklammer hervor. «Dickie soll die Börse verwalten.» Er drückte Dickie ein paar Scheine in die Hand.

Clive lachte. «Wer sie verwaltet, ist mir völlig gleichgültig, solange ich sie nur hinterher bekomme.»

Clive bekam gar nichts.

Clive kam kaum an den Tisch heran.

Es gelang ihm lediglich, den Pulk der roten Kugeln so ungeschickt zu sprengen, daß Alex 81 Punkte in Folge machen konnte und eine Viertelstunde später den Tisch abgeräumt hatte.

Clive starrte gebannt auf den leeren Tisch. Das konnte doch nicht wahr sein?

Melroses Ruf als Hinterzimmermäzen machte schnell die Runde. Bald strömten auch die anderen herein und wollten ihr Glück versuchen.

«Die müssen verrückt sein», sagte Tommy, der sich mit seinem Bier in eine dunkle Ecke verzogen hatte.

«Warum? Sie verspielen doch nur Plants Geld.»

«Dann muß er verrückt sein. Wissen Sie denn nicht, wer das ist?»

Innerhalb von dreißig Minuten hatte Alex drei Partien gespielt und unglaubliche Serien von 90 und 110 Punkten hingelegt. Und da nicht die geringste Aussicht bestand, daß ein einziger seiner Gegner ihn jemals schlagen würde, konnte er ein paar aufsehenerregende Stöße riskieren.

«Wer zum Teufel ist das?» erkundigte sich Jury bei Plant.

«Sie lesen wohl nichts außer Ihren Akten?» Plant hielt ihm die Sportseite des *Guardian* unter die Nase; Jury sah erst das Foto, dann Alex an und stöhnte: «Allmächtiger!»

Nutter war betrunken genug, um ebenfalls einen Versuch zu wagen. Er war entschlossen, gleich mit dem ersten Stoß einzulochen, aber er gab dem Spielball einen solchen Effet, daß er eine rote Kugel mit Karacho über die Bande beförderte.

Nutter bekam großen Applaus für diese beeindruckende Leistung. Alex hielt sich in sportlicher Fairness zurück.

«Auf dem Fußboden sind leider keine Taschen, Mann», sagte Dickie und bekam dafür beinahe Nutters Queue über den Schädel. Das Spiel war ebenso schnell vorbei wie die anderen. Weitere fünfzig Pfund wechselten den Besitzer.

«Hören Sie», sagte Melrose, «ich gebe Ihnen am besten gleich einen Tausender, dann brauche ich nicht immer die Klammer herauszuholen.»

Alex lächelte. «Ich hab nichts gegen Ihren Tausender, nur möchte ich ihn mir auch verdienen. Wo steckt denn dieser junge Bursche, von dem hier überall erzählt wird, er sei der Lokalmatador? Bist du das?» Irgendwie war sein Blick sofort auf Tommy gefallen.

«Dieser ‹Bursche›», sagte Tommy und richtete sich auf, und zum erstenmal, seit Melrose ihn kannte, rümpfte er die Nase, «bin ich.»

«Reichlich jung. Wie alt bist du denn, zwanzig?»

Tommy zuckte die Schultern. «So ungefähr.»

«So ist das, Tommy», scherzte Melrose. «Den Rest deines Lebens wirst du nun wie Gary Cooper in *High Noon* verbringen. Vergiß ja nicht, dich immer mit dem Gesicht zur Tür zu setzen.»

Alex lachte. Melrose lachte ebenfalls. Tommy nicht.

Tommy begann und schaffte auf Anhieb 23 Punkte. Er spielte auf wenige rote Kugeln und auf die schwarze; die übrigen beließ er vorerst in einem dichten Pulk auf dem Tisch. Schließlich lochte er die blaue ein, und der Spielball kam hinter der Feldlinie zum Stillstand. Er mußte jetzt mit einem langen Stoß den Pulk sprengen. Der Stoß mißlang.

Unterdrücktes Stöhnen war zu vernehmen. Dickie breitete beide Arme aus: «Vielen Dank, meine Dam'n un' Herr'n – Ruhe bitt schön.»

Nach den Mienen der beiden Spieler zu urteilen, hätte selbst eine vorbeistürmende Büffelherde sie nicht gestört. Alex trat an den Tisch. Der Spielball lag jetzt am anderen Ende des Tisches dicht an der Bande. Der Winkel schien unmöglich für einen guten Stoß. Trotzdem gelang Alex das Kunststück, die anvisierte rote Kugel von der schwarzen zu trennen und sie in eine Mitteltasche zu befördern. Die weiße blieb in idealer Position zur grünen liegen. Mit dem nächsten Stoß versenkte er die grüne und brachte die weiße über drei Banden wieder in eine günstige Position zu den restlichen roten Kugeln.

Sorgfältig legte Dickie die grüne Kugel an ihren Platz zurück.

«Wisch sie ab», sagte er dann zu Dickie.

Dickie beugte sich über den Tisch, betrachtete die weiße Kugel und schüttelte den Kopf. «Ich seh nichts, Kumpel.»

Alex fixierte ihn. «Du brauchst auch gar nichts zu sehen, Mann. Beim letzten Stoß ist sie geeiert. So was kann 'ne Menge Geld und Nerven kosten.»

«Den Marker, Dickie, mach schon», sagte Tommy.

Dickie suchte nach dem kleinen schwarzen Marker, konnte ihn aber nicht finden; statt dessen markierte er die Position der Spielkugel mit der Lauchstange. Dann machte er sich daran, die Kugel sorgfältig zu polieren. «So blank wie 'n Kinderpopo.»

Alex funkelte ihn zornig an und nahm angeekelt den Lauch vom Tisch.

«Tut mir leid, Mann.» Dickie grinste und bat erneut um Ruhe.

Alex hatte die Positionsbilder anscheinend so deutlich vor Augen, als wären sie auf dem Tisch eingezeichnet. Er versenkte rot, schwarz, rot, schwarz in so schneller Folge, daß Dickie kaum Zeit hatte, die schwarze Kugel immer wieder an ihren Platz zu legen.

Alex beförderte den Spielball über vier Banden hinter die Feldlinie in die Nähe der gelben Kugel. Er versenkte diese, dann die grüne, und die braune blieb dicht an der Bande liegen. Den nächsten Stoß, der die braune von der Bande in die Mitte und den Spielball über drei Banden hinter die Feldlinie in die Nähe der rosa Kugel beförderte, schien Alex einfach aus dem Handgelenk zu schütteln.

Tommy schaffte es nicht, sich aus dieser Notlage zu befreien. Er versuchte es mit einem Sicherheitsstoß, der bei der unmöglichen Entfernung und dem unebenen Tisch einfach mißglücken mußte.

Alex versenkte die blaue Kugel mit einem gewaltigen Effetstoß und räumte den Tisch innerhalb von zwei Minuten ab.

Alle im Raum schienen die Luft anzuhalten.

«Noch eine Runde?» fragte Alex und kreidete sein Queue neu ein.

Tommy nickte sprachlos. Melrose klopfte ihm ermutigend auf die Schulter. Darauf trat Tommy wieder an den Tisch, kreidete sein Queue ein, und jetzt trat jener wild entschlossene Ausdruck auf sein Gesicht, der damals auch Parmengers Züge verzerrt haben mußte, als sein Malzeug aus dem Fenster geflogen war.

Er verlor.

Vor- und Rückläufer, Effetstöße, Kopfstöße – das ganze Repertoire: Alex war nicht nur ein erstklassiger Spieler, er war auch schneller als Tommy. Die Kugeln schossen wie Schnellzüge über den Tisch.

«Kaum zu fassen», sagte Jury. «Vor allem, wenn man bedenkt, daß er ‹rein zufällig› hier aufgetaucht ist. Wieviel hat Sie das gekostet?»

«Ein paar Scheinchen.»

«Ein paar Scheinchen ist gut. Wieviel genau?»

Melrose antwortete nicht.

«Ist das Ihr Geschenk?»

Alex hatte den Tisch leergefegt. Dritte Runde.

«Ein schönes Geschenk.» Jury leerte sein Glas. «Und was haben Sie für mich? Liebesgedichte?»

Melrose lachte. «Was wollen Sie denn? Tommy ist doch begeistert. Es braucht sein ganzes Können, um sich an diesem Tisch zu behaupten. Endlich ein Gegner, der seiner würdig ist. Und wenn man bedenkt, *was* das für ein Gegner ist!»

«Aber wie haben Sie es geschafft, ihn am Heiligabend hierher zu locken? Ich meine, der Mann wäre doch bestimmt lieber zu Hause bei Frau und Kindern…»

Melrose warf Jury einen gequälten Blick zu. «Sind Sie etwa verheiratet und haben Kinder?»

«Oh», sagte Jury.

Tommy hatte drei rote Kugeln an der Feldlinie plaziert, was Alex einen Sicherheitsstoß unmöglich machte. Er konnte eigentlich nur den Spielball ans andere Tischende befördern und Tommy zu einem langen Stoß zwingen. Das Spiel stand 29 zu 30.

Alex führte mit einem Punkt Vorsprung, und ein angespannter Ausdruck war in sein Gesicht getreten. 59 Punkte lagen noch auf dem Tisch.

«Poesie im Zeitraffer», sagte Melrose, als der Effet, den Tommy dem Spielball gegeben hatte, eine Kugel in die Ecktasche beförderte und die weiße in eine günstigere Position zur blauen brachte. In schneller Folge versenkte er zuerst diese, dann eine rote, die grüne, wieder eine rote und schließlich die gelbe.

Am anderen Ende lag dicht neben der schwarzen Kugel noch eine letzte rote. Er mußte irgendwie die schwarze wegbekommen.

Er setzte den Stoß zu steil an. Die Zuschauer stöhnten auf. «Ruhe», brüllte Dickie.

Die weiße Kugel lag in einem äußerst ungünstigen Winkel zur roten. Alex drückte seine Zigarette aus, trat an den Tisch und schaffte es trotzdem, die rote Kugel von der Bande wegzubefördern und zu versenken; die weiße hatte solchen Schwung, daß sie über drei Banden ging und die schwarze so mühelos in die Mitteltasche beförderte, als wäre eine unsichtbare Hand am Werk. Ein kolossaler Stoß. Aber an die Kugeln auf der Feldlinie kam er nicht heran. Er mußte auf Nummer Sicher gehen.

Aus dem hinteren Teil des Raums war Beifall für Alex zu vernehmen. Nutter packte sofort einen Stuhl und wollte auf die Verräter los, doch Clive hielt ihn zurück.

Dickie streckte begütigend die Arme aus; die Augen hielt er geschlossen wie ein Chorleiter, der seine Rangen zu bändigen versucht. Er war wie in Trance. «Vielen Dank, meine Dam'n un' Herr'n, vielen Dank.»

Vorsichtig nahm er die weiße Kugel vom Tisch und unterzog sie einer feierlichen Reinigung. Dann schlug er der Länge nach hin.

Für Dickie war das genauso ein Ritual wie für Alex das Polieren der Kugel.

«Mach du weiter, Robin», sagte Tommy.

Robin sah ihn entgeistert an.

Tommy lächelte ihm aufmunternd zu. «Schiedsrichter, Robbie. Du kennst doch die Regeln.»

Und ob er das tat! Als nämlich Tommy das Queue eine Sekunde zu lang durch die Finger gleiten ließ – vielleicht, weil er sich zu sehr auf seinen Stoß konzentrierte –, rief Robbie: «Geschoben!»

Die Zuschauer waren sauer. Nutter mußte schon wieder zurückgehalten werden, sonst wäre er ihm an die Kehle gegangen. Aber Robbie hatte recht gehabt. Tommy trat vom Tisch zurück und mußte es Alex überlassen, die restlichen Kugeln einzulochen.

Als sie sich die Hand schüttelten, brandete stürmischer Beifall auf. Jury sah, daß Tommy strahlte – ein wirklich guter Verlierer. Plant hatte recht gehabt. Tommy mochte nicht von adeliger Abkunft sein, aber er war – wie hatte Plant sich ausgedrückt? – absolut lupenrein und aus dem echten Holz geschnitzt.

Die Zuschauer hielten den Snooker-Virtuosen Gläser hin, klopften ihnen auf die Schultern und wollten eine Zugabe sehen.

Alex sagte, es täte ihm leid, aber er müsse gehen.

«In deinem Alter, mein Junge, war ich nicht annähernd so gut wie du. Jetzt bin ich doppelt so alt, aber noch bin ich dir über, was?» Er zog ein Päckchen Zigaretten aus der Tasche, bot Tommy eine an und zückte sein Feuerzeug.

«Werden Sie wiederkommen?»

«Hierher? Das bezweifle ich. Aber ich wette, wir werden uns mal wieder begegnen.» Er zog seinen Mantel an, schlug den Kragen hoch und verschloß seinen Queuekasten. Dann streckte er Melrose die Hand entgegen. «War mir ein Vergnügen.»

«Können Sie denn nicht noch ein bißchen bleiben?» fragte Tommy sehnsüchtig.

«Würd ich ja, wenn ich könnte. Aber ich muß morgen spielen. Ich hab dir doch gesagt, daß ich dir einiges voraus habe. Ich bin Profi, verstehst du?»

«Ich weiß», sagte Tommy.

«…und ich hab dir noch auf anderem Gebiet etwas voraus», rief Alex von der Tür. Er mußte sich anstrengen, um sich über das Gebrüll der Besoffenen hinweg verständlich zu machen, die eine alkoholisierte Version von *Stille Nacht* zum besten gaben. «Ich bin Ire.»

Tommy sah zu, wie er sich umdrehte, noch einmal winkte und hinausging.

«Er war's tatsächlich», sagte er ehrfürchtig.

Draußen in der Dunkelheit würde Alex sich nun aufmachen und all den guten und schlechten Spielen entgegengehen, die ihn in seinem Leben noch erwarteten.

Nestor Burma, Chef einer kleinen Privatdetektei, hat schlechte Angewohnheiten: immer tauchen in seiner Umgebung Leichen auf, er hat nie Geld und liebt die Frauen. Jeder seiner Fälle spielt in einem anderen Arrondissement von Paris. So folgt man als Leser Nestor Burma buchstäblich durch das Paris der fünfziger Jahre.

Léo Malet, geboren 1909 in Montpellier, riß mit sechzehn Jahren nach Paris aus, schloß sich den Surrealisten an und schlug sich als Chansonnier auf dem Montmartre durch. Mit André Breton verband ihn eine lebenslange Freundschaft, ebenso zu Salvador Dalí und René Magritte. Für seine legendären Kriminalromane erhielt Léo Malet mehrere hohe Auszeichnungen. Er lebt heute in Paris.

Bilder bluten nicht *Krimi aus Paris 1. Arrondissement* (rororo 12592) Mord in den Markthallen und Diebstahl im Louvre.

Stoff für viele Leichen *Krimi aus Paris. 2. Arrondissement* (rororo 12593) Vierzehn Leichen säumen Nestor Burmas Weg.

Marais-Fieber *Krimi aus Paris. 3. Arrondissement* (rororo 12684) Ein Pfandleiher ist in mysteriöse Morde verwickelt.

Spur ins Ghetto *Krimi aus Paris. 4. Arrondissement* (rororo 12685) Nach der Party liegt ein Mädchen auf dem Sofa, erstochen mit einem SS-Dolch.

Bambule am Boul'Mich' *Krimi aus Paris. 5. Arrondissement* (rororo 12769) Liebe, Erpressung und Okkultismus.

Die Nächte von St. Germain *Krimi aus Paris. 6..Arrondissement* (rororo 12770) Nestor Burma trifft auf Dichter mit seltsamen Ideen.

Corrida auf den Champs-Élysées *Krimi aus Paris. 8. Arrondissement* (rororo 12436) Nestor Burma als Leibwächter einer Film-Diva.

Streß um Strapse *Krimi aus Paris. 9. Arrondissement* (rororo 12435) Nestor Burma auf der Spur nach den Kronjuwelen des Zaren.

Wie steht mir Tod? *Krimi aus Paris. 10. Arrondissement* (rororo 12891) Ein Schlagerstar fürchtet um Karriere und Leben. Erfolgreich verfilmt mit Jane Birkin und Michel Serrault.

Adam Dalgliesh ist Lyriker von Passion, vor allem aber ist er einer der besten Polizisten von Scotland Yard. Und er ist die Erfindung von **P. D. James**. «Im Reich der Krimis regieren die Damen», schrieb die Sunday Times und spielte auf Agatha Christie und Dorothy L.Sayers an, «ihre Königin aber ist P. D. James.» In Wirklichkeit heißt sie Phyllis White, ist 1920 in Oxford geboren, und hat selbst lange Jahre in der Kriminal-abteilung des britischen Innenministeriums gearbeitet.

Ein reizender Job für eine Frau
Kriminalroman
(rororo 5298 und als gebundene Ausgabe im Wunderlich Verlag)
Der Sohn eines berühmten Wissenschaftlers in Cambridge hat sich angeblich umgebracht. Aber die ehrfürchtig bewunderte Idylle der Gelehrsamkeit trügt.

Der schwarze Turm
Kriminalroman
(rororo 5371)
Ein Kommissar entkommt mit knapper Not dem Tod und muß im Pflegeheim schon wieder unnatürliche Todesfälle aufdecken.

Eine Seele von Mörder
Kriminalroman
(rororo 4306 und als gebundene Ausgabe im Wunderlich Verlag)
Als in einer vornehmen Nervenklinik die bestgehaßte Frau ermordet wird, scheint der Fall klar – aber die Lösung stellt alle Prognosen über den Schuldigen auf den Kopf.

Tod eines Sachverständigen
Kriminalroman
(rororo 4923)
Wie mit einem Seziermesser untersucht P. D. James die Lebensverhältnisse eines verhaßten Kriminologen und zieht den Leser in ein kunstvolles Netz von Spannung und psychologischer Raffinesse.

Tod im weißen Häubchen
Kriminalroman
(rororo 4698)
In der Schwesternschule soll ein Fall künstlicher Ernährung demonstriert werden. Tatsächlich ereignet sich ein gräßlicher Tod... Für Kriminalrat Adam Dalgliesh von Scotland Yard wird es einer der bittersten Fälle seiner Laufbahn.

Ein unverhofftes Geständnis
Kriminalroman
(rororo 5509)
«P. D. James versteht es, detektivischen Scharfsinn mit der präzisen Analyse eines Milieus zu verbinden.»
Abendzeitung, München

Dorothy Leigh Sayers stammte aus altem englischem Landadel. Ihr Vater war Pfarrer und Schuldirektor. Sie selbst studierte als einer der ersten Frauen überhaupt an der Universität Oxford, wurde zunächst Lehrerin, wechselte dann für zehn Jahre in eine Werbeagentur. Weltberühmt aber wurde sie mit ihren Kriminalromanen und ihrem Helden Lord Peter Wimsey, der elegant und scharfsinnig Verbrechen aufklärt, vor denen die Polizei ratlos kapituliert. Dorothy L. Sayers starb 1957 in Whitham/Essex.

Ärger im Bellona-Club
Kriminalroman
(rororo 5179)

Die Akte Harrison
Kriminalroman
(rororo 5418)

Aufruhr in Oxford
Kriminalroman
(rororo 5271)

Das Bild im Spiegel *und andere überraschende Geschichten*
(rororo 5783)

Diskrete Zeugen
Kriminalroman
(rororo 4783)

Figaros Eingebung *und andere vertrackte Geschichten*
(rororo 5840)

Fünf falsche Fährten
Kriminalroman
(rororo 4614)

Hochzeit kommt vor dem Fall
Kriminalroman
(rororo 5599)

Der Glocken Schlag *Variationen über ein altes Thema in zwei kurzen Sätzen und zwei vollen Zyklen.*
Kriminalroman
(rororo 4547)

Keines natürlichen Todes
Kriminalroman
(rororo 4703)

Der Mann mit den Kupferfingern
Lord Peter-Geschichten und andere
(rororo 5647)

Mord braucht Reklame
Kriminalroman
(rororo 4895)

Starkes Gift *Kriminalroman*
(rororo 4962)

Ein Toter zu wenig
Kriminalroman
(rororo 5496)

Zur fraglichen Stunde
Kriminalroman
(rororo 5077)

rororo Unterhaltung

«Frauen morden einfach besser.»
Bild am Sonntag

Patricia Highsmith
Venedig kann sehr kalt sein
(thriller 2202)
Peggy, jung, hübsch, ver-
träumt, liegt eines Morgens
tot in der Badewanne.
Niemand zweifelt, daß sie
sich selbst die Schlagader
aufgeschnitten hat. Nur für
den Vater ist klar: der Ehemann muß schuldig sein...
«Unter den Großen der
Kriminalliteratur ist Patricia
Highsmith die edelste.»
Die Zeit

Linda Barnes
Carlotta steigt ein
(thriller 2917)
Eine neue Privatdetektivin gibt
es zu bewundern: Carlotta
Carlyle, rothaarig, Ex-Cop,
Ex-Ehefrau und erster weib-
licher Privat Eye in Boston.
Carlotta fängt Schlangen
(thriller 2959)

Nancy Livingston
Ihr Auftritt, Mr.Pringle!
(thriller 2904)
«Wer treffenden, sarkasti-
schen, teils tief eingeschwärz-
ten Humor und exzentrische
Milieus schätzt, kommt mit
Privatdetektiv G.D.H.Pringle,
einem pensionierten Steuer-
beamten, der die Kunst liebt,
ganz auf seine Kosten.»
Westdeutscher Rundfunk

Anne D.LeClaire
Die Ehre der Väter
(thriller 2902)
Herr, leite mich in Deiner
Gerechtigkeit
(thriller 2783)

JEN **GREEN** (HG.)
thriller
MORGEN BRING ICH IHN UM!
rororo
LADIES IN CRIME I
STORIES

Jen Green (Hg.)
Morgen Bring ich Ihn um! *Ladies*
in Crime I - Stories
(thriller 2962)
Diese Anthologie von sechzehn Kriminalgeschichten
von Amanda Cross über
Sarah Paretsky bis Barbara
Wilson zeigt in Stil und Humor die breite schriftstelleri-
sche Palette der Autorinnen.

Jutta Schwarz (Hg.)
Je eher, desto tot *Ladies in*
Crime II - Stories
(thriller 3027)

Irene Rodrian
Schlaf Bübchen, schlaf
(thriller 2935)
«Böse, bedrückend, typisch
deutsch.»
Schädelspalter, Nürnberg

«Es liegt in der Tradition des
Kriminalromans, daß Frauen
bessere Morde erfinden. Das
ist schon seit Agatha Christie
so. Aber warum? Diese Frage
kann einen wirklich um den
Schlaf bringen!»
Milena Moser in «Annabelle»

«Mich fasziniert jedesmal
wieder, wie leise-harmlos die
Romane von **Ruth Rendell** beginnen, wie verständlich und
normal die ersten Schritte
sind, mit denen die Figuren
ins Verhängnis laufen. Ruth
Rendells liebevoll-ironisch
geschilderten Vorstadt-
Idyllen sind mit einer unter-
schwelligen Spannung gefüllt,
die atemlos macht.»
Hansjörg Martin

Eine Auswahl der thriller von
Ruth Rendell:

Dämon hinter Spitzenstores
(thriller 2677)
Ausgezeichnet mit dem Gold
Dagger 1975, dem begehrte-
sten internationalen Krimi-
Preis.

Der Pakt
(thriller 2709)
Pup ist sechzehn und möchte
seine Stiefmutter loswerden.
Aus dem Spiel mit der
Schwarzen Magie wird töd-
licher Ernst...

Flucht ist kein Entkommen
(thriller 2712)
«...ein sanfter, trauriger
Thriller. Mit einer Pointe wie
ein Feuerwerk.»
Frankfurter Rundschau

Die Grausamkeit der Raben
(thriller 2741)
«...wieder ein Psychothriller
der Sonderklasse.»
Cosmopolitan

Der Kuß der Schlange
(thriller 2934)

Die Masken der Mütter
(thriller 2723)
Ausgezeichnet mit dem Silver
Dagger 1984.

Durch Gewalt und List
(thriller 2989)

Ein Wolf auf die Schlachtbank
(thriller 2996)
Mord ist des Rätsels Lösung
(thriller 2899)

In blinder Panik
(thriller 2798)
«Ruth Rendell hat sich mit
diesem Krimi selbst übertrof-
fen: die Meisterin der
Spannung ist nie spannender
zu lesen gewesen.»
Frankfurter Rundschau

Die Tote im falschen Grab
(thriller 2874)

**Mancher Traum hat kein
Erwachen**
(thriller 2879)

«Ruth Rendell - die beste
Kriminalschriftstellerin in
Großbritannien.»
Observer Magazine

«Es sieht so aus, als seien zur Zeit die besten Krimi-Autoren weiblichen Geschlechts. **Paula Gosling** zu versäumen, wäre ein Fehler für Krimi-Fans.»
Frankfurter Rundschau

Ein echtes Gaunerstück

(thriller 2939)
Wahrscheinlich hätte die schöne Ariadne noch ein paar fröhliche Jahre vor sich gehabt, mit einem Mann, der sie anbetete und einer liebevollen Stieftochter - wenn sie nicht im unpassendem Moment gelacht hätte...
«Ein spannender und amüsanter Krimi für Strandkorb-Tage.»
Frankfurter Rundschau

Tod auf dem Campus

(thriller 2858)
Professor Aiken Adamson war ein gehässiges, hinterhältiges Ekel. So hat Lieutenant Stryker beim Motiv ein Dutzend Verdächtiger, beim Alibi aber keine - zunächst jedenfalls...
«Bildung schützt vor Dummheit nicht - zum Vorteil des Lesers, der in genußvoller Spanung gehalten wird, wenn Selbstüberschätzung die Wissenschaftler zu verhängnisvollen Begegnungen mit dem Täter führt, wenn überraschend akademische Fassaden bröckeln und aus der wütenden Gegenerschaft zwischen dem Polizisten und einer Verdächtigen eine Liebesgeschichte entsteht.»
FAZ

Der Polizistenkiller

(thriller 2971)
In Grantham versetzt eine

Mordserie Polizisten in Panik. Drei Kollegen sind schon tot, aus dem Hinterhalt erschossen. Den ersten Tip gibt kein Informant, sondern der Polizeicomputer...

Blut auf den Steinen

(thriller 2826)
Wychford ist ein kleines verträumtes Städtchen am Ufer des Flusses Purle - bis grausame Frauenmorde die Idylle zerstören.